EN EL CORAZÓN
DE LAS TRINCHERAS

JULIO GODÍNEZ

EN EL CORAZÓN DE LAS TRINCHERAS

mr ediciones martínez roca

© 2023, Julio Godínez

Fotografías de interiores: Archivo del autor

Derechos reservados

© 2023, Editorial Planeta Mexicana, S.A. de C.V.
Bajo el sello editorial MARTÍNEZ ROCA M.R.
Avenida Presidente Masarik núm. 111,
Piso 2, Polanco V Sección, Miguel Hidalgo
C.P. 11560, Ciudad de México
www.planetadelibros.com.mx

Primera edición en formato epub: julio de 2023
ISBN: 978-607-39-0301-1

Primera edición impresa en México: julio de 2023
ISBN: 978-607-39-0273-1

Impreso en los talleres de Litográfica Ingramex, S.A. de C.V.
Centeno núm. 162-1, colonia Granjas Esmeralda, Ciudad de México
Impreso y hecho en México - *Printed and made in Mexico*

Para Claudia.
Tu corazón es infinito, eterno.

La gran derrota, en todo, es olvidar.
LOUIS FERDINAND CÉLINE

Uno
Adiós, América

El graznido sordo de las gaviotas ha cesado. Después de revolotear durante horas, las aves de pico y patas amarillas han desaparecido por completo. En su lugar, en el cielo azul y limpio, unas líneas de humo gris se alargan como un velo hasta disiparse en la distancia. Es pasado el mediodía del 4 de junio de 1918 y, sobre las aguas infinitas del mar Atlántico, nueve buques civiles navegan en formación de escuadra con destino a la gran guerra en Europa.

A bordo de cada una de las embarcaciones del tamaño de un pueblo entero, una multitud verde olivo viaja abigarrada dueña de un brío y una arrogancia digna de cualquier conquistador. En las últimas semanas, estos muchachos provenientes de cada rincón de Estados Unidos han sido azuzados una y otra vez con la consigna: «Adelante con la guerra lozana y alegre».

Lo cierto es que pocos, muy pocos, de quienes aquí son transportados —rodeados del aroma a sudor y tabaco que asciende y se aleja— conocen de qué se trata realmente la guerra, sus consecuencias y sus alcances. Para muchos, la idea de dejar sus hogares para partir a un conflicto que poco o nada comprenden representa la oportunidad de asistir a la aventura de sus vidas, de conocer qué se oculta del otro lado del mar. Para otros tantos, se trata de una forma de escapar de sus realidades mundanas o de cumplir con su deber como ciudadanos. Para unos cuantos más se convirtió en una obligación de la que no pudieron escapar. Sea cual sea su razón de viajar aquí, todos estos muchachos han dejado sus vidas atrás, amores, familias y empleos, para asistir al llamado de una figura de cabello cano, barba larga de chiva y ceño fruncido, quien, apuntando directamente con su dedo, los amagó diciendo: «*I want you*».

Sobre la cubierta de una de las embarcaciones, un coro de soldados rubios ríe y canta con ánimo festivo para aligerar el largo trayecto que tiene por delante. Más allá, algunos miembros de la División 89, provenientes del Medio Oeste del país, fuman y matan el tiempo lanzando osadas apuestas entre ellos sobre quién será el primero en disparar a un alemán. Los hombres ubicados en el extremo de esa agrupación miran e intentan mantenerse al margen de un singular grupo cuyo rostro pulido como el bronce contrasta con el suyo y el del resto de los ocupantes del barco.

Con el mismo uniforme verde olivo, ese puñado de muchachos de facciones gruesas y semblante orgulloso viaja discreto y en silencio, como si quisiera pasar desapercibido, en un rincón de la popa.

Entre ellos, un soldado de ojos negros en forma de almendra se deleita en la borda con su primer encuentro con el mar. Hasta hace unas horas, este muchacho, dueño de un gesto sosegado, imaginaba el océano tan extenso y vasto como el desierto de Samalayuca, de su natal Chihuahua. Sin embargo, al contemplar la magnitud de estas aguas, repara en que nada, absolutamente nada que haya visto antes se compara con el paisaje que ahora tiene delante.

Ataviado con el recién estrenado uniforme que aún conserva el olor a nuevo, sus botas de cuero y un sombrero de campaña de fieltro, el soldado raso Marcelino Serna se siente privilegiado de viajar aquí, a bordo de este barco, y de formar parte de las Fuerzas Expedicionarias Americanas. El joven alza la mirada al cielo azul y limpio. Por un momento, con el aire salado y fresco golpeando su rostro, piensa en que nunca antes, en toda su vida, había sido tan feliz como en este momento.

—Estamos finalmente en altamar. Las gaviotas no se alejan tanto de tierra firme —dice en español Alberto Aguirre, un soldado de cara alargada, bigotes ralos y aspecto recio, quien escruta suspicazmente desde hace horas el horizonte con sus ojos oscuros bajo la sombra de su sombrero de tres picos.

Aguirre, apenas unos años más grande que Serna, funge como cabo e intérprete de los miembros del discreto grupo que, en su mayoría, no hablan una palabra de inglés. Hasta hace unos meses, estos muchachos trabajaban de sol a sol como campesinos, mineros o ferrocarrileros y habitaban en comunidades de mexicanos apartadas de las grandes ciudades de Estados Unidos.

El viaje transcurre sin novedad durante un par de horas. De pronto, sin que parezca mediar razón alguna, el silbato de este gigante de hierro resuena enérgicamente. Los soldados de la División 89 que atrás cantaban y reían hacen silencio.

El molesto pitido agudo se repite a intervalos; los barcos contiguos activan también sus silbatos de vapor. Enseguida, la vibración de los motores se reduce drásticamente sin que la nave se detenga por completo. Marcelino observa deslumbrado en dirección a la chimenea que parece ahogar sus nubes grises. Por un segundo, se pregunta si los silbidos serán un intercambio de comunicaciones entre la escuadra naval o, si acaso, se trata de una señal de emergencia que alerte a la tripulación para disponerse a abandonar el buque por alguna razón desconocida. Desconcertado, Aguirre examina las aguas que lo rodean hasta donde su mirada le permite. El persistente sonido le hace imaginar el peor de los escenarios, en el que un ataque enemigo termina con sus aspiraciones de formar parte de la guerra, incluso antes de llegar a ella.

El aullido del silbato de la embarcación no hace más que incrementarse a intervalos más cortos. De lejos, Aguirre observa a dos oficiales de la división lanzar órdenes indistintas que no alcanza a comprender; en vano se moviliza entre la tropa con la intención de escuchar. Por alguna razón, la multitud se compacta en dirección a las puertas de acceso por donde intenta ingresar. De repente, los motores se espabilan. Las chimeneas vomitan nuevamente unas nubes negras y espesas cuando el barco se pone en marcha a toda máquina.

El movimiento zarandea a la multitud en cubierta. Aguirre pide a los hombres que dependen de él para recibir instrucciones que ingresen por la puerta que tienen delante, siguiendo al resto de los soldados. Al ser quienes se encontraban más alejados, los mexicanos no logran alcanzar el acceso que, con la confusión y la urgencia, se ha vuelto un embudo. El cabo ordena al grupo desplazarse al próximo acceso que se encuentra libre. Serna recorre a trancas algunos metros entre la muchedumbre y los objetos de navegación, amarres, bultos y cajas de madera que halla a su paso.

Sin que nadie lo espere, el barco vira violentamente sobre estribor.

El movimiento hace que los hombres pierdan el balance. Marcelino Serna y Luis López, un muchacho enjuto quien es el único soldado que el mexicano conocía previo a enrolarse, alcanzan a sostenerse de los pasamanos de cubierta mientras otros son asidos por sus compañeros antes de que caigan y rueden por el piso. Unos más no tienen tanta suerte y pierden el equilibrio. Como bultos de harina, caen sobre el piso de madera del buque. Marcelino observa desde el centro de la cubierta a un soldado rubio deslizarse peligrosamente junto a él. El soldado se golpea con varios objetos en dirección de los márgenes de la embarcación. Fríamente y sin medir el peligro que representa su acción, el chihuahuense se lanza hacia él para prenderlo de su cazadora a la altura de los hombros, justo antes de que caiga al vacío a través de la barandilla. Pálido y con el miedo dibujado en su mirada, el soldado rubio se encarama. Enseguida se gira para agradecer con un gesto a su compañero de rasgos indígenas, quien vuelve por la cubierta para integrarse con los suyos en medio del caos y la confusión.

Unos segundos más tarde, el barco vira de nuevo en sentido opuesto, a babor, para recuperar la vertical de inmediato sobre las olas. Algunos hombres aprovechan el momento para incorporarse e ingresar como cabras alocadas a través de la puerta que conduce al interior del buque. Serna aguarda asido del pasamanos cualquier orden de Aguirre preparado para una nueva embestida.

Antes de que pueda recibir alguna instrucción de parte del cabo, un destello cegador golpea su rostro. El joven se gira para buscar el origen de ese extraño resplandor. Los únicos objetos de donde pudo provenir el halo de luz son de los barcos más próximos que, igual que el suyo, van camuflados de las chimeneas a la base con varias líneas negras inconexas. El destello lo golpea directamente en los ojos una vez más. Detrás de la embarcación más próxima a la de él, alcanza a mirar un objeto que extrañamente emerge del agua. Se pregunta si se trata de algo de carga que ha caído por la borda de alguno de los barcos a causa del movimiento.

En este momento, casi todos los ocupantes del barco, incluidos los mexicanos, han ingresado a sus entrañas sin reparar en aquella misteriosa presencia que parece flotar entre las crestas de la corriente marina. Inquieto y aún en espera de la orden de su cabo, Marcelino vuelve a mirar al agua. Entre la corriente parece hallar el objeto que ahora se ve mucho más expuesto, tanto que puede observar un cilindro oscuro y prominente que emerge como un sombrero de copa.

—Serna. Vámonos pa' dentro, cabrón. ¿Qué esperas? —urge Aguirre al soldado desde el margen de la puerta.

Con la alarma repicando y el barco a toda máquina, el soldado raso señala con la mano en dirección a esa extraña presencia.

—¿Qué ocurre? ¿Qué hay?

—Ahí, mira. Detrás del barco.

El cabo agudiza la vista en esa dirección. Su rostro se transforma cuando parece reconocer el misterioso objeto.

—Carajo… —exclama desconcertado y desaparece deprisa por la puerta.

Confundido, Serna regresa la mirada al agua para darse cuenta de que el cuerpo cilíndrico forma parte de una estructura mucho más grande que se asoma y navega sobre las olas a gran velocidad.

Un grito en inglés se ahoga entre un nuevo chillido del silbato y el rugido de los motores que marchan a tope. Sobre la cubierta, un oficial ordena a Serna con una seña que ingrese por la puerta del barco de inmediato. Antes de que el soldado pueda reaccionar, Aguirre regresa al exterior seguido de todo el grupo de soldados a su cargo.

El barco vuelve a zarandearse agresivamente sobre uno de sus costados. La sacudida hace que la nave se incline esta vez mucho más. A lo lejos, otra vez se escuchan varias órdenes en inglés.

—Debemos quedarnos adentro —dice con su cara pálida aún de niño Manuel Chávez, el más joven del grupo, desde la boca de la puerta.

Delante de él, Víctor Baca, quien es una cabeza más alto y reservado que el resto de sus compañeros, sostiene a Tobías González del brazo para que alcance el pasamanos.

—¿Qué chingados pasa, Aguirre? ¿Por qué nos regresamos? —pregunta González.

—Un submarino —afirma el cabo señalando en dirección del objeto cilíndrico.

—¿Qué jijos es un submarino? —cuestiona Luis López, el soldado enjuto e hijo de campesinos mexicanos que habitan en una reserva de Colorado, cuando el barco vuelve a recuperar la vertical y acelera.

Marino Ochoa, el más bajo del grupo y quien, hasta hace unas semanas, trabajaba como maestro de escuela enseñando a leer y escribir a hijos de jornaleros, explica que un submarino es una embarcación que puede sumergirse en el agua y trasladarse durante horas.

—Además, puede disparar proyectiles a largas distancias para hundir barcos como este —agrega Aguirre.

Serna repara en que jamás ha escuchado de una máquina capaz de viajar y atacar debajo del agua; por un momento, encuentra esas capacidades más que fascinantes, imposibles.

Los ojos de Chávez parecen desorbitarse cuando mira el aparato del tamaño de dos carros de ferrocarril emerger del agua.

—Esa cosa, ¿de verdad puede atacarnos? —pregunta incrédulo Bicente Ochoa, hermano del maestro Marino.

Nadie responde porque nadie conoce la respuesta.

A la distancia, el oficial vuelve a gritar varias órdenes al grupo de Aguirre, que observa consternado el movimiento del submarino que mantiene medio cuerpo fuera del agua. El barco acelera una vez más.

—¿Por lo menos es de los nuestros? —pregunta Elizardo Mascarenos, un joven sumamente curioso de bigote fino, sosteniendo su gorro de dos picos sobre su cabeza.

—Tampoco tengo idea, pero no está siguiendo los movimientos en zigzag de los barcos —sostiene Aguirre mirando la estela en forma de zeta que van dejando los barcos junto a ellos.

—Parece una estrategia de evasión —agrega González, quien desde hace semanas se ha mostrado bastante suspicaz a las instrucciones de la comandancia americana.

—¿Zigzag? ¿Evasión? ¿Qué demonios quiere decir eso, cabrones? ¿Nos van a quebrar o no? —pregunta lacónico el corpulento Baca.

—Nos van a hundir en medio del mar. Ámonos pa' dentro, Aguirre —insiste Chávez sosteniéndose con fuerza del marco de la puerta.

A solo unos metros de ellos, el oficial rubio parece haberse cansado de gritar sus órdenes y se aproxima furioso al grupo.

—¿Sabes nadar? —cuestiona el cabo a Chávez sin dejar de observar en dirección de la nave subacuática.

El soldado niega con la cabeza.

—Entonces es mejor que nos quedemos aquí afuera cuando nos disparen, sin importar lo que nos digan —replica—. Este barco se convertirá en nuestro ataúd si un bombardeo submarino nos sorprende ahí dentro, ¿comprendes? Y de ahí, ni los santos a los que les rezas podrán sacarnos.

Chávez se persigna con un movimiento rápido de manos mirando al cielo. El resto de sus compañeros se sujetan tan fuerte como les es posible a los pasamanos de cubierta y aprietan los ojos a la espera de la primera embestida.

«You, fucking nigros, inside the ship. Now!», alcanzan a escuchar los mexicanos cuando el silbido del barco cesa finalmente y las máquinas se apagan reduciendo su velocidad hasta detenerse, esta vez, por completo.

Serna mira la línea espumosa en forma de zeta que han dejado a su paso las embarcaciones sobre el agua del mar. Todavía desconcertado, Aguirre observa el submarino que también se ha detenido a un costado del barco que siguió durante los últimos minutos.

El oficial rubio se aproxima con largos pasos lanzando alaridos y maldiciendo. El cabo se aproxima a él y se cuadra. Durante varios minutos, el mando de la división se dedica a lanzar improperios a Aguirre, quien lo escucha estoico sin decir palabra. En los ojos azules del superior, Serna puede ver la furia arder que solo se incrementa hasta que una arteria de su frente se inflama.

«Moora, J.», lee el mexicano en el pecho del oficial y se da cuenta de que está nada menos que frente al capitán John Moora, segundo al mando del Regimiento 355 de la División 89, de quien conocía su nombre, pero nunca había visto en persona al formar parte de la última línea de tropa que aquí viaja.

Pasados unos segundos, con un grito, la discusión es zanjada por el superior. Aguirre vuelve a cuadrarse y se gira en dirección de sus hombres. Moora lanza un gesto de desprecio hacia el cabo y sus hombres mientras otro oficial, con semblante de pocos amigos, respira agitado detrás de él. Antes de retirarse, el coronel expresa algo en inglés y entre dientes que solamente Aguirre alcanza a comprender.

El cabo vuelve y explica al grupo que todo aquello se ha tratado de un ejercicio militar, de un simulacro de ataque, en el que no corrían peligro alguno y con el que la comandancia quería conocer el nivel de respuesta de las tropas en mar abierto.

Incrédulo, Serna devuelve la mirada al agua. Del lomo de la extraña máquina subacuática de guerra, observa salir a dos hombres uniformados.

Aguirre añade que se trata de un submarino británico en misión que ha venido a escoltarlos durante una parte de su trayecto por el Atlántico y explica que, por haber desobedecido una orden directa de un superior, serán puestos en detención y castigados limpiando los retretes del buque durante el resto del trayecto.

—De cualquier forma, y seguramente, lo íbamos a hacer —replica con desfachatez Mascarenos.

—¿Quién era ese? —pregunta Bicente Ochoa.

—El capitán John Moora.

—¿Ese es Moora? —suelta sorprendido González—. Lo imaginaba mucho más alto.

—Y ¿qué es lo que ha dicho antes de largarse? —pregunta Mascarenos.

—Que no merecemos portar el uniforme americano y que ya se encargará de nosotros más tarde —responde Aguirre.

—Y antes nos ha llamado negros, ¿no es así? —cuestiona González.

El cabo asiente con la cabeza.

Baca lanza un bufido molesto mirando en dirección de los oficiales que se alejan hacia la proa.

—Tranquilo, grandote —dice González junto a su compañero.

—Vamos a buscar un lugar para acomodarnos adentro. Estos cabrones nos necesitan más de lo que creen —asegura con desprecio Aguirre—. Así fue en México, así será seguramente en Europa.

Antes de ingresar al barco por la puerta, Serna recuerda que durante los más de seis meses de estancia en el campo de adiestramiento militar de Kansas, Alberto Aguirre resaltó varias veces lo mismo, que los gringos necesitarían a los mexicanos más de lo que podían imaginar.

En octubre de 1917 Marcelino Serna llegó cargado de ilusiones a Camp Funston acompañado de Luis López, ese muchacho enjuto hijo de campesinos mexicanos que había abandonado por vez primera a su familia que vivía en una comunidad apartada del condado de Morgan, en el estado de Colorado.

Aquella noche, a pesar del frío, el ánimo alborozado de los cientos de muchachos que llegaban provenientes de distintos puntos de Estados Unidos se contagiaba por toda la estación de ferrocarril. La atmósfera en el andén era de tal algarabía que nadie hubiera imaginado que aquella multitud se agrupaba para ir a encarar a la bestia llamada guerra.

Sobre un escritorio instalado a pie de vía, un soldado americano tomó el registro que Serna le entregó en mano. Sin prestarle mayor interés, revisó que había sido inscrito en Denver, su fecha de nacimiento, 27 de abril de 1892, y que era originario de Chihuahua, México. Además, que, durante el último año, había laborado como ferrocarrilero en el mismo estado de Kansas y como campesino en Colorado.

Absurdamente, igual que Luis López, Marcelino Serna fue inscrito en los registros del campo como de raza aria y le fue asignado el número de serie 2195593. En medio de la noche, otro soldado rubio, quien dividía a los hombres como a la paja del trigo, señaló sin aparente lógica y con un movimiento de cabeza a Serna y a López que se formaran detrás de la última fila, detrás de otros recién llegados también de aspecto humilde.

Minutos más tarde, el puñado de muchachos marchó en silencio siguiendo a un soldado al que no se le podía mirar más allá de medio rostro debajo de su sombrero de campaña. Con su macuto a cuestas y los ojos bien abiertos, Serna intentó no perder detalle de todo lo que se descubría a su paso gracias a la luz artificial entre los edificios hechos de madera y concreto de aquel lugar parecido a una pequeña ciudad.

El grupo llegó a un edificio sanitario donde se les ordenó ingresar y tomar una ducha. El chorro de agua fría hizo que olvidaran el cansancio del largo viaje en tren desde Colorado. Enseguida les repartieron unos pantalones y cazadoras azules de algodón duro para después ser conducidos a un amplísimo barracón de madera que olía a encierro y humedad.

El soldado de sombrero de campaña se descubrió dejando expuesto el gesto recio en su rostro y un bigote poblado. En español, se presentó como Alberto Aguirre, miembro de la División 89 y, a partir de ese momento, responsable del grupo. Sucinto, aclaró todo lo que, por no hablar inglés, ni Serna ni López, ni el resto de los hombres habían podido comprender hasta entonces. Aseguró que se encontraban en una instalación militar ubicada a unas millas de la ciudad de Topeka, Kansas, una de varias que habían sido creadas para agrupar y adiestrar a las tropas que serían enviadas próximamente a Europa.

El soldado dijo, además, sentirse orgulloso de cada uno de quienes se encontraban ahí al no desatender su obligación con el país que los había recibido, a ellos o a sus familias. Añadió que su presencia en ese lugar, aunque pareciera lo contrario, era más importante de lo que podían imaginar para las huestes americanas y que, a todos ellos y a sus familias, seguramente les favorecería aquel servicio prestado a Estados Unidos.

Al día siguiente, la preparación para ir a la guerra comenzó con jornadas que se extendieron de sol a sol entre riesgos de los que no tenían idea al llegar al campo, como los brotes de la letal epidemia de neumonía que se extendió por toda la instalación durante varios meses.

Medio año transcurrió en ese polvoriento sitio sin que los reclutas pudieran disparar ni una sola vez un fusil. El grupo se dedicó a marchar abrazando durante horas una réplica de madera de un rifle y a visitar, de manera muy esporádica, un sitio conocido como la Casa de los Gases, un espacio donde aprendían a diferenciar entre una bomba convencional y una cargada con gases tóxicos con la que es necesario utilizar máscara antigás.

En mayo de 1918 corrió la noticia por toda la instalación de que, del otro lado del mar, Alemania había lanzado una feroz ofensiva. Una mañana recibieron la orden de presentarse en la bodega de equipo. Ahí se les entregó finalmente un uniforme verde olivo, que incluía cazadora y pantalones; una corbata negra, cinturón con hebilla de bronce, un par de botines, impermeable, sombrero de campaña, un abrigo y equipo que incluía una mochila ajustable a la cartuchera de cintura vacía de municiones; un refugio para la lluvia y el frío, que en realidad es un pedazo de tela impermeable, y una cantimplora. En una segunda mochila se les sugirió acomodar objetos personales. Serna colocó un cambio de ropa interior, comida, un plato y cubiertos de lámina; otros depositaron una lata especiera con café, azúcar o alguna golosina; algunos más lo llenaron de tabaco que habían podido juntar durante semanas y uno que otro valioso cigarro.

Finalmente, los sesenta y siete muchachos que solo hablaban español salieron del Camp Funston el lunes 21 de mayo, junto a un primer gran destacamento, sin tener certeza de cuál sería su destino.

Su paso a bordo de los carros de tren fue celebrado por la gente de ciudades y pueblos de nombres que a los mexicanos les resultaron impronunciables. En algunos de esos poblados las mujeres se acercaban para entregarles a los soldados blancos panes recién horneados, fruta o cigarrillos; los mexicanos y los negros, por su parte, solo recibían miradas cargadas de recelo al verlos portando el uniforme militar. Luego de tres largos días de viaje, el convoy llegó a un emplazamiento de tránsito de nombre Camp Mills, ubicado en Long Island, Nueva York.

En ese lugar, instalados en tiendas de campaña y no en barracas, pasaron más de dos semanas sin asearse ni recibir alimentos suficientes, lo que dibujó el destino que les aguardaba del otro lado del mundo. Fue en ese campamento donde Serna pudo dimensionar la cantidad de hombres que habían llegado desde cada rincón de Estados Unidos para ser movilizados y que, recién había escuchado, la comandancia pretendía que llegaran al millón.

En Camp Mills fue donde la figura de Aguirre, que para entonces se había convertido en una aspiración para Serna, se transformó cuando narró cómo se había sumado a las tropas americanas dos años atrás.

Bajo un cielo estrellado y frente a un plato de sopa insípido, Aguirre dijo que un año antes de que Estados Unidos le declarara la guerra a Alemania y de que el rostro fervoroso del Tío Sam apareciera pegado por todos los pueblos y ciudades estadounidenses, el alguacil de Hancock, una comunidad de Texas que mira a Chihuahua, donde vivía con sus doce hermanos, su madre y su padre, lo buscó para convencerlo de que se sumara a las huestes americanas por el único hecho de que dominaba el inglés y el español con fluidez.

El mismo alguacil le propuso sumarse a una expedición que las tropas gringas estaban por emprender en marzo de ese año al interior de México a cambio de una buena paga, comida y un lugar privilegiado en el cuartel militar que el gobierno americano pretendía instalar en El Paso.

Con una extraña amargura, Aguirre explicó que su participación con las tropas americanas se había limitado a ser el intérprete durante esa campaña militar, que pronto se convirtió en una cacería obsesiva emprendida por el mismísimo presidente Woodrow Wilson y que se extendió durante casi un año por el desierto mexicano para dar con el bandido Francisco Villa y su gente, quienes habían cruzado a Estados Unidos.

Al escuchar aquel nombre, Marcelino Serna dejó caer su cuchara con sopa y se estremeció por completo. Después de unos segundos, se recompuso discretamente y, sin mirar al cabo de frente, siguió con más atención e inquietud su narración.

Aguirre aseveró que la operación había incluido a muchos de los soldados americanos que se encontraban ahora en ese lugar dispuestos para partir a Europa.

—Los de arriba del ejército insistieron que era una respuesta a la salvaje incursión de los bandidos de Villa a Columbus, Nuevo México, de donde se dijo que escaparon como ratas escurridizas —aseguró el soldado.

«Bandidos, ratas escurridizas…», repitió Serna entre dientes mientras apretaba los puños y sentía su corazón acelerarse.

A pesar de aceptar su fracaso al capturar al rebelde en territorio mexicano, Aguirre presumió algunas acciones en las que las tropas gringas pudieron enfrentar a los villistas en San Isidro, Aguacaliente y Puerto de Varas, gracias a información que hombres como él habían conseguido al hablar con la gente de los pueblos de Chihuahua.

Serna sintió el estómago revolverse al escuchar aquellas últimas afirmaciones del cabo.

—Es cierto que no se logró capturar al bandido ese de Villa. Lo que sí se hizo fue probar estrategias nuevas y un chingo de armas, granadas, fusiles, artillería y hasta aviones de combate en esa persecución.

—¿Aviones? —preguntó alguien sorprendido.

—Sí, aviones —respondió Aguirre y se limpió su poblado bigote.

—Carajo. ¡Cómo me hubiera gustado ver uno! —aseguró Mascarenos.

Después de unos segundos, el soldado se lamentó de que, a pesar de su labor con las huestes americanas, nunca, durante toda la expedición que duró casi un año, le hubieran dado la oportunidad de comandar grupo alguno, ni siquiera de mexicanos.

Los servicios prestados durante aquella expedición a México, afirmó, apenas le sirvieron para elegir con qué división quería partir a Europa y la posición de cabo, mientras que otros hombres que participaron entonces lograron una mayor jerarquía.

—Y seguramente paga —añadió indiscreto González.

—Eso no me importa.

Serna hizo un esfuerzo para serenar el volcán en que se había convertido en cuestión de minutos. Despacio, devolvió la cuchara al plato con sopa fría y se levantó de la mesa para encaminarse en silencio a su tienda de campaña.

A la mañana siguiente, antes de partir, Marcelino observó con sorpresa a la multitud. Nunca antes en su vida había visto tal cantidad de gente reunida en un solo lugar. La fila de muchachos convertidos ya en soldados era de tal magnitud que se perdía entre la oscuridad y la neblina. En ese momento, no pudo más que pensar que en el mundo no había ejército, al menos en número, más grande que el americano. Un sentimiento de pertenencia y orgullo lo invadió al sentirse parte de un esfuerzo colectivo, único y colosal. Mucho antes de que el sol pintara la línea azul profundo en el horizonte, los miles de muchachos comenzaron a marchar por bloques de doscientos cincuenta y seis elementos en dirección al puerto de Hoboken, Nueva Jersey.

En sus muelles grises que miraban a Manhattan, los nueve gigantes de acero aguardaban con sus motores calientes. Ahí —esta vez sin distinción—, un puñado de mujeres, vestidas de blanco de pies a cabeza y con una cruz roja en el brazo izquierdo, distribuyeron algunas raciones de comida a todo soldado que cruzaba frente a ellas. Con su equipo a cuestas los hombres se encargaron de llenar el barco civil, que llevaba en su costado el nombre *Baltic*, cruzando por tablones de madera mientras la luz del día desvelaba a los ojos de Serna la magnitud real de la operación.

Después de varias horas de espera, con una mezcla de nerviosismo y emoción, el mexicano escuchó las cadenas del *Baltic* contraerse, los motores rezumbar y al pesado barco moverse alejándose del muelle despacio.

Desde en un rincón de la popa, Serna miró a la multitud que vitoreaba su partida desde el muelle. Más adelante, una colosal figura femenina y verdosa, que alguien identificó como la Estatua de la Libertad, junto con los edificios de Manhattan se fueron haciendo pequeños hasta desaparecer. La única compañía del convoy durante algunas horas fueron las gaviotas de patas amarillas, hasta que desaparecieron en medio del mar.

En altamar, a medianoche del 5 de junio de 1918, el barco continúa su marcha con el zumbido de los motores a tope. Aquí dentro, el calor es insoportable.

—Serna, Marcelino, ¿estás despierto? —pregunta alguien con inquietud.

Una lamparilla eléctrica se mece en una columna del salón de primera clase donde han sido instalados los mexicanos desde hace once días. Su breve luz alcanza para iluminar la figura delgada de Manuel Chávez, quien se encuentra de pie.

—Serna, ¿estás despierto? —repite entre jadeos el más joven del grupo.

—Sí. ¿Qué quieres, cabrón?

—Volver a casa.

—¿Cómo dices? —pregunta el mexicano desconcertado.

—Quiero volver a casa. No quiero ir a la guerra —dice el muchacho con voz entrecortada.

—Estamos en medio del mar, Manuel.

Chávez parece comprender por un instante lo absurdo de su petición y se toma un momento para responder.

—Solo soy un simple campesino, Serna. Jamás he disparado un arma en mi vida y, la verdad, no creo ser capaz de matar a un hombre.

—En la guerra uno mata por necesidad —suelta el de Chihuahua recostado sobre el tapete escarlata sin que sus palabras parezcan surtir efecto en su joven compañero.

Chávez examina confundido a su alrededor y se aproxima:

—Esta no es nuestra guerra, ¿sabes? No tenemos por qué estar aquí ni dar la vida por un país que nos trata como basura todo el tiempo.

Un largo silencio sucede a aquella afirmación. Serna sabe que el muchacho no miente, pero sus razones para estar aquí van más allá de dar la vida por una nación ajena que bien sabe que los desprecia.

—Si no querías venir, ¿por qué te has enlistado? —interpela el mexicano recordando de pronto la falta de interés de su compañero en los ejercicios militares que realizaron de lunes a domingo en Funston.

Su respuesta se reserva a un nuevo silencio en el que puede escuchar su respiración agitada.

—¿Qué ha sido, Manuel? ¿La comida y la paga? —insiste Serna intrigado.

Chávez niega y se encoge de hombros.

—Eso sería suficiente —interviene de pronto Luis López junto a los dos soldados—. Treinta dólares al mes es el doble de lo que ganábamos tú y yo en Morgan recogiendo betabeles, camarada.

—Y mucho mejor que los diez dólares que yo recibía por tender vías de tren en el desierto de Arizona —sostiene Víctor Baca, quien se encuentra recostado en camiseta al otro costado de López, cerca de la barra del bar del salón de primera.

—Eso sin contar con el seguro de diez mil dólares que han prometido si nos quiebran. No lo olvides —exclama Bicente Ochoa junto a su hermano.

—Madre santa… diez mil dólares. ¡Qué fortuna! Lo que haría yo con ese dinero. No me volverían a mirar en su vida, cabrones

—añade Elizardo Mascarenos, quien parece que tampoco había podido pegar pestaña.

—Algo que no podrías disfrutar tú poque estarías muerto —interpela Chávez.

—Como sea —regresa Mascarenos—. Que se lo gaste mi madre.

—Bueno, yo no me iba a perder un viaje así. ¿Cuándo en mi vida iba a pensar que un tipo como yo podía cruzar el mar? —sostiene González.

—Yo igual —dice Baca—. He venido aquí porque estaba ansioso de tener alguna aventura. Para mí, con eso basta.

—Imaginen ver con nuestros propios ojos París, la Ciudad Luz, los Campos Elíseos, el palacio de Versalles —dice Marino Ochoa evocando a la capital francesa en medio de la oscuridad.

—Yo tampoco me iba a perder un viaje así. Y, más importante, la oportunidad de comprobar si las chamacas francesas son tan chulas como dicen —vuelve Mascarenos provocando la risa de la mayoría.

De pronto, la voz de Aguirre apaga el festín en el que se había convertido el salón:

—¿Cuántos de ustedes han matado a un hombre? La mayoría jamás en su vida ha disparado siquiera un arma real. Al viajar en este barco efectivamente vamos a la aventura de nuestra vida, pero la guerra es mucho más que eso.

Serna se pone de pie sin que sus compañeros se den cuenta.

—Yo sí he disparado un arma y he matado —sostiene.

Un silencio tenso se instala entre las sombras. Aguirre se acerca con lentitud al soldado raso.

—Ah, ¿sí? ¿Y a cuántos hombres ha matado usted en su vida, Serna? —cuestiona el cabo.

—Los necesarios para no morir yo mismo.

—Entonces usted carga varios muertos. ¿Y quiénes son? —pregunta el cabo poniendo al mexicano en una encrucijada ante su pasado.

A punto de que Serna responda que a más de media docena de federales mexicanos y otro tanto de gringos que, como él, fueron sus enemigos en el pasado, la lamparilla de gas que delineaba exiguamente sus siluetas se apaga de golpe. En la penumbra, uno de los soldados negros manda callar al grupo de mexicanos de una vez. Serna hace un esfuerzo por volver a contener su respuesta, sabe que posiblemente le causaría ser devuelto a América.

—Ya conversaremos usted y yo, Serna —asegura Aguirre—. Vuelvan a dormir. Estamos a unas horas de navegar aguas inglesas, habrá que estar alertas.

Los hombres vuelven a recostarse.

Después de una hora, Chávez regresa junto a Serna, para volver a hablarle de nuevo de cerca.

—No quiero ir a la guerra, Marcelino —susurra agitado, casi quebrado—. Entiéndeme, no soy como ustedes.

—¿Como nosotros? ¿De qué hablas?

—He venido aquí obligado. Unos vaqueros me detuvieron en el desierto de Nuevo México cuando intentaba huir a México. Ellos me llevaron arrastrando a un centro de detención donde, después de golpearme, me obligaron a firmar y enlistarme. Luego fui enviado a El Paso, al cuartel ese donde estuvo Aguirre. Ahí me encerraban durante días sin comida ni agua. Cuando el brote de neumonía llegó a ese lugar, yo mismo busqué contagiarme intencionalmente para ser descartado; logré enfermarme, pero, antes de que me descargaran, me recuperé y fui enviado en tren a Kansas.

El muchacho hace una pausa. Traga saliva y se aproxima mucho más a Serna, tanto que puede sentir su respiración caliente en la cara.

—Intenté matarme con tal de no venir —confiesa el muchacho con dificultad—. Me colgué del techo del barracón sanitario, pero unos guardias me encontraron antes de que perdiera el sentido. ¿Sabes? No soy el único que no quiere estar aquí, Marcelino, varios lo dijeron en el campamento, incluidos los gringos. Algo debo hacer para devolverme a casa.

Serna hace un esfuerzo inútil por mirar a su joven compañero. Desea darle alguna esperanza de que todo estará bien, pero, en la oscuridad y ante el desasosiego, sus palabras se ahogan. Ante el silencio, Chávez se encarama y se aleja. Un aire marino y fresco penetra en el salón cuando el muchacho abre la puerta. Los motores continúan su vibración y su marcha. En la negrura, algunos hombres tosen. Por un largo rato, Serna teme lo peor; que, desesperado, Chávez se deje caer por la borda del barco al mar. Se pregunta entonces si debió haber seguido a su compañero hasta que el sueño lo vence.

El rugido del motor de un aeroplano despierta a Serna. Chávez no ha vuelto a su lugar. Deprisa, el mexicano sube la escalera y sale por la puerta. Afuera, la luz del día lo ciega por un momento. A la distancia, observa una esfera blanca más grande que el sol que flota junto a ellos. Un grupo de hombres en cubierta hablan entre sí, entre ellos está Aguirre. Los hombres dicen que se trata de un globo de observación que está anclado a tierra firme. Marcelino no puede creer lo que mira ante sus ojos. El convoy por fin bordea el territorio que lleva el nombre de Isla Blanca, punto de entrada a la Gran Bretaña. Un submarino aparece junto a ellos, esta vez para escoltarlos por las aguas inglesas; de cerca, Serna puede distinguir sus matrículas, F52. Varias embarcaciones de vapor de la marina inglesa también se aproximan a toda velocidad.

A plena luz del día, los soldados en cubierta reciben la orden de ocultarse dentro del barco. El temor de los generales de que el enemigo descubra que los americanos han llegado es alto. Por varios minutos, la tropa viaja expectante por las peligrosas aguas inglesas confiando en que el patrullaje de sus aliados sea efectivo.

Luego de varios minutos, y doce días después de haber partido de Nueva Jersey, el convoy con las tropas americanas a bordo logra ingresar a un puerto que lleva el nombre de Southampton. Por las escotillas, entre decenas de cabezas, Serna observa varios puestos militares fortificados desde donde vigilan su paso con la artillería lista para responder a cualquier agresión.

El barco se enfila a un muelle. Después de varios minutos, las cadenas de los amarres se escuchan brotar de la proa y la popa. El gigante de acero se detiene por completo sin apagar los motores. Las horas del 16 de junio de 1918 transcurren lentas sin que reciban la orden de descender. Aguirre les informa a sus hombres que la comandancia pretende que la descarga del personal se realice bien entrada la noche para evitar que los espías alemanes sepan que han llegado.

Después de varias horas, uno a uno, los hombres a bordo, incluidos los mexicanos, descienden del *Baltic*. Entre la multitud, Serna mira a un soldado de rostro desencajado, es Manuel Chávez, quien carga, como todos, sus pertenencias a cuestas. El mexicano respira aliviado al confirmar que el muchacho no ha cometido ninguna estupidez, al menos por ahora.

Dos
Salut, Francia

El día clarea. Ocultas por una viscosa neblina, las tropas americanas surcan el último tramo de su viaje a Francia a bordo de cuatro buques militares ingleses. Estas naves, más pequeñas que los trasatlánticos que los condujeron de América a Inglaterra, han realizado el trayecto durante la noche con los motores a tope. En cubierta, los hombres resisten la embestida de la marea mientras el velo lechoso de la bruma se cierne entre sus cuerpos. Hace solo un momento, les dijeron que delante de ellos se encuentra territorio francés. Aunque sus ojos no logran ver más allá de dos cabezas, Marcelino Serna, igual que el resto de sus compañeros, debe confiar en que sea verdad. «¿Qué hora es?», pregunta el muchacho frotándose las manos, intentando entrar en calor. «Cuarto y las siete», responde Alberto Aguirre, el único de los mexicanos que porta un reloj en la muñeca.

El cielo rezumba de pronto. Con los ojos bien abiertos, los hombres intentan en vano hallar lo que sea que vuele sobre sus cabezas. Temen que se trate de aviones enemigos dispuestos a derramar su carga explosiva sobre ellos justo antes de arribar a su destino. El rugido ronco de los motores se disipa en el aire tras unos segundos, no sin antes dejar a los soldados envenenados de incertidumbre. Sobre el mar, los buques continúan su marcha a toda velocidad transportando su carga humana. Cada minuto del amanecer de este 20 de junio de 1918 resulta opresivo.

El frío cala más hondo. Marcelino Serna se compacta otra vez, en busca de cobijo, a los cuerpos de Luis López, Víctor Baca y Manuel Chávez, a quienes tiene más cerca. Elizardo Mascarenos, los hermanos Marino y Bicente Ochoa y Tobías González hacen lo mismo con un grupo de soldados ingleses y ellos, a su vez, con otros americanos. Así es como han realizado esta última parte de su recorrido, desde que dejaron Inglaterra la noche de ayer, agolpados en el exterior, de pie y en vela a causa de que el aire se tornó pesado e irrespirablemente fétido en el interior del barco.

Un día antes, al anochecer, las tropas abarrotaron de nuevo los muelles del puerto de Southampton. «*King Edward VII*», leyó Serna en el costado visible del barco de la marina inglesa que le correspondía. Arriba, miró con sorpresa los dos largos y pesados cañones montados al frente y en la retaguardia; además, reparó en la artillería de distintos calibres que se asomaban por cada flanco. Más tarde se enteraría de que ese buque militar portaba en sus intestinos una moderna defensa capaz de disparar proyectiles subacuáticos.

Dos días después de haber llegado procedentes de América, al amparo de la noche y con la orden de mantenerse ocultos en el interior, las tropas comenzaron su última travesía en el mar. Casi de inmediato, el nerviosismo y la necesidad por llegar a su destino se vieron superados por un intenso mareo causado por las enfurecidas aguas del mar del Norte. Un grupo de soldados ingleses que volvían al frente se pasaron un buen rato contando el número de alocadas carreras que pegaron los mexicanos para llegar a los sanitarios y desahogar el queso, el jamón, el pan negro y el té que les habían ofrecido como cena previo a partir.

Entre las sombras de un corredor, uno de los soldados ingleses notó el contraste físico del grupo de Aguirre con el resto de las huestes americanas. Él mismo encendió un cerillo para iluminar a esos hombres.

—¿Son indios? —preguntó intrigado uno de ellos muy cerca, tanto que casi podía olisquear a Serna—. Este, con esa nariz ganchuda y ese rostro enérgico, parece un *chief redskin* de las historietas de vaqueros.

Aguirre, con una mezcla de confusión y vergüenza, tradujo las palabras del soldado inglés a su grupo. A pesar de continuar aturdidos por el mareo, todos estuvieron de acuerdo con aquella afirmación sobre el aspecto del chihuahuense.

—Sí pareces un jefe indio —sostuvo Mascarenos sin que Serna hallara gracia alguna en sus palabras.

—A partir de ahora serás el Chief —agregó González provocando la risa de todo el grupo, menos la de Aguirre y de Marino Ochoa, quienes se mantuvieron serios y en silencio.

Los ingleses se dijeron sorprendidos por la presencia de esos muchachos de rasgos indígenas como parte de las tropas americanas. En seguida cuestionaron si los indios aún viven como salvajes en América. Para desquitarse de la diversión que les habían proporcionado a los ingleses, Aguirre respondió que aquellos hombres habían tenido que dejar sus arcos y flechas para abrazar los rifles, además de haber cambiado el taparrabos por los uniformes. El soldado inglés encendió otro cerillo para continuar mirando algunos rostros.

—No puedo creer que se hayan convertido en soldados tan pronto —afirmó el soldado rubio deteniéndose interesado en la figura corpulenta de Víctor Baca.

—Allá, los indios somos soldados profesionales. Matamos para vivir —se adelantó a decir González.

—Este es como el *Bigfoot* —aseveró otro inglés.

—¿Como el qué? —preguntó Aguirre confundido.

—El Pie Grande, el monstruo escurridizo del bosque.

—¡El Pie Grande! Claro, ese eres tú, Baca —exclamó González golpeando el hombro de su fornido compañero, quien solo alcanzó a gruñir sin entender de qué demonios hablaban.

—¿Cómo creen que pelea un hombre así de grande en el desierto? —intervino Mascarenos e hizo una pausa—. Exacto, como un animal. Tipos como este van a las guerras por placer, matan por instinto y arrancan cabelleras que se llevan como trofeo.

—¿Acaso no cuentan eso sus periódicos? —preguntó entonces con tono cínico González.

Ninguno respondió. La flama azul del cerillo llegó a los dedos del inglés, quien dejó caer el diminuto cuerpo chamuscado al piso.

—Escuchen, los alemanes van a conocer a los indios mexicanos venidos del Medio Oeste de Estados Unidos. Y, si nos hacen enojar, los vamos a desollar o a tragar vivos —remató Mascarenos exagerando sus palabras.

Aguirre no logró contener la risa que agitó sus bigotes ralos antes de traducir las últimas afirmaciones de sus hombres. Los soldados rubios comprendieron que todo aquello se trataba de una broma. Al final, todos rieron.

Las horas transcurrieron tediosas en el interior del buque hasta que la mayoría de las unidades no soportó más y salió a cubierta huyendo del hedor que se había alojado ahí dentro. Con la noche de fondo, un ansioso Manuel Chávez insistió a Aguirre para que preguntara a los ingleses cómo es el frente.

—Es el maldito infierno —interpretó el cabo las palabras de uno de ellos—. Piensen en el peor de sus recuerdos. Sea lo que sea, estoy seguro de que no se acerca en nada a lo que encontrarán en esa interminable guerra.

Con la brisa marina golpeando de frente, los mexicanos enmudecieron. Algunos tragaron saliva, otros emitieron una tosecilla que se contagió a sus compañeros y a uno que otro soldado americano que seguía con atención los dichos del inglés. En la mente de Serna los recuerdos revueltos de batallas añejas con los hombres de sombreros de palma y anchos calzones blancos del general Candelario Cervantes aparecieron como espectros. Sin embargo, esas mismas imágenes funestas atizaron en su interior un deseo incontrolable de combate.

—Las jornadas en el frente, incluso sin enfrentamientos, pueden acabar con el hombre más recio —continuó el soldado inglés—. Si no saben dominarse, el tiempo dentro de las trincheras acabará con ustedes antes de que lo haga una bala o un proyectil. La guerra es una bestia que todo lo controla. En ella solo se tiene algo seguro…

—¿Qué? —se adelantó Chávez ahogado de curiosidad.

—*Death*.

Aquella palabra no tuvo necesidad de traducción por parte de Aguirre. El grupo sintió sus tripas anudarse.

Los mexicanos escucharon con sorpresa decir a los ingleses que volvían al frente después de pasar un tiempo recuperándose de sus heridas en casa. Uno incluso aseguró que era la tercera vez que regresaba a Francia desde el comienzo de la guerra y mostró sus heridas recientes, una en el brazo y otra en el costado derecho; ambas, aseveró, fueron provocadas por las esquirlas de un obús. La mayoría de los mexicanos no supo qué era eso; sin embargo, nadie preguntó para no sentirse juzgado. Serna miró los ojos de Chávez casi desorbitarse de sorpresa al mirar la blanquecina e inflamada cicatriz del inglés que no se había reintegrado a su piel por completo. Él mismo dijo no tener idea de cómo no murió en aquel ataque. Enseguida habló del peligro de los llamados obuses, de la cantidad de hombres que son víctimas de sus brutales proyectiles que pueden llover inesperadamente en cualquier momento, tanto de día como de noche.

Un tercer soldado comparó el estar en el frente con ponerse un revólver en la sien con solo una bala en el carrusel y jugar a jalar el gatillo. «Es el azar», dijo. Aquellas palabras abonaron aún más al desasosiego general, no solo de los mexicanos sino también de los gringos que escuchaban alrededor. Luego explicó que el promedio de vida de un soldado en el frente occidental es de solo tres meses. En ese tiempo, por lo menos, ya habría sido herido una vez. Tras escuchar aquellas afirmaciones en voz de Aguirre, Serna se estremeció al comprender que la letalidad de la guerra en Europa, de la que se había hablado durante años en América, no solo era real sino mucho peor de lo que imaginaba.

—La proporción, de hecho, es de cuatro heridos por cada muerto —continuó el inglés antes de dar una larga chupada a su cigarrillo que alumbró la punta y dejando que Aguirre interpretara. Luego fue más allá—. De esos cuatro, uno es seriamente lesionado, y los otros tres resultan con heridas leves.

—Y para ser descargado, ¿es suficiente razón estar herido? —cuestionó Chávez interesado.

—Una herida grave no asegura que te manden a casa, al menos no en el ejército inglés —respondió—. Los heridos graves son tratados regularmente en hospitales de campaña, esos están más cerca del frente; solo cuando no hay más lugar o la recuperación es larga, te envían a casa. Lo que falta ahora son hombres y, sin importar dónde te recuperes, si puedes sostener un fusil, debes volver. Una vez de regreso en las trincheras, vuelves a tocarle la cola al diablo esperando que no te atraviese una bala.

—En una bala… todo el odio del mundo… —murmuró Marino Ochoa.

—¿Cómo dices? —preguntó Serna desconcertado junto a él.

—Digo que todo el odio del mundo cabe en una bala.

El rugido incesante de los motores fue lo único que siguió a aquellas palabras del maestro de escuela. Con el frío de la madrugada calando hondo y la zozobra alojada en el alma de los muchachos, el barco continuó su trayecto durante las prolongadas horas antes del amanecer.

Como un telón que se abre, la bruma se disipa de pronto. El escenario de fondo es la tan anhelada tierra firme. Los hombres sonríen, algunos se abrazan, respiran aliviados porque al fin han llegado sin contratiempos a Francia.

Serna apenas puede creer que haya cruzado el mar y que esté al otro lado del mundo. Junto a él, mira a Aguirre abrir discretamente su chamarra para lanzar una mirada breve y algo parecido a una sonrisa a la fotografía que lleva ahí dentro. Del otro lado, López mira al cielo, murmura algo mientras Chávez se persigna con recato en señal de gratitud. Los ingleses, por su parte, hablan en voz alta, parecen especular sobre el nombre del puerto donde desembarcarán.

Unos minutos después, los cuatro buques ingresan a través de un canal. Bajo un sol que comienza a despuntar calentando el aire marítimo, las tropas aguzan su mirada intentando no perder detalle de un mundo totalmente ajeno, de prados verdes y follaje abundante animado por el verano que, milla a milla, se abre ante ellos. Pronto, un puerto se hace perceptible. En su muelle habitan carretas y algunas pilas de fardos y toneles voluminosos listos para ser transportados. Detrás se alzan varios edificios de piedra de dos y tres pisos, casi todos rematados por techos de teja y chimeneas de donde escapan hilillos de humo. Entre las construcciones, aparece una alta y espigada torre que está coronada en su punta por una cruz. Durante unos minutos, el *King Edward VII* realiza varias maniobras hasta detenerse por completo. Los miles de muchachos convertidos en soldados que hasta hace muy poco fueron estudiantes, empleados, funcionarios, obreros, campesinos y traqueros observan ansiosos a unos cuantos hombres en tierra ajustar los gruesos cabos a los atraques del muelle. Del tumulto que esperaban que los recibiera, no hay rastro alguno.

—Estamos en las tierras de Napoleón y Victor Hugo. ¿No es maravilloso, Bicente? —pregunta entusiasmado Marino Ochoa cuando por fin ponen pie en tierra—. París, el palacio de Versalles, los Campos Elíseos. Todo lo que estamos a punto de ver y conocer, hermano.

Detrás de ellos, Víctor Baca levanta por todo lo alto la cabeza olfateando el aire con su nariz bulbosa. Enseguida lanza una mirada suspicaz a su alrededor para echarse su macuto a cuestas.

—¿Y las francesas que debían recibirnos? —pregunta Mascarenos decepcionado a un costado.

—Seguro están preparando sus mejores vestidos para darte la gran bienvenida que mereces, cabrón —responde irónico González.

El grupo ríe.

Las pocas personas que se encuentran en el muelle continúan con sus actividades cotidianas, extrañamente indiferentes ante la presencia multitudinaria de las tropas recién llegadas de ultramar.

Para Marino Ochoa el comportamiento de esta gente es normal. Tras cuatro años de guerra, dice a su hermano, los franceses deben estar acostumbrados ya a recibir con mucha frecuencia soldados que marchan desde este lugar al frente, sobre todo ingleses.

—Pero míranos, hermano, somos casi medio millón de cabrones, y pronto seremos el doble —sostiene Bicente—. Creo que no vendría mal alguna muestra de gratitud ante tremendo apoyo, ¿no crees?

El maestro de escuela asiente sin darle más vueltas al asunto.

Frente al grupo, los oficiales de la División 89 comienzan a lanzar órdenes para que los hombres se integren a sus formaciones. Los mexicanos se anexan a la segunda columna de la brigada de infantería. Desde su posición, Serna echa una mirada a la misma marea verde de sombreros de campaña que partió de Nueva York y que, como sardinas, viajó el último tramo a bordo de los buques ingleses de motores aún ardientes. Aguirre, por su parte, verifica que todos sus hombres se hayan integrado a la columna correcta.

De pronto, a lo lejos, percibe una mirada que, como la de un ave de rapiña, se clava sobre él. Se trata del coronel John C. Moora, el mismo que lo sancionó a él y a sus hombres en mar abierto. Tras unos segundos, Aguirre observa al rubio acercarse a largos pasos a él.

—¿Han disfrutado usted y su grupo de nativos del viaje en los retretes? Espero que sí. Aguirre, ¿cierto? —pregunta con la misma voz cínica y la actitud engreída de hace unos días en altamar—. Ya tengo algunos planes para ustedes; en su momento se los compartiré, son muy interesantes. Pero le quería hacer saber dos cosas. La primera es que me he enterado de que entre los

40

suyos hay gente que no debería haber hecho el viaje con nosotros hasta aquí, son una especie de polizones. Ahora da igual, ya veremos ese asunto. La otra es que quiero que coloque a su grupo de indios allá, detrás de la última columna de la unidad.

El cabo aprieta los puños con fuerza.

—Somos parte del segundo grupo, señor —replica Aguirre volviendo la mirada a su superior.

—¿Va a desafiar otra orden mía ahora en tierra, Aguirre? —pregunta el coronel con la arteria en su frente a punto de inflamarse—. Es Wood quien los quiere atrás. Parece que a él tampoco le interesa exhibir a usted y a su grupo de negros entre nuestros hombres con los franceses.

El general Leonard Wood es el comandante del Regimiento 355, quien asistió a México y a quien Aguirre no se atreve a desobedecer. Además, sabe que su deseo de convertirse en sargento de alguna compañía pende, casi por completo, del capricho de Moora.

Serna, que lo ha visto todo, pregunta al cabo por qué los han desplazado cuando se integra a la columna. Él se niega a contestar.

—¿Puedo saber al menos dónde estamos? —replica Marcelino.

—Le Havre, Francia —responde el cabo.

—Le Havre —repite Marino Ochoa, quien ha escuchado la respuesta—. Eso es en el noroeste de Francia, si no me equivoco.

La nutrida columna inicia su marcha para insertarse por las calles estrechas y polvorientas de la ciudad. Entre edificios y casas que parecen deshabitadas, los jóvenes soldados americanos cantan a su paso despertando el interés de la gente que encuentran:

I may not know what the war's about
But you bet, by gosh, I'll soon find out
An' o Sweetheart, don't fear
I'll bring you a King for a souvenir…

La columna alcanza una plaza donde un grupo de habitantes los observa con curiosidad. «*Les Américains. Les Américains*»,

41

gritan algunos emocionados cuando los reconocen. Mascarenos mira a lo lejos a un puñado de jovencitas de piel marfil; con un movimiento de su mano, ajusta la solapa de su cazadora y, con la punta de sus dedos pulgar e índice, plancha su fino bigote negro que delinea una boca ancha. Al pasar frente a ellas, reparte varios guiños y su mejor sonrisa de donjuán que un par responden ruborizadas.

A punto de dejar la explanada, un grupo de niños aparece de pronto junto a los mexicanos. «*Un centime*», dice uno de ellos de rostro polvoriento extendiendo la mano a Baca. Otro, de no más de diez años, que carga en las manos un pequeño ramo de flores violeta, aparece avergonzado. Baca extrae una moneda de su bolsillo y se la pone en la mano al primero. El segundo le extiende una de las flores en señal de agradecimiento mientras el primero mira extrañado la desconocida moneda de cobre americana. En la mano del corpulento soldado, la flor parece diminuta.

«Bienvenidos, soldados americanos», traduce Marino Ochoa, quien entiende y habla algo de francés.

El mensaje está escrito en una tela blanca que se sostiene de una fachada de piedra ocre de una de las últimas villas de la ciudad. Los ingleses, quienes marchan delante del grupo de mexicanos y que han pasado antes por este lugar, aseguran que en esa residencia habita desde hace un tiempo el rey de Bélgica, un hombre muy querido por su pueblo que resistió con su ejército el avance de los alemanes al inicio de la guerra hasta que tuvo que huir para ocultarse aquí mismo, en Le Havre.

Justo al salir al despoblado y mucho antes de lo que esperaban, la tropa tiene su primer e inesperado encuentro con el enemigo. Se trata de un grupo de prisioneros alemanes y austriacos que reparan el camino custodiados por un par de guardias franceses. Los hombres, vestidos con sucias camisetas blancas, pantalones azules y botas de campaña, clavan sus palas y picos para mirar atónitos la interminable columna americana. En un momento, Serna cruza miradas con uno de ellos de cabello corto, tan rubio que brilla con el sol. Antes de venir aquí, el mexicano nunca había visto a un alemán más que en una pantalla del cinematógrafo.

Irónicamente, en el rostro de ese alemán Serna halla a una persona muy semejante a él. Un muchacho que parece recién salido de la infancia y quien, con seguridad, antes de la guerra habría estado lleno de vida, proyectos, ambiciones y amores sin definir. La marea verde continúa su avance hasta dejar atrás al grupo de prisioneros que, confundidos por la cantidad de tropas que han visto pasar, vuelven a sus labores.

—¿A dónde nos dirigimos, Aguirre? —pregunta López mirando a uno y otro lado del camino.

—Han dicho que a un campo de tránsito. Ahí descansaremos antes de volver a partir —responde.

Tras varios minutos de caminata con sus posesiones a cuestas, los hombres llegan al campamento prometido. Se trata de una instalación rodeada por una cerca de alambre de púas y muy bien resguardada por soldados franceses. En su interior se encuentran algunos edificios de piedra y techos de doble agua. Al fondo se observa una avenida con una fila de camiones militares. Más allá, otro grupo de barracones de madera parece haber sido instalado hace poco. Antes de que puedan retirarse a descansar y comer algo, cada soldado americano recibe una tarjeta postal en la que viene impreso un mensaje que en español dice:

Desde algún lugar de Francia,

A mis seres queridos en América:

El barco de vapor que nos condujo a través del Atlántico ha llegado a salvo a un puerto francés.

Larga vida a Francia.

Aguirre le dice al grupo que, por seguridad, para que el enemigo no conozca su ubicación en caso de ser interceptados, solo pueden firmar con su nombre de pila y la fecha de ese día.

Serna mira con desánimo el pedazo de cartón. Desconfía que esa misiva pueda llegar hasta la hacienda Robinson en Chihuahua, donde habita su familia. Y, si lo hace, no sabe cómo su madre o su abuelo podrán entender el contenido de aquellas líneas, ninguno de los dos sabe leer ni siquiera en español. La única esperanza que guarda al momento de escribir «Marcelino» es que uno de sus hermanos la encuentre y reconozca en ella al menos su caligrafía y nada más.

El grupo de mexicanos es trasladado al final de la instalación junto con los soldados negros. El emplazamiento al que son conducidos se encuentra detrás de las barracas de madera desde donde se escapa el barullo de los soldados blancos. Poco más adelante, una amplia explanada se abre. A su alrededor, múltiples casas de campaña de lona y madera han sido levantadas para alojar a los soldados; como único servicio extra, frente a los primeros árboles de un bosque, los soldados cuentan con una línea de letrinas, sin que medie división alguna entre una y otra.

Más tarde, los mexicanos celebran la llegada del primer rancho caliente en Francia compuesto por una porción de estofado de carne y un trozo duro, de esquinas verdosas, de pan. Tras la comida, una comitiva de oficiales que nadie había visto antes se instala detrás de un par de mesas. Enseguida les ordenan a los hombres formar deprisa dos filas frente a ellos. Ahí, uno a uno, los hombres reciben con sorpresa su primera paga como soldados. Sus rostros se iluminan.

—¿Qué dinero es este? —pregunta Baca inspeccionando a detalle cada uno de los billetes franceses.

—¿Cómo qué dinero, Pie Grande? Eso hasta yo lo sé, francos —responde González.

—¿Y cuánto es esto en dinero americano? —cuestiona confundido Chávez.

—A quién le importa. Aquí los verdes no tienen ningún valor. Lo importante es que hoy tenemos plata para gastar —sostiene Mascarenos llevándose el papel del dinero a la nariz para olfatearlo y besarlo.

—Con esto podemos ir a algún local de la ciudad a buscar algo de beber —dice González a Mascarenos dibujando una sonrisa bribona.

—Y chicas… no lo olvides —responde el segundo con un gesto cómplice—. Esta será la mejor noche de nuestras vidas, compadre.

—Están locos. De este lugar no saldremos. ¿Han visto la cantidad de guardias franceses que hay? —asegura Marino Ochoa ahuyentando el ímpetu de sus compañeros.

—Mire, *maistrito*, si a usted no le gusta el trago y las viejas, ese es su problema. Acabamos de cruzar el mar y mañana nos vamos a pelear una guerra para la que no tenemos aún ni siquiera armas ni pelotón asignado. Nosotros nos largamos esta noche de juerga hasta besarle los pies a Satanás, ya veremos cómo nos trata Francia y su licor pa' rifarnos el pellejo.

—Ya dijo, camarada —vuelve Mascarenos lanzando una carcajada mirando su paga y dando palmadas a la espalda de su compañero.

Con sigilo, uno de los soldados del grupo se inserta entre dos tiendas de campaña. Se trata de Luis López, quien vuelve a contar el salario que ha recibido sin combatir. Igual que el resto, desconoce si esos billetes de colores que tienen impresa una figura femenina con guirnaldas en la cabeza representan mucho o poco dinero. Aun así, imagina que les sería bastante útil a sus padres para pagar al cacique el alquiler de la cabaña que comparten con otras dos familias que trabajan en el campo betabelero de la comunidad de Morgan, Colorado, donde él mismo nació y creció. Luego mira al cielo lamentándose de estar lejos de casa con ese recurso. Entonces recuerda la promesa de apoyarlos a cualquier costo que les hizo a su madre, a su padre y a sus hermanos.

Enseguida, extrae un pequeño macuto que lleva oculto entre su cazadora. Ahí coloca los tres billetes de cinco francos en espera de saber cómo hará para enviarlos a casa.

En la explanada, un soldado rubio llega preguntando por Marcelino Serna.

—Ese eres tú, Chief —dice González en el momento en que se aleja del lugar junto a Mascarenos.

Acompañado de Aguirre, el soldado raso se acerca para saber de qué se trata. Al cabo solo le informan que su subalterno debe presentarse en la comandancia de la División con todas sus posesiones. Los dos soldados se miran confundidos por un momento. Serna se estremece; teme que su pasado como tropa villista haya sido descubierto y la comandancia esté a punto de enviarlo a un calabozo o, peor aún, al paredón. Sin prisa, se dirige a buscar sus cosas. Chávez, quien conversaba con Aguirre y Serna hasta hace unos segundos, mira intrigado las dos siluetas de sus compañeros alejarse cuando, en el horizonte, el cielo comienza a pintarse de azul pálido. Sin pensarlo, el joven soldado decide seguirlos en secreto hasta el primer edificio de piedra del campo, donde se encuentra la comandancia.

Oculto por una pared, Chávez observa a Aguirre y a Serna ingresar por la puerta principal del edificio. El muchacho busca con urgencia a su alrededor. Entre las sombras, halla un tonel con el que alcanza el filo de una ventana. Desde ahí puede mirar y escuchar sin ser visto. El interior es un sobrio despacho acondicionado con muebles de metal e iluminado por una lámpara de bombilla amarillenta. Ahí dentro observa la figura de tres oficiales, entre ellas la del coronel Moora, quien tiene las piernas extendidas sobre el escritorio y juega con una bala dorada entre sus dedos. Junto a ellos, varios rifles que parecen nuevos descansan unos sobre otros en varios cofres de madera. Chávez se agazapa cuando mira la puerta del despacho abrirse; enseguida reconoce a sus dos compañeros que ingresan desconcertados. Ambos se cuadran al ver a los oficiales. Durante unos segundos, el cabo y el coronel conversan con el ánimo encendido, señalando de vez en cuando a Serna, quien pasa la mirada del piso al rostro de sus superiores sin comprender absolutamente nada de lo que se dicen y temiendo lo peor.

—Me pregunta el coronel si yo sabía que eres nacido en México y por qué no te había reportado —sostiene Aguirre desencajado en español.

Serna mira un instante abrumado a su cabo.

—Yo...

—¿Por qué nunca mencionaste nada, cabrón? —interrumpe Aguirre molesto—. Dice que estabas de ilegal en Estados Unidos. Nadie que no sea americano podía enlistarse para la guerra ni mucho menos venir hasta aquí.

Desde la ventana superior, Chávez observa a Moora acariciar y girar una vez más la afilada bala dorada entre sus dedos. El coronel parece seguir entretenido la conversación de los dos soldados.

—Crucé la frontera de manera legal, lo juro —asegura nervioso Serna.

—Pues no hay prueba de eso —responde el cabo.

—Jamás dijeron nada sobre ser mexicano y no poder venir a la guerra en Colorado, tampoco en Kansas, Aguirre. Solo estaban llamando a todo el que cumpliera la edad. Tú lo sabes. No me jodas.

—No, no me jodas tú a mí, Marcelino —replica el cabo nervioso—. Este cabrón dijo que no puedes quedarte aquí. Tomas tus cosas y te devuelves en el siguiente barco a Inglaterra, de ahí te regresarán a Nueva York.

Marcelino Serna siente una súbita fiebre inundarlo por dentro cuando termina de escuchar a su compañero. Arriba, Chávez se embriaga de celos.

—Pues no pienso irme —sostiene el de Chihuahua.

—¿Qué es lo que dijo? —pregunta intrigado Moora a Aguirre.

—Que no piensa irse —responde el cabo tragando saliva.

Marcelino da un paso al frente.

—Señor, con todo respeto, permítame quedarme. Tengo tantas agallas como cualquiera de sus hombres para combatir en esta y en cualquier guerra. No tengo problema con rajarme el alma en el campo de batalla —asegura el mexicano para sorpresa de todos los presentes.

Sin dejar de mirar con sus ojos azules al mexicano, Moora deja la afilada munición sobre el escritorio.

—¿Eso es cierto, Aguirre? ¿Este cabrón sabe pelear? —pregunta el coronel incorporándose de su silla sin obtener respuesta—. Vamos a ver si lo que dice es verdad. Ya me cansé de que usted y sus indios no obedezcan mis órdenes. De no ser cierto lo que dice, ustedes dos se van a largar de aquí de una maldita vez.

Chávez traga saliva, mira a Aguirre, quien ha palidecido por completo; el cabo se toca con una mano el pecho. Moora se acerca al cofre de madera más cercano a él y toma el primero de los rifles que ahí descansan. De un movimiento, se lo lanza a Serna, quien ágilmente lo toma por la empuñadura de madera. «¡Atención!», grita el coronel mirando la bala en el escritorio. Con la habilidad del soldado más experimentado, el mexicano abre el cargador del rifle, toma la bala de la mesa, la deposita en la habitación, jala el cargador, golpea la manija para bajarla al tiempo que se lleva la culata al hombro y coloca su dedo índice en el gatillo apuntando a la pared blanca detrás del escritorio. El soldado queda listo a la orden de abrir fuego. Los hombres, incluyendo al propio Chávez, miran sorprendidos la agilidad con la que el joven ha realizado todo el movimiento. Moora dibuja una breve sonrisa en sus delgados labios.

—Descanse —ordena el coronel.

Serna descarga el arma y se coloca en posición de firmes.

—¿Qué es lo que quiere hacer, soldado?

—Quedarme y combatir junto a mis camaradas —responde recio y mirando al frente.

Moora asiente. Chávez desciende muy agitado del tonel cuando sus compañeros dejan la oficina sin poder creer lo que sus ojos acaban de ver.

—¿Qué demonios fue eso, Marcelino? —dice Aguirre al salir del edificio—. ¿Dónde aprendiste a usar un rifle así?

Serna ignora al cabo y continúa caminando deprisa en medio de la noche. Aguirre lo toma por el brazo deteniéndolo y le exige una respuesta. El mexicano se sacude la mano que le ha puesto el cabo encima.

—Escúchame una cosa, Aguirre, jamás crucé de manera ilegal la frontera —dice con sus ojos negros encendidos—. Que te quede claro.

Más de dos años atrás, en mayo de 1916, Marcelino Serna se vio completamente desnudo en una amplísima habitación junto a otros hombres, tantos que la piel del muchacho podía rozar la de los de junto. La multitud esperaba su turno para tomar una ducha. Minutos antes habían respondido a una serie de preguntas en una instalación ubicada justo después de cruzar el Río Grande, en El Paso, Texas. Cuando los llamaron, Serna miró en otra sala una hilera de bidones de los que emergían, como si acabaran de nacer, los últimos hombres del grupo previo que, como él, recién habían cruzado a Estados Unidos.

El turno del muchacho llegó. Un intenso olor a vinagre golpeó su nariz y sus ojos una vez dentro de la habitación. Sin pensarlo dos veces, se sumergió sosteniendo el aire hasta la cabeza en el líquido ocre y viscoso, uno con el que parecían purificarlos, para salir disparado de él. Las huellas de sus pies húmedos se marcaron en el piso. Tan solo unos segundos después, cuando el aire lo golpeó, sintió cómo ardía cada poro de su cuerpo. Apretó los dientes resistiendo el dolor sin dejar de caminar detrás de otro hombre. En un momento intentó sacudirse el líquido que aún le escurría entre las piernas. Antes de que pudiera hacerlo, fue conducido a un patio polvoriento donde miró varias pilas de latas que llevaban escrito en una etiqueta «*Hydrogen Cyanide*». Frente a ellas, un grupo de soldados cubiertos con mascarillas y guantes de piel rociaba de la cabeza a los pies a los recién llegados. Entre los hombres se decía que se trataba de un químico para eliminar pulgas, piojos y garrapatas que pudieran cargar con ellos.

Serna fue trasladado frente a un grupo de médicos militares que, con desinterés, inspeccionaron sus ojos, orejas, dentadura, genitales y talla. Después de un amontonamiento multicolor, seleccionó algunas ropas, unos pantalones cafés que le venían ridículamente grandes, una camisa blanca percudida y una chamarra gris; de otra pila tomó unos zapatos sin cordones, que también eran varias tallas más grandes, y caminó a la última sala donde le tomaron una fotografía.

(No estadístico)
Nombre: Marcelino Serna. Edad: 23 años.
Sexo: Masculino.
Casado o soltero: Soltero. Raza: Mexicano.
Ocupación: Jornalero. Dinero: Ninguno.
Ha estado alguna vez en los Estados Unidos: No.
Sabe leer: Sí. Escribir: Sí. Acompañado de: Solo.
Último lugar de residencia: Chihuahua, Chih. México.
Destino: El Paso.
Admitido en: El Paso, Texas. Por: Robb. Fecha: 25 de mayo de 1916.
Departamento de Trabajo de Estados Unidos
Servicio de Inmigración
Distrito Fronterizo Mexicano

Dicha información leyó Serna en la tarjeta de registro que le entregaron después de varias horas de espera.

Afuera de aquellas instalaciones, otros hombres con sombreros esperaban. Uno de ellos, quien llevaba en la solapa de un overol las iniciales A.T. & S.F., le ofreció trabajo en el mantenimiento a las vías del ferrocarril, en el estado de Kansas, a cambio de vivienda y una paga semanal. Sin saber dónde quedaba aquel lugar, el chihuahuense aceptó las condiciones y subió a un camión junto a un nutrido grupo.

Justo cuando el camión se ponía en marcha, Serna y el resto de los nuevos trabajadores escucharon un estallido. Un enorme árbol de lumbre se alzó sobre la instalación donde recién habían sido registrados. Al volver para intentar auxiliar a quienes se encontraban dentro de ese infierno, Serna escuchó que el fuego había iniciado en la zona de bidones, donde se encontraban los químicos para los piojos.

A medianoche, Mascarenos y González vuelven al campamento ahogados en alcohol. Para su fortuna, ninguno de los guardias los ha visto llegar, a pesar del escándalo que los acompaña.

—Escúchame, voy a volver por ella cuando acabe toda esta mierda. Te lo juro. Le voy a decir que la amo y que nos vamos para América. Allá me caso con ella. Le pongo su casa. Te lo juro por mi madre —dice Mascarenos besando la cruz en sus dedos y tambaleándose.

Los dos soldados encuentran a Aguirre, Serna, los hermanos Ochoa, López y Baca junto al resto de las unidades que, a esa hora, deberían ya dormir en sus tiendas de campaña. Todos escudriñan el cielo con la mirada.

—Carajo, no se hubieran molestado en esperarnos despiertos, camaradas —dice González—. Estamos bien. Muy bien. Lo mejor es que pudimos llegar antes de que la tormenta nos alcanzara. ¿Han escuchado esos truenos?

—Se va a caer el cielo —agrega Mascarenos a punto de entrar a su tienda.

—No es una tormenta, imbécil —sostiene López y se lleva un cigarrillo a los labios.

Los dos soldados se detienen para escuchar con atención un momento.

—Es el rugido de la guerra que espera por nosotros —dice alguien.

Tres
Trabajan o pelean

Las tropas americanas se movilizan. Esta vez es la pincelada de luna menguante la que apenas se observa en el cielo y acompaña la partida de la columna del campamento de tránsito de Le Havre. Los hombres marchan a paso firme al encuentro de varios trenes que los acercarán aún más al frente occidental. Al llegar a ellos, Marcelino Serna observa la línea casi infinita de vagones. En cada una de sus puertas lee: «*Hommes 36–40. Chevaux 8*». Una orden marca el alto a la marcha de las columnas.

—De treinta y seis a cuarenta hombres u ocho caballos—, traduce Marino Ochoa para todos.

Frente a la puerta del vagón, Serna observa a sus costados. La cantidad de hombres que portan uniforme y gorro verde de cuartel de dos picos es, por lo menos, el triple de los que según puede contener.

El carro expele un intenso olor a forraje y orines de bestia producto de antiguos viajes. Los primeros hombres en subir son los soldados rubios. Desde arriba, ayudan a sus compañeros con sus pertenencias y a distribuirse por el transporte. A sabiendas de la presencia de mexicanos y negros, los hombres toman asiento y extienden las piernas en el piso, delimitando el espacio que cada uno considera suficiente para cubrir cómodamente el recorrido. El cabo Alberto Aguirre y sus hombres son los últimos en ascender. El sargento del carro, un corpulento hombre de ojos grises y cabello erizado, ordena a los negros buscar espacio en otro lado. Él mismo desliza con fuerza la puerta hasta cerrarla de golpe y señalar con un gesto un rincón junto a la ventana donde el grupo de mexicanos se agolpa. De pie, Mascarenos y Gonzáles se lamentan por haber bebido de más la noche anterior.

El ánimo de los hombres se enciende cuando, a lo lejos, escuchan la exhalación de la primera locomotora que ha partido. Unos minutos después las ruedas del tren que transporta a los mexicanos se desentumen. Aguirre mira las manecillas doradas de su reloj, son las veintiún horas en punto del 21 de junio de 1918 cuando se ponen en marcha.

El ferrocarril traquetea. Sin prisa, toma una curva, luego otra mucho más pronunciada. Desde la única ventana del carro, Marino Ochoa puede mirar cómo penetran en un bosque apretado. Frente a él, la primera línea de troncos es lo único perceptible; el interior resulta impenetrable. El joven maestro permanece en su lugar sin importarle ni el frío ni la posición incómoda en que se encuentra. Atento, aguarda por alguna señal, próxima o lejana, que le haga saber que están cerca de alguna ciudad importante o que, por fin, han llegado a París.

Las cabezas de los hombres se zarandean a bordo del carro. Las bielas y los muelles chillan cuando la serpiente de acero tira ascendiendo una colina, luego otra. Desde lo alto, Ochoa contempla el paisaje de parcelas irregulares abandonadas. El panorama se transforma. Los tenues contornos de la vegetación y un paraje se hacen visibles gracias a la luz azul de esa pincelada de luna trazada en el cielo. Los carros giran y se dilatan bordeando el campo. De pronto, en el horizonte, un destello naranja ilumina el cielo de forma inquietante. La luz se repite como sordas palpitaciones en los ojos negros del maestro que no puede creer lo que observa. Antes de que pueda descifrar su origen, la ventana se cierra de golpe. Marino busca a su alrededor en la penumbra. Es la voz del sargento de ojos grises y pelo erizado quien le exige que se aleje de la ventila y la mantenga cerrada. El oficial se acomoda entre los cuerpos recostados de los soldados rubios.

—Olvídalo. Seguro que no pasaremos ni cerca de París —asegura su hermano Bicente.

Agitado por aquella visión dantesca, Marino se recarga sobre la pared buscando urgentemente una comisura entre las tablas de madera. Afuera, apenas puede mirar el paisaje ennegrecido. Junto a él, Manuel Chávez le pide a Baca cambiar de lugar.

—Chief, quería preguntarte una cosa —dice cuidando cada una de sus palabras sin que pueda mirar el rostro de su compañero—. ¿Cómo fue que llegaste aquí?

El muchacho obtiene por respuesta un largo silencio.

—Tú naciste en México, ¿no es así? Solo quiero entender por qué no te devolviste para tu casa. Cómo es que te enrolaste en esta guerra siendo mexicano, sin tener necesidad —insiste.

A media mañana del 9 de agosto de 1917 el aire de Fort Morgan era caliente y seco, casi irrespirable. Los locales de ese pueblo polvoriento de Colorado, ubicado a poco más de una hora al noreste de la ciudad de Denver, se mantenían abiertos. Sin embargo, en casi todas sus vitrinas colgaban letreros que advertían: «*No Mexicans Allowed*».

Sin importarles las consecuencias, Luis López y Marcelino Serna ingresaron por la puerta de la que colgaba un rótulo publicitario de pantalones de faena de la marca Levi's en busca de un ejemplar del *Fort Morgan Times*.

Ese día los dos jóvenes jornaleros de un campo de betabel de la región, propiedad de un gringo de nombre John Sargent, habían mentido a su capataz para ausentarse de sus labores fingiendo que sus intestinos les estaban jugando en contra para ir a conocer si, después de haberse registrado en el primer llamado hecho a los jóvenes de entre veintiuno y treinta y un años del condado y de todo el país, habían sido seleccionados como reclutas para la guerra.

Sin embargo, antes de que pudieran tomar del estante el último ejemplar del único periódico que se imprimía en esa localidad, el dependiente del local los echó a patadas.

Los dos betabeleros vagaron con el sol cayendo a plomo hasta que, para su fortuna, hallaron un ejemplar del *Fort Morgan Times* abandonado en una banca del parque del pueblo. Deprisa, ordenaron las páginas revueltas hasta que López encontró una larga lista de nombres, publicada a dos columnas, titulada: *Call made oficially for army*, que, intuyeron, se trataba de la lista de los hombres que habían sido seleccionados entre mil cuatrocientos cuarenta y cinco jóvenes, quienes dos meses atrás, el 5 de junio, se habían registrado en todo el condado de Morgan.

Marcelino arrastró de arriba abajo su dedo índice por la relación de nombres de la primera sección sin hallarse. Luego continuó por la segunda sección. Para su sorpresa y la de su compañero, en la tercera línea de ese grupo encontró los números cuarenta y seis, hasta el cuatrocientos treinta y tres, el nombre de Luis López y la palabra México.

—Ah cabrón. Mira, Marcelino, ¡ál estoy! —dijo López sorprendido señalando su nombre.

Serna tomó el diario de vuelta y continuó navegando el listado hasta llegar a la tercera sección. «Albert Frederick Summer, Fort Morgan», leyó con atención en el penúltimo lugar y «Charles J. Cyprian, Ft. Morgan», en el último. El muchacho sintió su sangre indígena calentarse de pronto. Uno a uno, volvió a revisar los nombres de la relación —entre los que saltaban solo un par en español— y el resto de las veinticuatro páginas del ejemplar para cerciorarse de que no hubiera dejado pasar de largo algún anexo.

—¡No chingues, cabrón…! —exclamó echando a andar una búsqueda urgente en el resto de las páginas en las que aparecía publicidad de modernos gramófonos RCA Victor y llantas Michelin—. ¿Por qué no estoy?

Desconcertado, López bajó la mirada, se encogió de hombros y dio un paso atrás para alejarse de Serna. Por el tiempo trabajando juntos en el campo de betabel, sabía que su compañero deseaba, como nadie, ir a la guerra en Europa y había sido el único de los mexicanos y de los hijos de mexicanos en responder de manera voluntaria al llamado hecho semanas atrás. Aquella, le había confesado en una ocasión, era la única oportunidad que el joven tenía para convertirse en uno de los soldados que miraba en la pantalla del único cine de Morgan, previo a la función especial de domingos para mexicanos y negros. A Marcelino, el filme a proyectar poco o nada le importaba; su interés real se centraba en conocer el estado de la guerra en aquellas secuencias a blanco y negro que parecían llenarlo de furor y brío. De tales escenas, de batallas épicas y estrategias militares de los franceses e ingleses en contra de los *boches*, era todo sobre lo que el muchacho hablaba durante la siguiente semana en espera de volver a la sala y asomarse por la pantalla al conflicto que ocurría del otro lado del mundo.

Esa misma tarde, López y Serna volvieron al campo de betabeles a pie y en silencio.

Al otro día continuaron desahijando raíces en la tierra con su azadón de mango corto sin tratar el tema del reclutamiento. Por la noche, de vuelta a la colonia de casas de madera, adobes y pisos de tierra en la que habitaban mujeres, niños y hombres que laboraban en el campo, López alcanzó corriendo a Serna.

—Ey, Marcelino. Espera —gritó Luis con la ropa entierrada y su sombrero de paja en la mano—. Óyeme una cosa, no me voy a presentar a los exámenes del ejército.

—Estás pendejo, Luis —repuso Serna de inmediato.

—Jalamos juntos a la guerra o no voy a ningún lado.

—Mira, tú ya la tienes de gane, cabrón. Esta es la única oportunidad para largarte de aquí, eres muy ducho y seguro te pagarán suficiente dinero para comprarles a tus jefes un terreno y sacarlos de aquí cuando vuelvas. No tienes que trabajar toda tu vida limpiando betabeles en este campo.

El muchacho de ojos pequeños miró fijamente a su compañero por un momento pensativo.

—¿Y qué demonios voy a hacer allá solo, del otro lado del mundo, sin conocer a nadie? —replicó—. Apenas entiendo algunas palabras de inglés. En Francia hablan francés y yo jamás lo he escuchado.

—Yo tampoco.

—Ya lo he decidido y si no vas tú... pus yo tampoco —replicó López seguro de sus palabras.

Serna contempló por un momento el rostro aún infantil de su compañero, quien, igual que él y que miles, había cruzado junto a su familia la frontera unos meses atrás por El Paso, Texas, para alejarse de las revueltas en Chihuahua. En el último año, juntos habían laborado recostando durmientes en las vías del ferrocarril, en Kansas, para luego viajar a los campos de betabel que inundan Colorado. Durante ese tiempo, Serna había conocido el arrojo y disposición de López para el trabajo; sin embargo, no estaba seguro de que aquel carácter fuera suficiente para convertirse en soldado. Aun así, después de unos segundos, aceptó buscar alguna alternativa.

—Está bien, Luis. Buscaremos la forma de ir juntos a la guerra —concluyó el chihuahuense mientras los últimos jornaleros volvían arrastrando los pies en la tierra tras doce horas de trabajo.

Luis López no se presentó en Morgan a los exámenes médicos ni de aptitudes el día que debía hacerlo. Igual que Serna, continuó trabajando en el campo durante semanas sin que fuera requerido por autoridad alguna para el servicio militar. El día de partida del primer grupo de muchachos de Fort Morgan fueron despedidos, cual Ulises de Ítaca, con un desfile que incluyó música, comida y sin que faltara el llanto de las madres y novias. De aquello no se enteraron los mexicanos por estar trabajando.

Una mañana fresca de octubre, cuando caminaban en grupo rumbo a los sembradíos, Marcelino se acercó a su camarada para decirle que había encontrado la forma de hacer que los enlistaran para ir a la guerra. Para ello, aseguró, debían viajar a donde fueran más visibles entre los blancos, a Denver, la capital del estado.

Una semana más tarde, aún sin conocer por completo el plan de Serna, López se despidió de su madre, su padre y sus hermanos de madrugada con la promesa de volver y velar por ellos a como diera lugar. Su madre lo miró fijamente a los ojos y le dio su bendición. Afuera de la colonia mexicana, Marcelino vio llegar a su compañero. Sin ninguna posesión más que lo que llevaban puestos y algunos dólares en los bolsillos, los dos abordaron un camión de carga que a menudo conducía el esposo de una jornalera mexicana entre la capital y la fábrica de azúcar. Todavía a oscuras y en la caja del transporte, los dos muchachos iniciaron el recorrido de los ciento veintiocho kilómetros que los separaba de la urbe.

En un momento del viaje, Marcelino pidió a Luis que le entregara su tarjeta de registro. Sin chistar, el joven hurgó en sus bolsillos para sacar el cartón en el que iban escritos sus datos personales. Serna extrajo el suyo también para, enseguida, arrojarlos con fuerza por la borda del camión. Las breves luces rojas traseras del transporte iluminaron fugazmente las identificaciones que dieron un brinco sobre el polvoriento camino para quedarse atrás para siempre.

Al día siguiente los dos jornaleros vagaron por las calles de Denver intentando hacerse visibles a las patrullas de policías, militares o voluntarios que Serna había escuchado que se dedicaban a cazar pro alemanes, anarquistas, radicales, negros y mexicanos que no estaban aún registrados como lo obligaba una nueva ley en todo el país.

Fue hasta que entraron con descaro a un bar del centro de la ciudad con la intención de beber unos tragos y jugar billar cuando hallaron lo que buscaban. Un par de hombres de sombrero vaquero los observó con recelo. Uno de ellos, quien fumaba cigarro entre sus bigotes ralos, se acercó a preguntarles qué hacían dos indios a plena luz del día en la ciudad y dónde estaban sus registros militares. Serna respondió que no entendía nada de lo que decía y, sin mostrar identificación alguna, volvió a la barra en espera de ser atendido. El vaquero entonces lo encaró.

—Aquí —dijo apuntando con su dedo índice al piso—, *work or fight. Go!*

López y Serna fueron conducidos por los dos vaqueros a una instalación donde los retuvieron junto a otros *slackers*. Aquel encierro se extendió durante varias jornadas sin que supieran si estaban revisando su situación. Al cuarto día, desesperado, Marcelino Serna pidió hablar con el responsable de aquel lugar. Fue entonces cuando se esforzó por explicarle la verdad. Con señas y alguna que otra palabra en inglés dijo que su compañero sí había sido requerido para el servicio, pero no se había presentado en el distrito que le correspondía y que él, aunque no había sido seleccionado, quería ofrecerse como voluntario para ir a la guerra. El encargado miró varias veces, extrañado y con desprecio, a los dos mexicanos. Era claro que no comprendía que un campesino mexicano quisiera ir de manera voluntaria a la guerra. Aun así, con tal de liberar espacio de confinamiento en sus celdas para más gente que no paraba de llegar, incluidos muchachos blancos, aceptó que se registraran para que se largaran de ahí.

El 9 de octubre de 1917 Luis López y Marcelino Serna abordaron, junto a decenas de jóvenes, un tren en la estación de Denver con destino al Camp Funston, en Kansas, a ochocientos kilómetros de distancia. En este sitio, los reclutas de todo el Medio Oeste del país —Missouri, Nebraska, Dakota del Sur, Arizona, Nuevo México y Colorado— no dejaron de llegar de día y noche. En esa instalación serían incluidos como miembros del grupo de hispanohablantes a cargo de un soldado de gesto recio de nombre Alberto Aguirre, quien había formado parte de la expedición para cazar a Pancho Villa. En ese campo de recepción, del tamaño de una ciudad, de una muy grande, pasarían los siguientes siete meses en espera de viajar a Europa realizando un entrenamiento para la guerra más ficticio que real.

La luz del nuevo día se filtra iluminando suavemente los rostros al interior del vagón. El tren se detiene con un chillido de frenos. Marino Ochoa abre los ojos con sobresalto. Sin darse cuenta, y en espera de llegar a París, se ha quedado dormido. Los rubios que yacen sobre los fardos y las mochilas son avispados por el sargento de ojos grises y cabello erizado. Unas campanas resuenan a lo lejos cinco, seis veces, seguidas del ladrido de varios perros.

El maestro se pregunta si han llegado a París; aquella idea, la de mirar las maravillas y modernidades de la ciudad, como la luz eléctrica y los autos a combustión, lo ilusionan de nuevo. Junto a él, Bicente Ochoa, su hermano, le lanza una mirada cargada de compasión y seguida de un suspiro resignado. El sargento del vagón aparece junto a los mexicanos. Él mismo tira de la puerta con fuerza para deslizarla y dejar la realidad exterior expuesta a Marino y al resto de los soldados: una mañana lluviosa, una vía del ferrocarril, un campo sin arar y, más allá, las márgenes de una rivera.

Aguirre, Serna, Marino y Bicente Ochoa, Chávez, López, Baca, González y Mascarenos descienden a tropel presionados por los rubios, quienes necesitan con urgencia descargar sus vejigas. Las gotas de lluvia se depositan sobre la tela gruesa de los sombreros de dos picos y los uniformes de los soldados. Con los pies plantados sobre el piso, Baca alza en todo lo alto su cabeza para olisquear el aire húmedo. Enseguida lanza un gruñido. Cansados y hambrientos, los hombres saturan el espacio junto a la vía del ferrocarril. Aguirre les informa a sus hombres que ahí descansarán una hora y comerán el rancho del día antes de continuar su trayecto.

El grupo de mexicanos descarga sus necesidades mirando en dirección al río, que resulta ser mucho más grande de lo que parecía. En ese momento, el sonido de una campana y el choque de ruedas contra la vía advierte sobre el paso de un tren en sentido opuesto. Los hombres se apartan y observan de cerca el convoy formado también por vagones de madera capaces de transportar a ocho caballos o de treinta y seis a cuarenta hombres.

El tren pasa de largo hasta tomar la última línea de un patio de maniobras que los hombres de la División 89 cruzaron sin darse cuenta. Encabezados por Marino Ochoa, el grupo camina a saltos por los durmientes para ir al encuentro de quienes, imaginan, son soldados como ellos, pero provenientes de algún punto del frente. El maestro acelera el paso con la esperanza de indagar de una vez por todas qué tan lejos se encuentran de París.

Un grupo de hombres de ropas inmundas y desgastadas pone pie sobre la grava suelta. Los mexicanos dudan de si se trata de soldados traídos del frente o civiles desalojados tras algún bombardeo. Aún lejos, pueden escuchar una serie de lamentos y clamores ahogados que se escapan del interior del carro. Otro puñado de hombres, de piernas y brazos apretados por torniquetes y vendajes sucios, descienden con dificultad apoyados por un grupo que parece menos grave. Mucho más cerca, Manuel Chávez alcanza a mirar a un muchacho de ojos color miel quien, debajo de unos sucios jirones de tela enrollados a la cabeza, le lanza una mirada cargada de una profunda melancolía.

El grupo de recién llegados forma una penosa marcha sobre las vías. Cruzan al otro lado hasta unas tiendas de campaña de una clínica improvisada en cuyas carpas está grabada una cruz roja. De ellas, varias mujeres de bata blanca salen deprisa al darse cuenta del arribo del convoy. A su paso, algunas sostienen a los heridos por los brazos; otras continúan hasta los vagones en busca de más necesitados.

Serna anima a sus camaradas a echar una mano para descargar el tren. Suben a un vagón. El insípido olor a sangre se mezcla con el de orines, excremento y encierro. Sobre el piso, encuentran pacientes recostados sobre varias camillas. Otro grupo se mantiene apoyado entre las paredes y el piso sin que parezcan tener idea del tiempo y el espacio. Baca se retira de forma impulsiva la cazadora, mientras González selecciona a un muchacho cuyo gesto contiene el dolor que le causa una herida en la pierna. Baca extiende su uniforme sobre el piso para, enseguida, arrastrar con cuidado al herido hasta la puerta con ayuda de Mascarenos. Abajo, Bicente Ochoa se une a sus tres compañeros para tomar la prenda por las esquinas y trasladarse con rapidez al campamento. López, Chávez y Marino Ochoa, por su parte, toman cada uno por los brazos a otros hombres para transportarlos también a las carpas.

Aún deslumbrado por el contraste de la luz con la penumbra, Serna observa dentro del vagón las figuras inmutables que han quedado a bordo. Desconoce si entre ellos habrá alguno aún con vida. Un lamento profundo lo alerta.

Atento a los objetos que han quedado desperdigados por el lugar, recorre las sombras hasta hallar, en el fondo del espacio, el origen de aquel llamado agonizante. Se trata de un hombre en posición fetal recostado sobre el piso. El mexicano repara en el torso desnudo de un soldado envuelto por un vendaje y en la mancha carmesí que cubre un costado de la tela. Es el hombre mismo quien oprime con fuerza el vendaje como si de ello dependiera que la vida no se le escapara.

Serna gira cuidadosamente al paciente. Frente a él, halla un rostro juvenil en un rictus de dolor que deja al descubierto una dentadura por completo teñida de sangre, fracturada en muñones filosos. Una y otra vez, el muchacho murmura un lamento incomprensible para el mexicano. Marcelino no espera más por sus compañeros ni los ordenanzas y se prepara para trasladar él mismo al paciente.

De pronto, a punto de subirlo en hombros, una mano toca el hombro de Serna por detrás. Al girarse, encuentra una silueta femenina que niega con la cabeza y lo aparta. De pie junto a ella, Marcelino repara en la cofia prensada a su cabello castaño y la bata blanca que porta esa mujer sobre los hombros y alrededor de la cintura. Arrodillada, la enfermera inspecciona al paciente a detalle y escucha su lamento de cerca. Después de unos segundos, y sin explicación, se postra junto a él. Serna observa atónito la actitud sosegada de la joven. No alcanza a comprender por qué no hace algo por el herido y pide que lo trasladen enseguida a la carpa para ser atendido. En su lugar, pasa su brazo derecho por detrás de la cabeza del muchacho y lo coloca con delicadeza sobre su regazo. El movimiento desata un gesto de dolor en el paciente que es reconfortado por una caricia de ella en su frente sudorosa y negrecida y un susurro al oído. Baca y el resto de los mexicanos vuelven al vagón.

Detrás de Marcelino, los soldados se detienen sorprendidos por la singular imagen. Después de unos segundos, el herido logra serenarse. Mira a la enfermera a los ojos como a la Virgen de la Piedad. Entonces parece olvidar su dolor y deja de oprimir. Ella vuelve a su oído para susurrar algo más y, después de unos segundos, el último aliento del muchacho se escapa irremediablemente.

—*Parfois, tout ce dont les hommes ont besoin, c'est de réconfort* —dice ella con una voz dulce depositando gentilmente el cuerpo descompuesto sobre el piso.

—En ocasiones… —dice Marino Ochoa a sus compañeros haciendo un esfuerzo por interpretar—. En ocasiones, todo lo que necesitan los hombres es el consuelo.

Los soldados bajan la mirada y se retiran el gorro de dos picos en señal de duelo. González y Mascarenos se persignan. Chávez observa perturbado por vez primera la muerte causada por la Gran Guerra frente a él. Las campanas lejanas resuenan justo siete veces anunciando la hora de partir.

Serna se acerca entonces a la enfermera para ofrecerle una mano que la ayude a incorporarse. De pie, sus miradas coinciden muy de cerca, tanto que pueden explorarse uno a otro por un instante. El corazón de Marcelino da un vuelco cuando observa a detalle los ojos miel de la enfermera. El sobresalto que le causa mirarse a través de ellos es tan grande que el mundo hace una pausa y da un giro. Entre la penumbra y ante la presencia de esa chica, de rostro redondo, nariz afilada y un lunar junto a sus delgados labios como pinceladas, toda la angustia y el dolor aquí alojado se disipa. Ella, por su parte, devuelve la mirada transitando incrédula por los ojos negros en forma de almendra, la piel cobriza, brillosa y tersa, la boca ancha y las facciones bruscas de ese muchacho desconocido que aún sostiene su mano, la misma que, hasta hace un instante, reconfortó la muerte. En el interior de una enigmática enfermera de campaña canadiense y un exótico soldado raso americano, se enciende súbitamente la llama doble.

—Oye, Chief... es hora de irnos. Ya habrá tiempo de atender a las damas —interrumpe González.

Sin dejar de mirarlo a los ojos, la enfermera retira gentil su mano de la del soldado. Antes de descender del carro, Marcelino recorre por completo la figura de aquella chica como si quisiera retratar en su mente y para siempre tantos detalles de su humanidad como le sea posible: el cabello castaño, el cuello espigado de marfil, el uniforme blanco salpicado de sangre. Brevemente, a la altura de su pecho, repara en la medalla dorada que lleva en su interior una cruz roja, la cual pende de un fistol con los colores rojo y blanco y las siglas CAMC bordadas en él. Lamentando no saber más de ella y presionado por sus compañeros para que se apresure, Serna baja de un salto del carro para auxiliar a la chica a descender con una sonrisa que le sirve de despedida.

—Marino, Marino —grita Serna dando alcance al maestro—. Anda y regresa a preguntarle su nombre, de dónde es y a dónde se dirige, no seas malo.

—¿A quién, a la enfermera?

—Sí. Te voy a deber una.

—Carajo, faltaba más —responde el maestro—. Sirve que me entero en dónde nos encontramos, lo olvidé por completo.

El soldado regresa sobre sus pasos para abordar a la enfermera. A lo lejos, Serna los observa conversar, despedirse con una mirada y otra sonrisa cómplice. Como nunca antes, Marcelino apela en silencio a eso que la gente llama destino para encontrarse de nuevo con esa chica, en algún momento, en algún lugar.

—Livry-sur-Seine —dice Ochoa al llegar junto a su compañero.

—Que nombre más extraño —replica Serna—. Dilo otra vez.

—No, no. Ese no es el nombre de ella, es el del pueblo donde nos encontramos, Livry-sur-Seine. Hemos pasado París en algún momento esta madrugada y yo me he quedado dormido. Soy un idiota. Aquel río que se ve al fondo es el Sena, que cruza por París. No lo puedo creer. Soy un idiota.

—Sí, hombre, pero ¿cuál es el nombre de la enfermera?

—Ah, disculpa. Su nombre es Élise. Dijo que es canadiense y parece que también va camino al frente con su unidad sanitaria —responde el maestro llevándose una mano a la cabeza en señal de desesperación—. ¡Imbécil, imbécil, soy un imbécil por quedarme dormido!

—Élise… —susurra Marcelino antes de lanzar una última mirada en dirección al tren de heridos y emprender, él también, la carrera para dar alcance al resto de sus compañeros.

La lluvia se ha detenido. El tren reanuda su marcha, esta vez bajo un cielo limpísimo sin que los hombres lo puedan contemplar. Con su retraso, los mexicanos apenas han podido tomar un poco de café y una galleta, que algunos de ellos conservan en sus bolsillos para más tarde. A pesar del intenso calor, que con el paso del día no hace más que incrementar, el sargento ordena mantener la ventila cerrada del vagón-establo. A mediodía, los hombres respiran el mismo aire caliente y reutilizado; algunos se retiran las cazadoras para quedar en camisetas y usan sus gorros de dos picos como abanicos. En su rincón, los mexicanos han logrado organizarse para compactarse y reposar en el piso por turnos.

Aguirre se aproxima a Marino Ochoa, quien ha vuelto a mirar entre las rendijas de los maderos.

—Estamos lejos de París —asegura el cabo.

—Lo sé —responde el maestro indiferente.

—Ayer por la noche cruzamos por las afueras de la ciudad, es lo que escuché. Quizá en el momento mismo en que seguías despierto. No lo sé. De cualquier forma, no creo que hubieras podido ver nada, ni siquiera la Torre Eiffel de lejos, el gobierno francés ha ordenado no encender un solo cerillo después de las seis de la tarde. La guerra ha logrado oscurecer a la Ciudad Luz.

El maestro ignora las palabras de su cabo por un momento. Luego se retira de la pared fastidiado.

—Dime una cosa, Aguirre, ¿a dónde nos dirigimos?

—Escuché que al sur del frente occidental —responde.

—Al sur... al sur... ¿A dónde demonios?, ¿a qué ciudad, ¿a qué pueblo? Todo es un misterio en este viaje —reprocha.

—Todo, incluido cuándo nos van a dar un casco o un fusil, cuándo van a formar una compañía, un pelotón, cuándo nos van a hablar de tácticas militares, si es que las tienen, y cuándo van a convertir a esta multitud de ineptos que jamás han usado un arma en un verdadero ejército —interviene Serna, quien va de pie.

—Quizá estén pensando enviarnos al frente así, en bola, con las imitaciones de rifles de madera de Funston —afirma irónico González, provocando la risa del grupo.

—Capaz que solo nos quieren como carnada para atacar por otro flanco. Así, esto va a terminar en una carnicería —asegura Bicente desde el piso.

—Te equivocas, cabrón. Esto ya es una carnicería —corrige Chávez detrás de él, recargado en la esquina.

—Tranquilo. No hay por qué ofender. Yo no tengo problema con irme a jugar el pellejo, a eso vine. Pero parece que tú sí; a ti te falta lo que a mí me sobra —replica Bicente al más joven del grupo.

Aguirre interviene para calmar los ánimos de sus hombres. El cabo es consciente de que en la guerra mantener la moral en alto y la unión de la tropa resulta fundamental. Lo más probable, dice, es que al llegar a su destino reciban el equipo y sean asignados al batallón en el que intervendrán. Después, sostiene, recibirán las órdenes y se les dará a conocer cuál será la estrategia en el frente, una información que ha escuchado que la comandancia está reservando para darla a conocer hasta el último momento.

—No coman ansias, camaradas. La guerra aún está lejos de terminar. Estoy seguro de que vamos a ver acción y mucha —sostiene el cabo.

—Yo espero que no y que esto se acabe antes de que lleguemos a donde sea que vayamos —agrega Chávez ante la mirada de Bicente, quien opta por ignorar al muchacho.

El vagón se sacude. Durante las siguientes horas, el convoy continúa monótono su trayecto sobre las vías. Por la tarde, vuelven a realizar una parada. Los hombres descienden a nivel del andén de una pequeña estación en espera de comer algo y seguir el viaje. Ahí, un grupo de niños corre hacia ellos. «*Les Américains, les Américains*», gritan. «*Biskee, Biskee*», piden desesperados extendiendo las manos para que les entreguen las galletas que saben que los soldados llevan con ellos, por el paso de otros trenes cargados con soldados.

Esta vez, Marino puede leer el nombre de la villa donde se encuentran sobre el andén: «Troyes». Para su mala fortuna, jamás había escuchado de esa localidad.

Después de comer y estirar las piernas, el convoy reanuda de nueva cuenta su marcha. La noche vuelve a nublar el interior del carro; el frío arrecia. Los hombres se compactan. Uno sobre otro, intentan dormir, algunos, los más agotados, lo consiguen. La madrugada se hace interminable, igual que este viaje. Para todos, el recorrido a bordo del tren ha sido mucho más pesado que el viaje para cruzar el Atlántico.

La máquina reduce su velocidad. Por vez primera se escucha el grito agudo del silbato. Los soldados se desperezan, parece que el recorrido ha llegado a su fin. El tren finalmente se detiene por completo. El sargento ordena a los hombres tomar sus posesiones. La puerta de nuevo se desliza furiosa. Un destello en el horizonte alerta de la llegada del amanecer. Los oficiales urgen a los hombres para que desciendan y formen de inmediato las columnas de avance. El viaje, que debió haber durado entre doce y quince horas, ha tomado día y medio.

Las columnas, compuestas por doscientos cincuenta elementos cada una, marchan entre las sombras en territorio desconocido. Nadie sabe aún en dónde se encuentran, ni siquiera si están cerca del frente. A pesar de casi no haber dormido en las últimas dos noches, la emoción mantiene los ojos de los soldados bien abiertos. A falta de fusil, Serna aprieta los tirantes de su mochila a la altura de su pecho. Expectante, intenta reconocer las sombras de la vegetación que se mueve al ritmo del viento ligero que sopla; sin embargo, cae en la cuenta de que los árboles y arbustos de esa región no se parecen en nada a otros que haya visto en América.

La cabeza de la columna se extravía por estrechos caminos rurales cuando el día clarea. Lejos de experimentar cansancio, los hombres se sienten aliviados de estar fuera de los vagones, respirar aire fresco y apreciar los campos de cultivo que, pese al abandono, en esa época del año rebosan de un intenso color verde. Su avance continúa durante más de tres horas en dirección al este. La tropa alcanza las primeras villas de una población rural. En su acceso, el poblado aún conserva un letrero que lo identifica y que el maestro Ochoa lee: «Aillianville». Extrañamente, las calles y edificaciones de techos de teja y paredes de piedra se encuentran sin rastro alguno de batalla, reciente o añeja; solo parece habitado por ese ominoso silencio de la guerra. Poco a poco, un puñado de pobladores, todos ancianos campesinos, salen al encuentro de la nutrida tropa.

—¡Alto! —Se escucha la orden de pronto. Se trata del capitán John C. Moora.

Los hombres aguardan por varios minutos en su lugar. Una nueva orden hace que la columna que antecede a la de los mexicanos reanude su marcha hasta perderse por la calle. Un grupo de uniformados frente a Moora se colocan en posición de firmes y pasan lista. Enseguida ordena dividir la columna en grupos de treinta y dos soldados. El de los mexicanos, compuesto por sesenta y seis muchachos, es dividido en dos. El cabo Aguirre es integrado con los mismos treinta y tres hombres. Luego los soldados son trasladados a una pequeña plaza frente a la iglesia del pueblo, una construcción de una torre afilada, coronada por una cruz, y fachada romana en cuyo frontón se lee la frase: Deo optimo maximo.

—Atención —grita Moora dando pasos cortos entre sus hombres—. Nos encontramos en la región de la Champaña-Ardenas, a sesenta kilómetros al sur del frente occidental. Ustedes han sido asignados a la Compañía B de nuestro Regimiento 355, distribuido por varias villas de los alrededores: en esta de Aillianville, en Grand y en Brechaunville.

El capitán hace una breve pausa y continúa.

—Muchos de ustedes me han expresado su preocupación por no saber cuándo serán entrenados y equipados con sus armas de cargo. Ahora les digo que el momento ha llegado, que en los próximos días serán adiestrados y recibirán sus armas en varios campos de esta zona de Reynel bajo las tácticas que la comandancia general ha adoptado.

Marcelino Serna asiente con la cabeza complacido tras escuchar la interpretación de Aguirre.

—Ahora, escuchen bien, señores —continúa el capitán bajo el potente rayo del sol—. Existen múltiples métodos para lograr la tan ansiada victoria. Nosotros, los soldados de la División 89, y quienes formamos parte de las Fuerzas Expedicionarias que comanda el general John J. Pershing, creemos en los métodos modernos de combate, pero también en el infalible aprovechamiento del desconcierto del enemigo y en la actuación vertiginosa y fulminante. Eso es justo lo que haremos en el momento en que entremos en acción, nos lanzaremos a tomar las posiciones alemanas con arrojo. Para ello, debemos estar muy bien preparados para operar como lo que pretendemos ser, un único cuerpo militar.

Moora hace una nueva pausa para mirar a sus tenientes y continúa.

—Ustedes han sido divididos en secciones. Para cada una, se ha asignado un teniente. Ellos serán los encargados de nombrar a los sargentos de cada pelotón que se forme cuando llegue el momento —sostiene señalando a los uniformados junto a él.

Aguirre cae en la cuenta de que aún tiene esperanzas de ser seleccionado para encabezar a los que ya considera como sus hombres.

—Ustedes, hombres venidos del Medio Oeste del país, forman parte del Regimiento 355, la *Rolling W*, la W Rodante que es *West* al derecho y *Middle* al revés. Cada uno recibirá la insignia de nuestra unidad, colóquenla en su uniforme y pórtenla con orgullo y gallardía —sigue Moora encendiendo los ánimos de los presentes—. Señores, cada uno de ustedes debe sentirse orgulloso de estar aquí, de ser parte de la historia. Hasta ahora, nuestro país nunca había tenido un ejército formalmente conformado. Ustedes son ya parte del Primer Ejército de Estados Unidos. Con su esfuerzo y sacrificio, estoy seguro de que volveremos victoriosos a casa.

El júbilo entre los hombres estalla sin que los mexicanos puedan comprender la razón hasta que Aguirre completa el mensaje.

Los mandos asignados se posicionan junto a sus columnas. Los mexicanos observan de reojo a un soldado blanco, atlético y de cabello castaño aproximarse a ellos. Aguirre se cuadra y saluda enérgicamente. El oficial enciende un cigarrillo y se presenta sin prisa.

—Soy el sargento Frank J. Fisher. Me han asignado al frente de sus hombres, cabo, y de aquel grupo de negros.

El oficial señala indiferente con un movimiento de cabeza al pelotón de muchachos de color y lanza un largo suspiro.

—¿De dónde vienen sus hombres, cabo?

—Texas, Nuevo México, Colorado...

—¿Hablan inglés?

—Nadie habla inglés, señor. Yo soy el único —responde seco.

—Por Dios… ¿quién decidió traer a estos indios a la guerra? —dice el mando expulsando el humo del cigarrillo de un soplido y retirándose la gorra de servicio para lanzar una mirada displicente a los hombres junto a él, dueños de un gesto recio.

—Señor, si me permite, estos muchachos son gente buena para la guerra. Hasta hace unos meses eran trabajadores incansables del campo, las minas y las vías del ferrocarril de Estados Unidos. Están listos para entrar en acción en cualquier momento.

—Esos oficios sirven de poco por aquí, cabo. Cualquiera que llega a este lugar cree tener lo necesario para combatir hasta que está en el frente. Ahí es donde se dan cuenta de la bestia a la que se enfrentan. Muchas veces es tarde porque la guerra se los traga —responde.

—Con todo respeto, señor, permítales la duda. Estos hombres son nietos de los mexicanos que ganaron a los franceses la batalla del 5 de mayo. Son herederos de las agallas de los indios que pelearon como nadie por nuestro país en la Guerra Civil e hijos de los soldados que fueron a Cuba a pelear contra España y que jamás han pedido reconocimiento alguno.

Con su arma automática al cinto, Fisher recorre la columna muy serio inspeccionando los rostros impasibles de tez broncínea. Luego desvía su atención a la fachada de la iglesia del pueblo hasta volver al grupo que sigue sin generarle expectativa alguna.

—Escuchen bien, señores —dice el sargento en voz de Aguirre—. Esta guerra no se va a ganar con el hecho de llevar sangre de esclavo o de guerrero en las venas, ni con valentía o arrojo o lo que los haya hecho venir aquí a vivir la que ustedes creen que es la aventura de sus vidas. Lo que tienen que saber es que aquí lo único seguro que tenemos es la muerte. En el frente, se convierte en su destino desde el primer minuto sin importar de dónde vengan ni de qué color tengan la piel. Espero que las próximas semanas les sean útiles para entender que para vencer a los hijos de puta que tenemos ahí delante hay que tener mucho más que agallas, porque no exagero al decir que parecen invencibles.

Tras los dichos de su nuevo sargento, interpretados por Aguirre, los mexicanos intercambian miradas cargadas de incertidumbre. Antes de retirarse, Fisher devuelve la mirada en dirección a la fachada de la iglesia y lee en voz alta: DEO OPTIMO MAXIMO.

—Dios omnipotente… —susurra Marino Ochoa

—Se apiade de todos nosotros —completa Chávez.

Cuatro
Nuestra raza

Mañana, 4 de agosto de 1918, cuatro compañías del Regimiento 355 partirán al frente. De ser incluida, la Compañía B realizará su desplazamiento muy temprano, al menos es lo que han dicho los oficiales. Como lo han hecho durante las seis semanas que tienen estacionados aquí, en Aillianville, los mexicanos suben con toda calma a la cima de un cerro. Sobre un claro, se sientan tranquilos a esperar el atardecer y escrutar en el horizonte los copos blancos que preceden a las lejanas detonaciones, allá en el cielo de los campos de batalla.

Elizardo Mascarenos es el primero de los soldados en llegar arriba. Sobre el césped, recarga el mango de madera de su rifle y mira la llanura buscando rastro alguno de la guerra. Unos minutos más tarde, alza su arma de asalto a su hombro izquierdo. Hace puntería en dirección al noreste y coloca delicadamente su dedo índice izquierdo en el gatillo.

—¡Pum! —dice el muchacho de cabellos erizados fingiendo disparar a un enemigo invisible e inalcanzable—. Estoy listo para ir al frente. ¿Saben?, mi padre, igual que yo, era diestro, pero usaba la mano izquierda para casi todo.

Una parte del grupo observa extrañado a su compañero.

—¿Para todo? —cuestiona frente a él con marcada ironía Tobías González cerrando el puño y moviéndolo de arriba abajo.

El grupo ríe. Mascarenos ignora la broma de mal gusto de su compañero.

—Mi padre lo hacía porque decía que la facilidad era algo contraproducente para cualquier hombre. Esta mañana, durante la práctica de tiro, intenté seguir aquella recomendación. ¿Y qué sucedió? ¡Pum!… —Finge de nuevo el disparo con el rifle al hombro—. Logré impactar al centro de la diana por este lado, el izquierdo. ¿Alguien lo notó?

El grupo tira de loco al muchacho sin saber de qué habla.

—No lo notaron, pero lo hice —asegura adoptando una actitud arrogante—. Creo que ahora me puedo declarar el mejor tirador de este grupo. Ahora, si entre ustedes hay alguien que crea que puede superarme y ser mejor que yo con su arma, adelante, pasen, esta tarde les tengo un reto que no podrán resistir. Es el momento de demostrar, de una vez por todas, qué tan cabrones son.

Aunque el desafío recién lanzado ha ganado la atención del grupo, nadie parece tomarle la palabra al muchacho que lleva una cicatriz en la mejilla derecha. Los jóvenes vuelven a escrutar el horizonte en espera de alguna señal de combate sobre el campo de batalla.

Molesto, Mascarenos se pasea varias veces frente al grupo.

—Bueno, y qué tal si les digo que aquí, en el bolsillo de mi cazadora, tengo algo que no podrán conseguir por estas tierras lejanas, un cigarro, un habano único que será para el que logre vencerme —afirma el soldado pasándose la hoja marrón del tabaco entre los labios y la nariz.

El reto, de pronto, se vuelve bastante tentador para los presentes. Sentado junto a Alberto Aguirre, el sargento Frank Fisher intenta seguir los dichos de sus hombres. González se pone entonces de pie.

—No tan rápido, camarada. —Vuelve Mascarenos deteniendo a su entusiasta contendiente con una seña—. Todo desafío tiene una complicación, lo sabes. La mía es que se debe impactar el objetivo al primer tiro y desde su lado opuesto. Por la hora y porque hoy vengo muy generoso, a mi oponente le daré veinte metros menos de lo que todos hemos practicado. Solo advierto una cosa: si yo gano, además de quedarme con este riquísimo cigarro, quiero la mitad de la porción de comida del perdedor por una semana entera.

El grupo se queja al unísono. Molesto por el sacrificio en caso de perder el desafío, González vuelve a su lugar.

—Para eso me gustabas, Tobías —dice el retador—. ¿Hay alguien más aquí entre los señores del Regimiento 355 que se sienta capaz y quiera poner a prueba su puntería esta noche? ¿Alguien?

Aguirre termina de interpretar el desafío lanzado a Fisher, quien sigue interesado. Luego de unos segundos, para sorpresa de todo el pelotón, es el mismo oficial rubio quien se pone de pie para acercarse al soldado raso.

—Ira nomás, Pie Grande —alerta González golpeando con el codo a Víctor Baca y frotándose las manos—. Voy con el gringo. Una semana de paga a que le gana a Mascarenos. Esto se va a poner bien bueno.

Baca acepta con un gesto la apuesta de su compañero.

González separa enseguida dos proyectiles de su cargador y los coloca en el borde de una roca. Enseguida, Bicente Ochoa cuenta sesenta pasos, la distancia acordada, y se gira. Escéptico de que alguien logre impactar una bala con tan poca luz, observa a Mascarenos tomar su posición, lo mismo a Fisher, quien pidió prestada su arma de cargo a Luis López por no llevar la suya. Ante la mirada expectante del grupo, los dos contendientes se tienden sobre el suelo uno junto a otro pecho tierra. Ambos son diestros, así que descansan los rifles sobre su hombro izquierdo, como la apuesta demanda. Al mismo tiempo, los dos hombres jalan el cargador para depositar una bala en la recámara del arma. Con las mejillas bien apretadas al cuerpo del fusil, apuntan firmemente al diminuto objetivo que, con el atardecer, se va haciendo imperceptible. Ambos esperan la señal de Serna.

—¡Fuego! —grita el mexicano de pronto.

El destello naranja de la primera y lejana bomba de la noche sobre el campo de batalla se funde en un estruendo con el tronido del rifle. Expectantes, los hombres aguardan el resultado.

—¡Mascarenos! —grita González del lado de los objetivos junto a Baca.

—¿Quién? —pregunta alguien.

—Fue el maldito de Mascarenos quien le dio.

Del otro lado y de un salto, el muchacho de pelos erizados y marca en la mejilla se pone de pie y celebra. A toda prisa deshace los sesenta metros que lo separan de la roca. Despavorido, el resto del pelotón lo sigue para comprobar que la bala del sargento ha quedado de pie.

Confundidos, Aguirre y Serna caen en cuenta de que Fisher no se ha movido un centímetro de su posición. Su fusil continúa al hombro y apuntando a su objetivo. Los dos soldados intercambian miradas sin saber qué es lo que ha sucedido y por qué el sargento no accionó su arma. De repente, el oficial deja caer el rifle sobre el piso. El golpe lo acciona, lo que alerta a los hombres en el otro extremo y sacude a Fisher, quien finalmente se incorpora.

—Ese en verdad es bueno. Es muy bueno —sostiene nervioso con sus ojos azules perdidos en el horizonte—. Continúen, cabo. Debo irme.

El sargento originario de Kansas se aleja del lugar tambaleándose y arrastrando los pies justo cuando la embestida de la artillería en el frente arrecia. Los soldados observan extrañados la silueta de su mando desaparecer entre los árboles.

Poco a poco, los hombres se reúnen alrededor de Aguirre, quien dice que deben saber lo que escuchó sobre el sargento Fisher de voz de algunos oficiales. Asegura que su incapacidad de tomar decisiones, durante la primera batalla junto a los franceses, fue lo que le costó la vida a más de ciento veinte de los doscientos cincuenta hombres de la compañía que comandaba. Según oyó decir, aquella incursión fue en una batalla cerca de un poblado de nombre Château-Thierry, donde un fuego cruzado lo atrapó a él y a sus soldados después de perder el rumbo y no seguir el plan de batalla ni las órdenes de los franceses. Su castigo, sostiene el cabo, fue ser degradado de teniente a sargento y encabezar en adelante al grupo de negros y a ellos, los mexicanos.

—¿Y ese al que le da miedo disparar es quien nos va a comandar? —pregunta Mascarenos aún agitado.

El cabo asiente preocupado con un movimiento de cabeza mirando al horizonte, en dirección a donde la arremetida solo aumenta.

Seis semanas atrás, después de que el capitán John C. Moora integrara al grupo en la Compañía B y los dividiera en secciones, el campamento temporal de los mexicanos se instaló en el cobertizo de una granja de Aillianville.

Ahí, junto a un chiquero seco habitado por un cerdo flaco y solitario, los hombres acomodaron sus pertenencias. Con sus cobertores y paja improvisaron unas camas. A la mañana siguiente el grupo se presentó en la misma plaza frente a la iglesia de la villa para abordar varios camiones. Enseguida fueron conducidos a un emplazamiento militar instalado en las afueras de una pequeña comunidad rural de nombre Goncourt, ubicada a media hora de distancia, que también se mantenía intacta.

Al llegar al lugar, Serna miró varias filas de hombres que aguardaban frente a dos barracas de madera bajo el potente rayo del sol. Entre las dos construcciones, hondeaba la bandera americana. Con emoción vio a varios soldados salir con un rifle colgado al hombro del segundo de los edificios y cayó en cuenta de que el momento de equiparse por fin había llegado. Al ingresar por la primera puerta, le solicitaron su número de serie; 2195593, dictó en el mejor inglés del que era capaz. Enseguida recibió un casco de acero con forma de plato y correas de piel, el cual inspeccionó a detalle por dentro y por fuera; nuevas botas cafés de piel altas, calcetines de lana y un par de polainas de tela. Además le entregaron los uniformes de campo verde olivo, una cazadora adicional de lana, un impermeable y un abrigo con botones con la sigla us. Antes de salir, le proporcionaron además algunas herramientas como unas tijeras para cortar alambre, una pala y una máscara antigás de piel y fieltro, la cual le resultó mucho más exótica que la que había utilizado durante las prácticas en Kansas. El soldado reparó en los dos vidrios circulares a la altura de los ojos y el tubo flexible a la altura de la boca que se conectaba a un morral de lona.

Al ingresar por la segunda puerta, miró el edificio atiborrado de soldados de infantería e identificó la armería. Ahí, reconoció de inmediato los cofres de madera, apilados uno sobre otro, con número de serie y las iniciales L. E. de la firma británica Lee-Enfield en los costados. Por todo el local, escuchó los chasquidos de los cargadores mezclados con el golpeteo seco de los martillos de los fusiles que eran probados sin munición. Al recorrer el pasillo central, observó el remate de los cañones y las finas mirillas de esas armas semiautomáticas que, sabía, podían disparar las diez balas alojadas en su cargador una tras otra. Fue el acabado de caoba reluciente de su mango y de su empuñadura lo que llamó más su atención al recibir el arma de cargo. Frente a un espigado soldado rubio de rostro pasivo revisó el tiempo de reacción del gatillo y notó que era más rápido y sensible que el de la Mauser que había usado en México. El soldado rubio se limitó a contemplar inexpresivo la agilidad del mexicano para desmontar y revisar los componentes del rifle calibre .303. Al final, Serna añadió la filosa bayoneta que le fue entregada en la punta del cañón y, junto a su grupo, abandonó aquellas instalaciones más que satisfecho.

—Carajo, Chief, ve nada más este rifle, tiene una mirilla —dijo González.

Baca, orgulloso, levantó junto a ellos en todo lo alto su Excavadora de Papas, como supo que los artilleros llaman a la voluminosa ametralladora Colt-Browning que le fue asignada.

—Y mire nomás, otros zapatos nuevos, jamás había tenido zapatos nuevos y en menos de un año he tenido dos pares —agregó, pasando su mano por la piel nueva y apretada—. A ver si no me sacan ampollas como los otros.

—Son botas de campaña, más gruesas y resistentes —intervino Aguirre.

—Mis pies ya se habían acostumbrado a estas —replicó el soldado mirando las botas que llevaba puestas.

Al día siguiente el pelotón volvió por completo equipado —con uniformes de campaña, botines con polainas rodeando las piernas hasta la rodilla, cascos, mochilas y armas a cuestas— al campo de práctica de Goncourt.

En un extenso llano rodeado por una pradera, decenas de uniformados marchaban de un lado a otro alzando una polvareda. Aquel día, el sargento Fisher no apareció por ningún lado. Fue un oficial de instrucción quien afirmó delante de la tropa que los simulacros de guerra habían terminado, que las siguientes semanas, previas a la movilización, serían necesarias para adiestrarse en el uso del equipo militar y en lo que las Fuerzas Expedicionarias Americanas en Francia consideraban más importante en el campo de batalla: la disciplina.

Ese mismo día, con rifles en posición de combate y cargadores vacíos, los oficiales ordenaron a los pelotones marchar figurando un avance frontal a territorio enemigo en dos líneas de doce. Los soldados se desplazaron de manera paralela con una separación de dos metros entre cada uno. Durante horas, los hombres repitieron el movimiento una y otra vez sin descanso. Fue casi al finalizar la jornada cuando los oficiales de instrucción parecieron satisfechos con la práctica, justo en el momento en el que el grupo parecía claudicar por el peso del equipo y la piel rígida de las botas nuevas que causó estragos en los pies de los hombres. Al atardecer, la tropa volvió agotada y en silencio a bordo de los mismos camiones a Aillianville, y los hombres de Aguirre al cobertizo de la granja, sin haber disparado una sola bala con sus nuevas armas, como esperaban. Entre viejas herramientas de campo, cordeles, pacas de forraje viejo regadas por doquier, Baca, González y Mascarenos se curaron las ampollas que les provocaron las horas de marcha.

La siguiente jornada, para su mala fortuna, transcurrió prácticamente de la misma forma y sin la asistencia de su comandante: con el monótono ejercicio de marcha en cuatro líneas de doce, la piel de los botines rozando los talones heridos y otra vez sin que pudieran estrenar sus armas de cargo.

Al tercer día, el grupo fue desplazado a un área apartada del llano donde imaginaron que al fin practicarían con los rifles. Para su sorpresa, hallaron una zanja en cuyo interior podían caminar juntos dos hombres y que, como una serpiente, se perdía zigzagueando en el horizonte. Serna reconoció de inmediato la trinchera, ya que había visto una en México que los americanos construyeron y dejaron en el abandono. Los instructores aseguraron que se trataba de una réplica de las tantas que se extendían por kilómetros en todo el frente occidental.

Junto a esa instalación, les mostraron el método para utilizar las nuevas mascarillas antigases. Los instructores indicaron que lo más importante es estar atentos a la orden de colocarse los equipos, mediante el uso de campanas, porque los primeros minutos de un ataque con gas mostaza o fosgeno son decisivos entre la vida o la muerte. Las cintas de la careta deben estar bien ajustadas detrás de la cabeza, aseguraron, para luego colgar la bolsa de lona al cuello. Fueron advertidos de que el uso incorrecto de los equipos puede ser mortal porque los compuestos de las bombas de gas permanecen, muchas veces, flotando en el aire durante horas. Además, recomendaron que, en el remoto pero posible caso de no contar con una mascarilla o tenerla averiada, podían usar por unos minutos un paño pasado por agua. A través de los cristales circulares, Marcelino Serna observó a sus compañeros hechos unos esperpentos. Entre ellos, solo pudo reconocer los ojos pequeños y temerosos de Manuel Chávez, quien observaba a su alrededor, respirando agitado y siguiendo las instrucciones para sacar el gas de las trincheras con un abanico.

Al mediodía los soldados fueron trasladados frente a la trinchera de práctica. Ahí recibieron adiestramiento en el delicado arte de arrojar granadas de mano. Un par de horas después de ensayar el movimiento con rocas, para el que debían abrir las piernas y los brazos de manera paralela, recibieron con entusiasmo los primeros explosivos reales. Se trataba de unos cilindros negros de no más de ocho centímetros de alto y del diámetro de la palma de la mano. Todos fueron lanzados en dirección a una zona llena de alambre de púas, maderos y desperdicios, conocida en el frente como tierra de nadie, la cual, les dijeron, divide la trinchera propia de la enemiga. A diferencia de otros grupos, cada uno de los mexicanos logró que las granadas explotaran a buena distancia sin que ninguno sufriera heridas.

Durante un par de días más la instrucción continuó enfocada en otra de las tácticas que, aseguraron, era indispensable dominar en esta guerra: la forma correcta de saltar trincheras. Los oficiales de instrucción explicaron que, al sonido de los silbatos, el primer pelotón debía subir deprisa por escaleras de madera instaladas a todo lo largo de la zanja. En ese momento se tenía que poner en práctica la marcha de los pelotones en paralelo. El primer objetivo, por lo común, es el nido de la ametralladora alemana con la que el enemigo normalmente intenta mermar el avance de la tropa. A la siguiente orden de los silbatos, es menester que un segundo grupo de hombres, los de la línea de apoyo, secunden al primero. El avance tiene que hacerse flanqueando y no de manera frontal a la ubicación del enemigo. Durante aquella jornada aprendieron también a abrirse camino cortando alambres de púas en la tierra de nadie con sus pinzas. También recibieron la recomendación de llevar a la mano siempre sus palas de trincheras en caso de que fuera necesario cavar una zanja durante la batalla en la que pudieran guarecerse.

Para la penúltima semana de julio, todas las unidades de la Compañía B habían terminado su instrucción en el uso de los fusiles de asalto, menos el pelotón de los mexicanos quienes, para su sorpresa, recibieron la orden, proveniente de la comandancia del regimiento, de ampliar la trinchera de práctica por más de noventa metros bajo el argumento de que más soldados americanos estaban por llegar a entrenarse en ese lugar. Durante los once días que se extendieron los trabajos, las quejas calurosas no faltaron; aun así, los soldados no tuvieron otra alternativa que concluir su afán bajo tierra cubiertos en gran medida por la lluvia que, en aquellos días, no cesó de caer, lo que frenó el avance en la construcción. A pesar de las dificultades, soldados como Serna y López aprovecharon el tiempo para entender cómo funcionan los intrincados mecanismos de defensa bajo tierra, cómo debían orientarse, desplazarse o descansar entre el fango y el frío.

Fue hasta la tercera semana de julio cuando por fin llamaron a los mexicanos a presentarse en el campo de tiro. Aquella orden llegó justo al mismo tiempo que el rumor de que los campamentos de los poblados de Brechainville, Grand y Aillianville estaban a punto de ser movilizados al frente. Para entonces, Aguirre y Serna habían aprovechado las tardes para adiestrar a sus compañeros en los componentes de los rifles, su operación, su mecanismo de acción, los posibles problemas que podían presentar —como quedar atascados— y sus posibles soluciones. El mismo Frank Fisher un día se apareció por la granja llevando con él varias cajas de municiones. Fue así como aprovecharon para practicar disparando a dianas y blancos que ellos mismos fabricaron e instalaron en un terreno contiguo. En otra visita, el sargento observó atento a Serna descargar su arma en distintas posiciones con precisión. Para Fisher fue claro que el soldado raso contaba con experiencia en combate y que sería de bastante utilidad. Aguirre narró a su superior el desencuentro que ambos habían tenido en el barco de camino a Inglaterra y que el soldado, pese a ser reservado en sus maneras, era el único del grupo que había aceptado cargar con varios muertos en su haber.

Al presentarse al fin en el campo de tiro, el pelotón, para nunca haber tomado un arma en su vida y tener tan poco tiempo de entrenamiento, mostró aptitudes excepcionales. Los oficiales quedaron muy sorprendidos cuando los soldados realizaron de manera sobresaliente un ejercicio que intercalaba el tiro con la colocación de las máscaras antigases y el uso de granadas de mano.

Minutos antes de las cinco de la mañana le informan a Aguirre que la Compañía B será una de las cuatro primeras en movilizarse. Deprisa, ordena a sus hombres alistarse para partir. Nadie ha dormido. La noche transcurrió en vela para todo el grupo, el desasosiego por no saber si viajarían o no al frente les robó todo el sueño. Alrededor de una fogata, matan el tiempo entre especulaciones sobre las razones de Fisher para no disparar su arma durante el desafío con Mascarenos y tejen conjeturas sobre por qué el sargento de su grupo apenas se presentó en las últimas prácticas de tiro.

Como el resto del grupo, Serna empaca con rapidez sus posesiones dentro de su mochila. En minutos deben presentarse en la plaza de Aillianville donde los esperan los camiones en los que serán transportados. Tendida sobre un bulto de paja, entre los pliegues de la cazadora de Aguirre, Marcelino repara en la fotografía que su compañero lleva con él. El soldado observa de cuerpo entero a la misteriosa mujer en cuyo rostro ovalado de pómulos pronunciados se dibuja algo parecido a una sonrisa. Sus ojos y cabello negro trenzado contrastan con la blusa blanca y la falda floreada. Serna nota que porta unas cartucheras cruzadas al pecho y un rifle al hombro. Marcelino recuerda enseguida a las compañeras de tropa que ciegamente seguían al general Candelario Cervantes y a sus hombres en México. De fondo se aprecian unos fardos de forraje y una rueda de carreta. En la esquina inferior derecha se lee en letras doradas Martínez, el nombre de un estudio, imagina, y la fecha, Marzo, 1917. El cabo cae en cuenta de la mirada indiscreta de su compañero y retira la cazadora de inmediato.

—Disculpa. No pretendía molestar, Aguirre. Solo me recordó a alguien. ¿Quién es ella?

—Nadie —responde demasiado incómodo la pregunta, pasándose la cazadora por encima de los hombros y abotonándola deprisa.

Marcelino continúa empacando en silencio sin mirar a su superior.

—Quería hacerte una pregunta sobre otra cosa desde hace unos días —comenta el soldado raso.

Aguirre escucha a su compañero sin dejar de alistar ahora su cartuchera y empacando sus últimas posesiones dentro de su mochila.

—¿Qué cosa?

—¿Has escuchado si algún regimiento canadiense viajará con nosotros al frente? —cuestiona el muchacho de ojos en forma de almendra.

—¿Canadiense? —repite Aguirre colocándose su casco—. Tenemos un regimiento sanitario, pero es americano. No he escuchado de ningún grupo de soldados canadienses que esté con nosotros.

—No. Soldados no. Es un regimiento sanitario, un grupo de médicos y enfermeras. En una de las paradas que hicimos durante el viaje en tren, al pasar por París, te contamos sobre una clínica de campaña que atendía heridos. ¿Lo recuerdas? El personal dijo ser canadiense y que iba en dirección al frente, como nosotros.

—Recuerdo, pero no sé nada. No he escuchado sobre ningún grupo canadiense. ¿Cuál es tu interés en ellos?

—Una chica, una enfermera de nombre Élise —responde apenado.

Aguirre, por completo uniformado y listo para partir, lanza un gemido y niega con la cabeza.

—Ten cuidado, Serna. Es mejor no fijarse en esas mujeres, no son como nosotros. Las nuestras, esas valen esta guerra y cualquier otra —asegura tocando dos veces con su mano su pecho—. Andando. Debemos irnos. De cualquier forma, estaré atento por si escucho sobre algún grupo de ese país.

Los dos soldados se enfilan a la salida del cobertizo de la granja. Afuera, el aire se respira fresco y húmedo. Los hombres desayunan rápido, beben café y comen un trozo de pan. Luego marchan a la plaza de Aillianville con todo su equipo a cuestas.

Al llegar, el comando encargado del traslado deposita los enseres de campaña de la Compañía B en los furgones. Al final, los doscientos cincuenta soldados que componen la compañía pasan lista y son asignados a una veintena de camiones verde militar cubiertos por lonas. Serna observa de nuevo a los dos grupos de mexicanos, quienes portan con gallardía el escudo de la W Rodante en el brazo derecho y el casco en forma de tazón sobre sus cabezas. A diferencia de cuando llegaron a esta población de la región de Champaña-Ardenas, los hombres van armados y listos para entrar en acción. Deprisa, uno a uno asciende a los transportes.

A punto de marcar las seis de la mañana en el reloj de la torre el convoy se moviliza. Esta vez la tropa es informada de que viajarán al noreste, tan cerca como sea posible del sector de Lucey, donde han estado estacionados ambos bandos desde el inicio de la guerra.

Dando tumbos, los camiones avanzan por caminos pedregosos uno detrás de otro. Pronto, la torre de la iglesia de Aillianville, el poblado que les sirvió como albergue durante las seis semanas de entrenamiento a los mexicanos, se acorta hasta desaparecer en la distancia.

A bordo de los transportes, los hombres viajan en silencio sosteniendo sus armas y sus mochilas entre las piernas. Durante horas contemplan los campos brillosos bajo el sol con la mente puesta en el futuro incierto. En el trayecto alcanzan y cruzan poblados de calles estrechas y nombres desconocidos. Algunos de ellos, aunque intactos, están del todo desolados; en otros, como fantasmas, apenas aparecen por detrás de las ventanas algunos hombres y mujeres al encuentro de la caravana para comprobar los rumores que han escuchado de que los soldados americanos llegaron a Francia.

En una calle solitaria de una villa de casas desperdigadas, Manuel Chávez repara en la expresión —mezcla de regocijo y desasosiego— con que una mujer contempla el paso de los hombres que son movilizados al frente.

—Antes de venir aquí nunca había visto a un francés… ni siquiera me imaginaba cómo eran —asegura Chávez perdiendo de vista a la mujer.

—Yo tampoco; no tenía idea —responde Serna sentado junto a él en la orilla del camión.

Al salir de la población, las bielas del transporte se zarandean por el camino desgastado y lleno de hoyos. Los hombres se sostienen de donde pueden para no perder el equilibrio.

—¿Y crees que esta gente haya visto alguna vez a un *boche* de cerca? —vuelve Chávez.

—No lo sé. Imagino que no. Tal parece que, en cuatro años de guerra, los chingadazos de los alemanes no han llegado aquí. Mira a tu alrededor, todo está de pie en estos pueblos, sin un rasguño.

—Si nunca se han visto unos y otros, no entiendo por qué pelean —reflexiona Chávez.

Junto a ellos, González y Mascarenos escuchan la conversación. Baca, López, Aguirre y los hermanos Ochoa, enfrente, hacen lo mismo mirando al exterior sin prestar mayor atención.

—Los franceses que nos hemos topado desde que llegamos aquí son personas sencillas, parecen inofensivos, hasta diría que amigables —sigue Chávez—. Imagino que del lado alemán debe haber gente similar, campesinos, obreros… como ellos, como nosotros. ¿Por qué querrían hacerle la guerra a gente igual a ellos?

—Por favor, no seas inocente, las guerras no se dan así —interviene López del otro lado—. Se trata de una pelea entre poderosos. Es a ellos a quienes les resulta útil la guerra, no a cualquier pelado como nosotros.

—¿A los poderosos como quién? —cuestiona Chávez.

Aguirre interviene:

—A los generales alemanes, a los franceses, a los ingleses, a la manada de perros fieles de Pershing, a él mismo y, más aún, a los políticos de todas las naciones metidas en esto.

—¿Es cierto que Alemania tiene un rey? —duda Mascarenos con un aire ingenuo.

—No es un rey, es un káiser, Guillermo II —asegura Marino Ochoa.

—¿Un qué?

—Un káiser.

—¿Qué chingados es eso? —pregunta Mascarenos.

—Un emperador.

—Un rey, pues —dice López.

Marino Ochoa asiente.

—Káiser, eso suena muy poderoso —dice Baca en voz baja.

—¿Y ese cabrón provocó toda esta guerra? —cuestiona Mascarenos contrariado—. ¡Vaya que debe ser poderoso el jijo de la chingada!

—Entiendo que al principio se opuso a la guerra —afirma el maestro—. Lo cierto es que, desde hace más de cien años, cada emperador alemán ha tenido su guerra. Parece su forma predilecta de volverse famosos.

—Muerte y destrucción para conseguir fama, por Dios… —dice Chávez negando con la cabeza—. Todo lo que derrochan en armas, equipo… en cientos de miles de pelados desconocidos traídos del otro lado del mar como nosotros para hacer su guerra. ¿Y para qué? Para satisfacer sus ambiciones. ¡Maldito loco!

—Parece que las intenciones del káiser son ganar apoyo de su pueblo y reconocimiento. Lo que también me inquieta es qué provecho sacará de todo esto el gobierno americano —dice Ochoa.

El grupo se encoje de hombros y guarda silencio sin tener respuesta ni interés alguno. Ninguno de los muchachos que aquí viajan es letrado en gobiernos o política, su corta vida ha rondado en una sola cosa, sobrevivir al trabajo en sus comunidades apartadas. El motor del camión se sacude y ruge haciendo un enorme esfuerzo para ascender por una colina con su pesada carga humana a cuestas.

—Todo esto es absurdo —afirma Chávez sacudiéndose entre sus compañeros—. Vinimos aquí a pelear, y a morir, por los intereses de un hombrecillo y el de unos cuantos poderosos que ni siquiera saben que existimos. Deberíamos tomar el camión y volvernos enseguida por donde vinimos.

Fastidiado por los comentarios del compañero con cara de niño que tiene delante, Bicente Ochoa interviene:

—¿Y cuál es el problema de venir a pelear y que nos paguen si de cualquier forma el fin de esta maldita vida es la muerte?

Su hermano se gira, mira a su hermano y sostiene:

—Así lo creía Goethe.

—¿Quién? —pregunta Bicente.

—Johann Wolfgangvon Goethe, un escritor, irónicamente alemán como nuestros enemigos. Él decía que la vida no tiene otro fin sino la muerte y que los caminos de la vida son indescifrables e impenetrables.

—Igual a las guerras —opina alguien al fondo del camión.

—Yo también creo que es así, pero por ningún motivo he venido aquí para morir por el capricho de un emperador o un puñado de políticos —continúa Marino Ochoa.

—Entonces, ¿por qué has venido? —cuestiona Chávez.

—Por mi hermano —responde sin dudar—. Por nuestra familia y porque creo en el valor supremo de la libertad.

Bicente asiente con la cabeza, orgulloso de la respuesta de su hermano.

—Libertad… eso no es para nosotros, es pa' los blancos —se lamenta Baca.

—¿Por qué no lo va a ser? —afirma Aguirre, quien se había mantenido en silencio—. Estoy seguro de que algún día podremos estudiar, trabajar y vivir como lo hacen ellos. Un día dejaremos de estar aislados en el campo, en los ranchos, sin que nos hagan menos por nuestro origen, nuestro tono de piel o por hablar español. Podremos vivir sin que se nos moleste por ser de fuera.

—Puras pendejadas. Eso nunca va a pasar —dice Mascarenos encogiéndose de hombros y girándose para mirar afuera.

—Claro que sí —replica Aguirre—. Pero para eso, tenemos que ganarnos un lugar con este ejército, aquí en Francia, con nuestras acciones, a como dé lugar, aquí es donde debemos demostrar de lo que estamos hechos y eso tiene que ocurrir en los próximos días.

Las palabras del maestro y del cabo encienden una diminuta flama de orgullo en las almas de los miembros del grupo, que vuelve a viajar impasible y en silencio. Marcelino mira la llanura que se extiende y piensa en los años que ha pasado fuera de su casa, en su madre, sus hermanos y en su enfermera de ojos color miel.

El día avanza y con él la veintena de camiones de la Compañía B que mantiene el buen paso por estrechos caminos. En el trayecto apenas se presentan algunos incidentes menores —como la falta de combustible, un atasco o alguna avería en los neumáticos— la misma tropa resuelve con celeridad.

Justo en el momento en que las sombras de la tarde desaparecen dando paso a la luz amarilla que antecede a la noche y que todo lo cubre, el paisaje se transforma. El convoy se inserta en una población de calles adoquinadas mucho más grande que cualquiera de las que han atravesado durante todo el día. Entre los tejados y las chimeneas de las casas sobresalen dos torres de una iglesia.

—Esto debe ser Toul —dice Aguirre cuando se incorporan a una larga avenida sorprendente por lo bulliciosa y llena de vida.

Las luces de las bombillas instaladas en las marquesinas de los restaurantes y los cafés se reflejan en los ojos negros de Marino

Ochoa. Los soldados quedan boquiabiertos cuando miran los locales abarrotados de comensales vestidos con suma elegancia.

Mujeres y niños, hombres, civiles y algunos militares, van y vienen, unos a pie, otros a caballo y en bicicleta, por la vía que es flanqueada por hermosos edificios de tres pisos con fachadas y balcones labrados. Aquella escena es lo más cercano a lo que Ochoa imaginó que sería la vida nocturna de la *Belle Epòque* en las urbes francesas y que, hasta ahora, no había apreciado.

Desde el camión en movimiento, Mascarenos y González no pierden la oportunidad de lanzar algún guiño y un piropo a una que otra muchacha francesa que admiran a su paso. Para mala fortuna de todos, cualquier posibilidad de descender para formar parte de aquella escena bohemia de Toul, digna del pincel de Pierre-Auguste Renoir, se apaga cuando la caravana continúa de largo por la vía hasta abandonar la ciudad.

La fila de vehículos que transporta a los soldados americanos se incorpora de nuevo a una solitaria carretera. Aquí, de no ser por la luz escarlata del transporte que los antecede, la oscuridad en el camino sería total. Esa noche la luna está ausente por completo. Hambrientos, cansados y con el ánimo aletargado, los mexicanos ansían el momento de llegar a su destino, sea cual sea.

Una hora después de salir de Toul el furgón reduce su velocidad.

Serna se asoma por un costado y mira junto a él unas breves luces que iluminan una residencia de campo en donde reconoce la bandera de la Cruz Roja. Su corazón se acelera de pronto. Por un momento imagina que este es su destino y podrán descender para saber si el regimiento sanitario canadiense se encuentra aquí mismo. La caravana, sin embargo, continúa de largo sin detenerse. A través de los cristales del edificio el muchacho no logra ver más allá de algunas habitaciones iluminadas por la luz eléctrica sin nadie en su interior.

Unos metros más adelante el aspecto de la carretera cambia de súbito y por completo. Decenas de transportes militares cruzan en dirección opuesta a ellos. A un costado del camino algunas columnas de soldados franceses marchan a paso veloz sin percatarse hasta después de unos segundos de la cantidad de hombres que son transportados a bordo de las unidades. Del otro lado de la carretera unos vehículos con ataúdes cargados de artillería y municiones aguardan el momento de avanzar en la misma dirección. El convoy baja aún más la velocidad cuando alcanzan a un nutrido grupo de caballería. Después de cruzar un puesto de control, el camión en el que viajan los mexicanos ingresa a una rústica población cuyo nombre Marino Ochoa alcanza a leer mientras ingresan en ella. En las calles de Trondes predomina la presencia de tropas americanas. Después de recorrer más de sesenta kilómetros en un día entero de viaje, los carros por fin se detienen.

Con los músculos acartonados, los hombres descienden. Sin esperar, descargan sus armas, posesiones y equipo. En una pequeña plaza, ubicada frente al ayuntamiento de la diminuta localidad en donde ondea en todo lo alto una bandera americana, aguardan a recibir órdenes.

—Atención —grita con un extraño vigor el sargento Fisher, quien ha viajado junto a otros oficiales en otro transporte—. No habrá descanso. Debemos prepararnos. Esta misma noche marcharemos junto a las compañías A, D y C. Nos han asignado la misión de sustituir a los hombres del Regimiento 327 antes del amanecer. Repito, antes del amanecer. Estamos a solo veinte kilómetros al sur del frente.

Aguirre termina de traducir para sus compañeros, quienes, agotados y nerviosos, miran en dirección al norte sin ser conscientes del camino que aún les aguarda por delante.

Cinco
Senda al infierno

La columna se inserta en la negrura. La grava suelta de un ceñido camino cruje al paso de miles de botas. Con una ansiosa quietud flotando en el aire, los soldados de la Compañía B marchan con sus pertrechos a cuestas. En la orilla de la fila, Marcelino Serna intenta en vano hurgar lo que habita a su alrededor; la oscuridad es tan densa en este lugar que al extender el brazo no puede ver más allá de su hombro. Delante de él, el campo, los matorrales, las breves colinas permanecen irremediablemente ocultos. Con el paso de los minutos de la madrugada del 5 de agosto de 1918 el mexicano se pregunta la razón por la que aún no vislumbra algún destello, próximo o lejano, que ahuyente la incertidumbre que lo invade y le deje saber que están cerca de a la línea de combate, donde se supone aguarda por ellos el Regimiento 327 para ser sustituido.

Una sensación repentina de humedad y frío envuelve a Serna. Han penetrado en un bosque. Ahí los hombres avanzan tanteando como una cuerda de ciegos.

La punta del grupo continúa su avance hasta una bifurcación que aparece delante de ellos. El guía detiene la marcha con una orden: «¡Alto!». La voz del comandante hace eco en el interior de la arboleda. Como en una pesadilla, los mandos deben decidir por dónde continuar. Apuestan por el camino de la izquierda sin aparente razón alguna. Durante varios minutos continúan sin detenerse. Un viento ligero arrastra un aroma a tizne; Serna sospecha que no están solos. Por un momento se esfuerza por identificar el origen de este olor que, a cada paso, se va haciendo más penetrante y que, en Marcelino, aviva poco a poco al monstruo de sus recuerdos más torcidos. «¡Alto!», vuelve a gritar quien comanda la columna. La marcha se interrumpe de nuevo. El aroma a humo es más intenso. Serna fuerza la vista junto a él y se separa de la columna en busca de quien o quienes hayan decidido extinguir alguna hoguera ahí mismo, en el interior del bosque y que, ocultos, se encuentren listos para emboscarlos. Junto a él, Aguirre nota el movimiento de su compañero, pero no hace nada por detenerlo. Una lechuza solitaria e invisible ulula ante la insólita presencia de la tropa en su territorio. La vista no le alcanza al soldado mexicano más allá del largo de una vara. Con cautela, recorre algunos metros hasta avistar al fin unas sombras informes delante de él. Antes de acercarse, acaricia con la punta de sus dedos la caoba del mango de su rifle que trae al frente para cargarlo con cautela. Avanza algunos pasos sobre el terreno fangoso. Ante sus ojos, aparece una visión inquietante y particular de esta guerra. Un grupo de árboles cuyas raíces y cortezas han quedado expuestas y calcinadas como cadáveres en posiciones suplicantes. Delante de ellos hay un claro, un breve círculo sin árboles en donde alcanza a mirar un agujero con ramas y troncos de árboles convertidos en carbón de extremos rojos humeantes. Serna cae en la cuenta de que una bomba es la que formó el cráter. De repente, la visión lúgubre y el aroma a quemado que todo lo impregna traen a su mente, en una ráfaga, una noche en el desierto de Chihuahua.

Aquella noche, alertado por los gritos encolerizados de su hermana Gregoria, Marcelino corrió para adelantarse al grupo de mujeres de faldones y hombres de largos calzones blancos, con quienes volvía exhausto a la colonia de trabajadores de la Hacienda Robinson, ubicada al pie del cerro del Coronel en Chihuahua.

Los ojos del muchacho de solo trece años no dieron crédito al mirar las llamas que consumían los dos árboles de huizache y el techo de paja de la choza de su tía Petra, al igual que otras dos viviendas junto a la de ella, incluida la de sus abuelos, Porfirio y Facunda. Ahí delante, Gregoria gritaba y se jalaba los cabellos con desesperación junto a un grupo de niños de torso y piernas desnudas que miraban consternados aquella funesta escena.

—¡Cande!, ¡Cande! —gritaba la muchachita de piel morena con su rostro rojizo iluminado por el fuego, que no hacía más que ascender frente a ella.

Marcelino llegó agitado junto a su hermana dos años menor que él. En ese momento, escuchó el llanto de la niña que provenía del interior de la choza hecha de adobes.

—¡Cande está adentro! ¡Hagan algo, por Dios! Esos dos hombres le prendieron fuego a la casa —dijo desesperada la niña señalando en dirección al cerro por donde dos sombras ascendían—. Ya no pude entrar por Cande, Marce. ¡Haz algo, por favor!

Varias horas atrás, las campanas de la capilla de la hacienda fundidora de Robinson habían convocado con urgencia a los trabajadores para que asistieran a la casa principal que cuidaba el mayordomo Don Adelaido, un hombre de vientre abultado que servía fielmente desde hacía años al patrón Don Enrique Creel, y su familia. Mujeres y hombres, incluido Marcelino; su padre, Luis; su madre, Nestora; su hermano, Jesús, un año menor que él; y la tía Petra, respondieron al llamado de la casona. Atrás, en la pequeña colonia de trabajadores, compuesta por indígenas rarámuri, solo quedó Gregoria para echar un ojo a los ocho niños de las familias que ahí vivían. Al llegar a la casa grande, la gente ayudó a acarrear agua del Río Sacramento para consumir el fuego que Don Adelaido acusó de haber iniciado la gente del bandido Francisco Villa, con la intención de saquear la propiedad de camino a la capital del estado.

Marcelino arrebató el rebozo multicolor de los hombros de Gregoria. Tan rápido como pudo, y sin pensarlo, corrió para zambullirse en las aguas del río y volver frente a la casa cuyo techo de madera ya comenzaba a ceder. Sin meditarlo, justo cuando el resto de las mujeres y hombres de la colonia, incluida su tía Petra y su madre, llegaban frente a la choza para mirar con horror aquella destrucción, el enjuto muchacho cruzó el marco de la puerta envuelto en llamas sin que nadie pudiera detenerlo.

Ahí dentro, entre lumbre y humo, Marcelino intentó guiarse con el llanto de la pequeña Candelaria; sin embargo, el crujir de las maderas hizo que perdiera el rastro del sonido. Fue después de unos segundos, casi al perder la respiración y abrasado por un calor sofocante, cuando reconoció el bultito pequeño que formaba el cuerpo de su prima entre la pared y el bracero de su tía. Entonces se deslizó por el piso para tomarlo por una extremidad y arrastrarlo hacia él. Enseguida envolvió el cuerpecito con el rebozo de su hermana aún húmedo y, justo antes de que la techumbre se viniera abajo por completo, salió de la vivienda de paredes de adobes y una sola habitación con la niña en brazos.

La tía Petra corrió hacia Marcelino —quien solo unos meses atrás, al igual que todos los muchachos de su edad, había comenzado a trabajar como peón en la fundidora de plata— para tomar a su hija.

Al remover el rebozo, del que se escapaban unos hilillos de vapor blanco, la mujer descubrió el rostro inerte de la pequeña Candelaria. Enseguida puso su oído a la altura de la diminuta nariz para sentir el último suspiro de su hija, de su «regalito del cielo», como le gustaba llamarla. Un aullido fragoroso se escapó de lo más hondo del pecho de la tía Petra, dueña de un cuerpo bastante voluminoso y quien, antes de conocer fugazmente al padre de Candelaria —un comerciante gringo que se encerró con ella en su choza durante un par de días—, nunca había podido tener un hijo, aunque así lo había deseado con todas sus fuerzas desde muy joven.

Nestora intentó acercarse a reanimar a su sobrina de alguna manera, pero su hermana no soltó a su hija de sus voluminosos brazos. Parecía como si el calor de la piel de Candelaria y el dolor las hubiera fundido a ambas.

Aún agitado y cubierto de ceniza, Marcelino miró el gesto desconsolado de su tía, el de su madre y el de su hermana.

—¿Qué fue lo que sucedió, Gregoria? ¿Quién me mató a mi Cande? ¡Respóndeme, niña! —gritó la tía Petra.

—Dos gentes con uniforme, pelones de esos del gobierno. Llegaron y nos sacaron de la casa a golpes a los niños y a mí. Tomaron a las gallinas y al puerco que tenía usted. Luego le prendieron fuego a todo. Me quisieron llevar con ellos, pero me les escapé. Cuando volví, me di cuenta de que Cande se había quedado adentro. Discúlpeme, tía. Fue mi culpa. Fue mi culpa —respondió la niña con la cara y las narices escurriendo lágrimas, abrazándose a su madre.

Un grupo de hombres tomó algunas ramas carbonizadas de uno de los huizaches, algunas rocas y sus machetes para, juntos, enfilarse deprisa en dirección por donde Gregoria decía que habían huido los federales. Otros vecinos, mientras tanto, terminaron de controlar las llamas de las cabañas de la colonia que habían sido consumidas por completo.

—Todo ardió muy rápido, mamá. ¿Cómo la iba yo a dejar a Cande ahí dentro? Le juro que no pude sacarla, me apuntaron con su carabina. Tuve miedo; se lo juro —repetía Gregoria apretada al pecho de su madre.

Aún sosteniendo el cuerpo de su hija, la tía Petra observó a lo lejos a los hombres de la hacienda ascender al cerro, después regresó la mirada cargada con un profundo odio a la casa de fachada blanca del cacique Creel, a la misma que ella había ayudado a salvar de las llamas aquella noche. En ese momento, la silueta de un hombre apareció por el camino.

—Ese Don Adelaido mandó llamar a los federales, el muy hijo de las mil putas —soltó la mujer robusta con todo el odio del que era capaz antes de reconocer a su cuñado Luis delante de ella.

—Estás pendeja, Petra. Cómo puedes decir que fue don Adelaido —dijo jadeante con su voz rasposa Luis, quien se encontraba cubierto por completo de ceniza—. Esos fueron los cabrones del mentado ese Villa.

Al escuchar a su padre, quien trabajaba como mano derecha del mayordomo desde hacía años, Marcelino sintió correr por vez primera un extraño calor en su interior. Enseguida miró a su tía alejarse en silencio y acompañada de Nestora con el pequeño cuerpo de Candelaria en brazos todavía envuelto por el rebozo negro. Alejada de su padre, Gregoria se acercó a su hermano con los ojos hinchados y el rostro mojado en lágrimas y le dijo:

—Sí fueron los federales, Marce. Antes de irse dijeron que eso mismo nos iba a pasar a todos los que ayudemos a los revoltosos que pasen por aquí. Tengo mucho miedo.

Marcelino miró a su hermana girarse y alejarse corriendo para dar alcance a su madre, quien la consoló en su regazo.

Aquella noche en el desierto un sentimiento de odio contra los federales, quienes habían asesinado a su prima, se instaló en el corazón del muchacho.

Al siguiente día, después de ser velada durante la noche, la pequeña Candelaria fue sepultada entre los dos huizaches que quedaron consumidos, en poses suplicantes. A partir de entonces, Marcelino jamás pudo sacarse el aroma a tizne de sus recuerdos.

Serna regresa a su posición en la columna con el corazón y la respiración agitados.

La orden: «¡Media vuelta!» resuena.

Confundidos, los hombres deben volver sobre sus pasos hasta la misma bifurcación y corregir el rumbo por el camino de la derecha. Los mexicanos y el grupo de negros, quienes marchaban en la retaguardia, son ahora quienes encabezan la fila y marcan el paso de la columna.

El trayecto en las siguientes horas se hace demasiado fatigoso. Los soldados comienzan a resentir todo el peso de su equipo en las piernas y en los pies, en especial los rubios que caminan detrás y no están acostumbrados a andar durante tantas horas ni a pasar tanto tiempo sin dormir ni comer. Con el paso de los minutos descubren que las marchas nocturnas son las peores, porque no es posible fijar la mirada en nada ni tampoco distraer la mente que entretiene al cuerpo cansado. Como era de esperarse, la columna se fragmenta. Rodeados por el zumbido nocturno del bosque, el frío y la humedad, la vanguardia debe esperar de pie varios minutos a los rezagados.

En la penumbra, Aguirre intenta mirar la hora en su reloj, pero no lo consigue. Con un fósforo alumbra brevemente el dial. La manecilla pequeña de latón apunta al dos; la larga, al seis. Enseguida les informa a sus compañeros que han transcurrido poco más de dos horas desde que iniciaron la caminata. Ellos responden con múltiples preguntas sobre su destino y sobre si los guías en realidad conocen su camino porque, desde hace varios minutos, parece que avanzan en círculos; el cabo, esta vez, no cuenta con respuestas. La columna reanuda su andar hasta que por fin el laberinto boscoso los expulsa —más por suerte que por pericia— de los líderes. Ahí dentro, han perdido varias horas.

Con los guías intentando mantener el rumbo, el trayecto continúa sin que aparezca campamento o población alguna. Ya de madrugada, el viaje para muchos soldados se vuelve intolerable. Los hombres marchan somnolientos, con los ojos cerrados, tropezando unos con otros. De pronto, el sargento Frank Fisher aparece frente a sus hombres para comprobar su estado. Al verlo llegar, Aguirre pregunta:

—Señor, si me permite: ¿hemos perdido el rumbo? Llevamos más de tres horas andando sin aparente sentido. La gente va muy fatigada.

—Debimos salir de aquel bosque desde hace una hora, cabo. Parece que los franceses que nos conducen no saben leer un maldito mapa ni conocen su propia tierra. Teníamos que habernos incorporado a una vía del ferrocarril para montarnos a un tren que nos aproximara al frente, pero tampoco la han hallado —responde Fisher molesto dando una chupada a su cigarrillo.

—La serenidad en esta zona tampoco ayuda, señor. En toda la noche no hemos visto ninguna señal de combates cercanos.

—Y ni creo que la vayamos a ver —asegura—. Dicen que nos dirigimos a un sector donde el intercambio de fuego con el enemigo ha sido muy esporádico. Al parecer esta zona se ha mantenido así, sin avances ni retrocesos, durante los cuatro años de guerra.

—¿Cuatro años? —expresa sorprendido el cabo.

El sargento asiente con la cabeza y algo parecido a un gemido.

—Eso es el tiempo que tiene la guerra —vuelve Aguirre.

—Así es. Sin embargo, escuché que, como en muchos puntos del frente, aquí hay granjas y pueblos que han desaparecido a causa de los bombardeos; algunos caminos y puentes también están anegados. De los nuestros, son los hombres del 327 quienes fueron enviados en avanzada. Lo hicieron para recibir entrenamiento en el terreno y para reforzar a los franceses.

—¿Eran muchos?

—No, un puñado y al parecer no sirvió de mucho, dicen que sufrieron un ataque hace unas semanas, lo que causó una buena cantidad de bajas —asegura Fisher sin entrar en mayor detalle.

—¿Puedo saber cuál es la razón de movilizarnos aquí, sargento? —pregunta el cabo—. ¿No somos más necesarios en otros sectores? ¿Van a ser los franceses quienes comanden nuestras acciones también?

—Lo desconozco, Aguirre. Ya pronto recibiremos nuestras órdenes y entraremos en acción. No coma ansias. Una vez en combate, la mayoría de sus hombres, quizá usted mismo, deseará irse a casa.

—No lo creo, señor.

—Ya veremos —dice el sargento alejándose en dirección del grupo de comandantes en la vanguardia.

El cabo no hace por saber más y continúa en silencio su andar junto al resto de sus compañeros.

La madrugada se extiende hasta que el primer canto de las aves y una tenue luz amarillenta pinta en el horizonte. A punto de cumplir veinticuatro horas sin dormir ni comer, cientos de cascos y rifles se tambalean al paso. La vegetación, a su alrededor, se delinea entre en un sutil manto nebuloso que instala el alba.

Minutos más tarde, el zumbido de las hélices de un avión rompe el silencio. Los comandantes ordenan a la multitud ocultarse tan rápido como puedan. Unos se ponen pecho tierra, otros se compactan entre los matorrales y la breve maleza junto al camino intentando hacerse invisibles. Los oficiales miran al cielo cubierto por nubes sosteniendo sus cascos en busca del aparato cuyo paso apenas dura unos segundos. Desconocen si se ha tratado de una aeronave aliada o una enemiga.

—¿Eran *boches*? —pregunta alguien.

—¡Yo qué sé! —responde Tobías González.

—¿Crees que nos hayan visto? —se escucha la voz aguda de Luis López.

—Imagino que sí —asegura Manuel Chávez aún recostado—. ¿Cómo podríamos pasar desapercibidos? Somos un chorro de gente. Estamos jodidos, Aguirre. Si vuelven esos cabrones, nos quiebran a todos a puro bombazo.

—La neblina nos ocultó. Por ahora no volverán —asegura el cabo intentando tranquilizar a sus hombres sin que sus ojos negros dejen de explorar el cielo—. Si nos detectaron, en efecto, no tardarán en dar aviso de nuestra presencia a su comandancia. Eso puede ser más peligroso, quizá ahora no, pero sí en unas horas.

Inquietos, los comandantes ordenan a los soldados reincorporarse y acelerar el paso sin importar la formación.

Más adelante, con la luz del amanecer instalada, los guías reconocen a solo unos pasos de ellos la vía de ferrocarril junto a ellos que la noche mantuvo oculta. Los hombres se enfilan en su dirección para continuar sobre los durmientes y rocas su camino hacia el norte.

Las botas de campaña crujen vacilantes a cada pisada. Con cautela, la columna avanza en línea recta a través de un manto nebuloso atrapado entre los taludes. Después de varios kilómetros, una presencia inesperada se cierne de la neblina delante de ellos. Se trata de un grupo de hombres que aguardan frente a una pequeña estación de tren de dos pisos, justo en el lugar donde los rieles del ferrocarril han sido arrancados violentamente.

La columna de recién llegados termina de aproximarse a la estación. Serna se tranquiliza al identificar los mismos cascos en forma de cuenco y los uniformes verde olivo del ejército americano que portan esos hombres. En seguida repara en que todos ellos portan, a la altura del pecho y colgando del cuello, la bolsa de lona que contiene la máscara y el filtro antigases.

Frente a frente, los comandantes de ambos regimientos por fin intercambian saludos y novedades. Aguirre informa a sus compañeros que se trata del Regimiento 327, al que han alcanzado para reemplazarlo en este remoto y desconocido rincón de la geografía francesa.

Al aproximarse, Marcelino Serna repara en el silencio en que se hallan esos muchachos. En sus rostros sucios y pálidos se refleja el cansancio acumulado que los hace ver extrañamente envejecidos. Serna se pregunta si, en tan solo unas semanas, ese será el mismo aspecto que él y sus compañeros adoptarán; está seguro de que así será.

Aguirre se aproxima a uno de los cabos del regimiento para conocer la situación que se vive en ese sector. Algunos soldados rubios lo observan recelosos a causa de su aspecto sano y vigoroso y a sabiendas de que ni él ni los suyos han estado nunca antes en el frente europeo y que desconocen de qué se trata esta guerra.

Baca, González y López, por su parte, tienen algunos gestos de camaradería con un par de soldados que descansan a la orilla de la vía. Con señas, ofrecen algunos cigarrillos y trozos de chocolate extra que llevan con ellos. En respuesta, uno de ellos, de mejillas rosadas, le extiende al corpulento de Baca una cantimplora llena de ron que González mira con deseo a falta de aguardiente en ese lugar. Aguirre vuelve y reúne a su gente.

—El cabo dijo que esta es la estación del pueblo de Rambucourt. Estamos en el sector de Toul, a unos cuantos kilómetros de la línea de combate.

—Entonces esto aún no es el frente —dice Baca.

—Técnicamente, no. Dijo algo que me pareció bastante extraño.

—¿Qué cosa? —pregunta López.

—Que en ningún momento de los cinco meses que han estado aquí instalados pudieron saltar una sola trinchera. Se retiran sin haber visto, en todo ese tiempo, la cara de un maldito alemán. Nunca tuvieron contacto con ellos.

—¿Qué dices? Yo vine a matar *boches* —dice con tosquedad Bicente Ochoa—. Si no vamos a combatir contra ellos, ¿qué chingados hacemos aquí, Aguirre?

—Yo igual vine a tirar plomazos contra esos cabrones —se le suma con bravura Elizardo Mascarenos empuñando su fusil.

—Todo es muy misterioso con esta gente —interviene Marino Ochoa.

—Y todo parece indicar que así será —regresa Aguirre—. Hace un momento, Fisher no quiso decirme cuál será nuestra misión en este lugar. Solo mencionó que en algún momento recibiremos nuestras órdenes para entrar en combate. Lo que ese cabo sí me contó es que hace unos meses, el 20 de abril, recibieron, durante horas, una embestida brutal por parte de la artillería enemiga que mató a una tercera parte de su regimiento y terminó de tirar lo poco que quedaba en pie en los pueblos cercanos. La defensa, dijo, también estuvo al mando de los franceses.

—Ellos van a estar al frente de nuestras operaciones entonces —interrumpe Bicente Ochoa.

—Seguramente sí —dice Aguirre.

—Pues yo espero que no.

—Fisher no confía en ellos por lo que les sucedió a él y a la compañía que comandaba en el otro sector del frente —vuelve el cabo.

—Yo tampoco confío en ellos —replica Ochoa.

—¿Y en quién sí confías? ¿En el cabrón de Moora? —pregunta Mascarenos con sarcasmo.

Aguirre lo mira con poca paciencia.

—Conociendo a Pershing y a sus generales no creo que quieran seguir bajo las órdenes de nadie más, ni de los franceses ni de los ingleses. Estoy seguro de que no está de acuerdo con que sean los franceses quienes se lleven el crédito de nuestras operaciones. Él siempre es más importante que cualquiera. No va a tardar en formar lo que será el Primer Ejército Americano.

—¿Y eso qué es? Recuerdo que lo dijo Moora en Aillianville. ¿No venimos aquí ya como eso, como un ejército? —pregunta extrañado Luis López.

—No por completo. Al menos no de manera autónoma, seguimos dependiendo de la comandancia aliada, de los franceses y de los ingleses. Una vez que ellos nos acepten como un cuerpo, como un ejército independiente, Pershing podrá conformar las unidades para seguir sus estrategias y tomar sus propias decisiones de ataque —responde Aguirre.

—Todo esto está cabrón —dice Mascarenos sin entender nada de lo que sus compañeros conversan.

—¿Qué más te dijo el cabo? —pregunta curioso Marino Ochoa.

—Dijo que al salir de la estación hay un cementerio donde están sepultados los cuerpos de quienes murieron en el bombardeo de abril, casi todos franceses y algunos americanos. A ninguno les dieron cristiana sepultura. Solo los enterraron así nomás, sin cruz ni bandera.

El grupo de mexicanos intercambia por un segundo miradas cargadas de desasosiego.

—También me advirtió algo —dice Aguirre mirando al horizonte y a la numerosa columna que comienza a ordenarse de nuevo.

—¿Qué cosa? —cuestiona nervioso Chávez.

—Que seamos cautelosos porque, en este lugar, cada que se da un ataque es inesperado y viene del cielo.

Sin haber descargado su equipo ni un instante y con el temor instalado en el alma de varios soldados, el Regimiento 355 recibe la orden de prepararse y marchar otra vez. Los hombres deben dirigirse cuatro kilómetros al este, a otro pueblo de nombre impronunciable que se encuentra justo detrás de la línea de combate. Es ahí donde deberán esperar a ser asignados a una unidad y a recibir sus instrucciones de operación para entrar en acción.

En fila de dos, la tropa deja atrás la pequeña estación de tren de la villa de Rambucourt, cuyo nombre Ochoa anota en su libreta, y a los soldados del Regimiento 327, quienes esperarán que logre llegar un tren, o en su defecto camiones, para ser removidos.

El cuerpo de Serna comienza a hundirse en el agotamiento cuando ascienden por el camino. La sensación de la carga de su equipo es por lo menos tres veces mayor que al inicio del recorrido. Al llegar a la cima, un paisaje yermo aparece de súbito frente a él. Lo que sin duda antes de la guerra debió haber sido un productivo campo de cultivo ahora solo es tierra revuelta y estéril, piensa. En ella observa la hierba agonizante que crece en desorden junto un grupo de troncos negros y secos que, como mechas consumidas, se mantienen de pie. Muy al fondo, entre unos ligeros pincelazos de bruma, se alcanzan a apreciar unas colinas. Sin embargo, lo que más llama la atención del mexicano en este lugar es el silencio desesperanzador que aquí habita.

Sin detenerse, Marcelino lanza una mirada al cielo y mira al sol asomarse poco a poco. Recuerda entonces la advertencia del cabo acerca de que los ataques en este lugar suelen darse por aire y son por completo inesperados. Se pregunta cuántos y de qué magnitud habrán sucedido para haber convertido este lugar en una senda que conduce al infierno.

Solo unos metros delante, Serna identifica los montículos de tierra que mencionó el cabo del Regimiento 327. Se trata de las filas de sepulcros que, tal como dijo, se extienden perpendiculares sobre el terreno árido formando un camposanto. Desde lejos es imposible saber cuántos soldados, franceses y americanos, yacen soterrados por tierra mezclada con plomo. Deben ser decenas, se dice para sí mismo Marcelino. Aunque hayan querido disimularlo para no atemorizar a las tropas al no colocar ni cruces ni banderas, los montículos sobresalen del suelo recordando a los recién llegados que, a estas alturas, aún son vírgenes del horror de la guerra. Chávez y González se retiran el casco en señal de respeto a su paso.

—El Espíritu Santo te libre de tus pecados, te conceda la salvación —susurra Chávez trazando una gran señal de la cruz en el aire.

Las pocas nubes que aún flotaban alrededor se han disipado por completo. Los primeros lienzos de piedra de las paredes de las alquerías de una aldea que Marino Ochoa ha identificado con el nombre de Beaumont aparecen junto al camino. No hay una sola casa indemne en este pueblo, reflexiona. De ellas solo quedan los cimientos, el resto han vuelto a ser rocas y arena regadas por doquier. Debajo de vigas de madera chamuscadas y cascajo revuelto, es imposible identificar si existió un corral con animales o un granero que pudo haber sido todo el patrimonio de alguna familia de campesinos; ellos, piensa Serna, habrán huido igual que les sucedió a tantos pueblos de Chihuahua durante la Revolución. Cuándo y cómo cayó la desgracia en este lugar, es difícil de concluir; todo a su alrededor es caótico, tanto que le resulta imposible imaginar cómo habrá sido la vida previa a la guerra en ese lugar.

El camino asciende por otra colina. Arriba, desde esa nueva cima, el grupo observa otro poblado convertido en ruinas. «Eso es Seicheprey», dice alguien.

Los hombres intentan descifrar los límites de la localidad en la que, de lejos, solo se mira la torre de una iglesia partida por la mitad. «Delante de ese pueblo se encuentra la línea de combate», vuelve la misma voz.

Los hombres descienden la cumbre para insertarse por las breves calles estrechas y arenosas de lo que queda del poblado que ha sido destruido por las bombas. Aquí no queda más que vestigios. Junto a ellos, Serna observa una casa de piedra de dos plantas y sin tejado que, de forma insólita, ha quedado en pie con los huecos vacíos de puertas y ventanas. A través de ellas puede mirar al interior donde habitan muebles y objetos cubiertos por rocas y polvo. Más adelante, por el mismo camino, repara en una solitaria edificación que guarda milagrosamente su fachada y los restos de un muro transversal en pie que lleva escrito un rótulo en letras rojas. Ochoa dice que se trata de una antigua fábrica de cerveza.

Frente a la iglesia del pueblo, un edificio reforzado por varias líneas de sacos de arena, el Regimiento 355 se detiene. Marcelino repara por un momento en el reloj de la torre que ha sobrevivido: diez para las seis marcan las manecillas del reloj que parece haber detenido el bombardeo. Ahí mismo, rodeados por camiones militares, carretas, toneles, cofres y algunos soldados, el grupo completa su recorrido. El viaje para llegar al frente, desde el otro lado del mundo, les ha tomado dos largos meses y algunos días. Aún sin recibir la orden, los soldados se dejan caer sobre el piso con sus mochilas y fardos a cuestas; algunos se logran desprender de sus cartucheras de piel y sus armas.

Marcelino, igual que muchos de sus compañeros, ahora solo piensa en una cosa, en dormir, tanto como pueda, en cualquier lugar, ahí mismo en el piso, sobre rocas, da igual.

Como topos en madriguera, un grupo de oficiales americanos emerge de la iglesia en ruinas para darles la bienvenida a los recién llegados. A la distancia, Serna identifica entre los mandos al capitán Moora, quien está seguro de que no ha marchado con ellos y que de alguna manera ha llegado hasta ahí con celeridad. Como ocurrió en la estación de tren, los mandos intercambian saludos, señalan a la multitud y conversan entre ellos. Junto a Serna, Chávez se retira el casco y se coloca en cuclillas entre los cientos de hombres que aguardan.

—No puedo más, Chief. Debo recostarme y dormir. Creo que voy a morir —dice el muchacho por completo descompuesto.

—Sin dormir, las ganas de vivir se esfuman —afirma el maestro Marino Ochoa junto a ellos, también visiblemente agotado.

Aguirre informa enseguida a los mexicanos que ha recibido instrucciones de que en unos minutos pasarán lista, comerán y, luego, podrán descansar.

—A mí ahora mismo me importa un comino comer. Lo que quiero también es dormir, dormir un día entero —sostiene López con el semblante descompuesto.

—Yo sí quiero comer y mucho. Siento las tripas pegadas —interviene Mascarenos.

Unos minutos después, todas las compañías, a excepción de la B y C, la de los mexicanos y los negros, son conducidos detrás de la iglesia. El sargento Fisher manda llamar a Aguirre. Enseguida le transfiere una orden del capitán Moora para que los sesenta y seis mexicanos se encarguen de descargar uno de los camiones militares que ahí se encuentran; los negros deben hacer lo mismo con otro de los transportes, dice que es en castigo por descargar sus equipos antes de recibir la orden.

Mascarenos y González, a quien el sueño ya lo había vencido de pie, no pueden creer que después de todas las horas que han pasado de camino tengan todavía que trabajar sin comer. Durante la siguiente hora y media los hombres se dedican a trasladar costales de avena a un emplazamiento identificado por una pinta en la pared como «*Cuisine Des Officiers*».

Al terminar su labor, por fin reciben la orden para ir a comer. Juntos se dirigen detrás de la iglesia donde soldados les entregan un plato con alubias y carne de res, un pan y café. Mascarenos pasa los dedos por el plato de latón, como si se tratara de su última cena, hasta dejarlo limpio. De pronto, frente a él hay otra porción de comida. Es el sargento Fisher quien le ha extendido su plato cumpliendo su parte de la apuesta que perdió durante el reto lanzado. Mascarenos no duda en tomarlo y devorarlo en cuestión de segundos.

Después de comer, un policía militar conduce al grupo a un edificio también en ruinas en cuya fachada lleva la leyenda «*École*». En su pequeño patio hondean la bandera francesa y la americana en sendos mástiles. Los soldados son trasladados al interior de uno de los salones de clases que se mantiene de pie. Ahí dentro Serna repara en la ausencia de pupitres; en su lugar está instalado un catre con un cobertor revuelto en una esquina del fondo. Junto a él descansa una silla de madera en cuyo respaldo cuelga un pequeño crucifijo de madera atado a un cordón. Marino Ochoa se detiene frente a un ejemplar de *Aurélia ou le Rêve et la Vie*, de Gérard de Nerval, y a otro libro que llama aún más su atención, *L'art de la guerre*, de Sun Tzu; ambos descansan sobre el asiento de la silla. El policía militar le indica al grupo que ahí podrán descansar y que al día siguiente temprano serán requeridos a las labores detrás de las trincheras.

Sin esperar y sin ocupar el catre del rincón, los hombres se tienden sobre el piso. Serna y Ochoa, por su parte, continúan explorando el resto del salón por un momento. En el otro extremo encuentran un par de estantes, un escritorio viejo de madera con una taza, un plato y una cuchara de peltre. Detrás de él, en una pizarra, se lee una lista de frases en francés y su significado en inglés. A un costado, en la misma pared, encuentran colgado un mapa detallado de todo el territorio de la República de Francia. Interesado, Ochoa se aproxima. Dos líneas, una continua y otra punteada, serpentean en el extremo superior de la imagen cartográfica desde el Mar del

Norte a la frontera con Suiza. «*Front de guerre, octobre 1914*», lee el maestro en un costado al iniciar la línea continua. «*Front de guerre, août 1917*», dice otra línea, la punteada, que se separa de la primera en algunos puntos del mapa. Sin prisa, Ochoa extrae su libreta y busca el nombre del último pueblo que cruzaron: «Rambucourt». Entonces recorre con la vista el plano en busca del sector donde se encuentran. Toma como referencia la ciudad de Toul, donde ellos mismos cruzaron la noche anterior, y la de Nancy, ubicada al este. En todo ese tramo, ambas líneas, la continua y la punteada, atraviesan paralelas prácticamente sin variación entre una y otra fecha.

—Es cierto —susurra el maestro—. En este punto, el frente no se ha movido casi nada.

Serna se acerca curioso y pregunta:

—¿Dónde estamos?

—Imagino que aquí —dice señalando la zona más desgastada en el mapa que se encuentra cercana a la frontera con Alemania y que está rodeado por marcas en formas de cruces.

—Seicheprey —afirma una voz rasposa en francés de pronto detrás de ellos.

Los dos soldados giran para encontrar al dueño de esa voz tan cerca que pueden aspirar el aroma a tabaco de su aliento y el de humedad impregnado en su ropa. Se trata de un hombre mayor de rostro arrugado, quien se abre paso entre los dos soldados americanos para mirar el mapa de cerca a través de los cristales redondos de sus lentes. Serna repara entonces en su barba crecida como espinas y en la chamarra desgastada que porta.

—Este mapa lo alimenté yo por un buen tiempo con noticias que traían los soldados franceses venidos del frente. Sí, del frente —repite mientras Ochoa hace un esfuerzo por interpretar del francés al español para Serna—. Lo hice desde que los alemanes nos invadieron en el catorce. Entonces llegaron hasta Rambucourt, luego avanzaron a Beaumont y Bernécourt... contenerlos costó mucho trabajo y muchas, muchísimas vidas, sobre todo de los más jóvenes… Hace un año dejé por la paz el mapa porque ya nada se movió un palmo y la poca gente que quedaba para darle a conocer el estado de la guerra… bueno, se fueron desde hace mucho tiempo. Ahora solo hay militares traídos por Foch de toda Francia. Sí, militares…

Ochoa cae en cuenta de que el hombre repite las palabras.

—Pero, disculpe, joven, ¿en qué idioma le hablaba usted a su compañero? ¿Acaso era latín?

—No, señor —dice Ochoa—. En español.

—¿Español?

—Sí, señor. Somos mexicanos —responde con un bostezo.

—Mexicanos… —repite separándose de los dos uniformados para examinarlos a detalle de arriba abajo—. Nunca había visto a un mexicano en persona en mi vida.

—Ni nosotros a un francés antes de unos días —sostiene Marino.

—México… —afirma deteniéndose un segundo pensativo frotando su mentón—. Pero, ¡eso es del otro lado del mar, del otro lado del mundo!

Ochoa asiente y sonríe brevemente.

—¿No eran los aztecas quienes destripaban a miles de personas por semana como sacrificio a los dioses, al de la lluvia? —ríe echando la cabeza atrás.

Ochoa mira a su compañero sin entender de qué demonios habla el hombre.

—Disculpen, es una tontería; sí, una tontería. Soy un majadero, Pascale, Pascale Marie Pons, párroco sin iglesia de este pueblo de Seicheprey —dice extendiendo la mano.

Los dos soldados devuelven el gesto.

—Marcelino Serna y Marino Ochoa, soldados de infantería de la Compañía B del Regimiento 355 de la División 89 del ejército americano —dice el maestro.

—Encantado. Sean ustedes bienvenidos a Francia. Bueno, como han visto, aquí ya no hay feligreses a quienes amonestar ni sermonear; ahora soy el encargado de conseguir todo lo que pueden imaginar aquí: ron, tabaco, comida, lo que deseen, lo que deseen... —dice guiñando un ojo—. Habito en este salón de clases desde que una bomba destrozó la casa parroquial. Pero, díganme, ¿cómo es que dos mexicanos tan jóvenes llegaron a esta maldita guerra? ¿Su país le declaró la guerra a Alemania?

—No solo somos nosotros, padre —afirma Ochoa—. Todos estos que ve aquí tendidos en su espacio son compañeros nuestros.

El sacerdote repara en el nutrido grupo de soldados que, en efecto, son de piel y cabello oscuro y que han ocupado en su totalidad sus aposentos respetando su catre.

—Casi todos venimos del medio oeste de Estados Unidos. Arribamos a Francia hace solo unos días y a este pueblo hace unas horas, después de un viaje sin descanso de día y medio desde un pueblo de nombre Aillianville, si no me equivoco.

—¿Aillianville? Eso está bastante retirado y bueno, no se diga el medio oeste de Estados Unidos. Deben estar exhaustos por el viaje. Será mejor que duerman ahora que pueden, muchachos, ahora que se los han permitido y hay silencio, que eso es raro por aquí, muy raro, aunque desde hace días no ha habido movimiento. Vamos, acomódense donde puedan y descansen, descansen que una vez que estén en las trincheras no podrán hacerlo más; no, no podrán.

Ni Ochoa ni Serna dan importancia a las últimas palabras del viejo, quien lanza otra mirada a su mapa.

—¿Qué significan las marcas con cruces en el mapa, padre? —cuestiona Ochoa antes de retirarse.

—Escúcheme bien, soldado. En este lugar, por ningún motivo, olviden llevar con ustedes las mascarillas antigases. Esas marcas son ataques con gas que han ocurrido en esta zona —indica mirando al mapa—. Si un ataque los sorprende sin protección, tendrán una muerte lenta, horrible.

El consejo del párroco inquieta a Ochoa, quien repara en que el viejo no lleva consigo ninguna mascarilla.

Al final del tendido de hombres que roncan, Marcelino encuentra un espacio vacío donde se recuesta. A pesar del cansancio acumulado, por varios minutos gira en su lugar de un lado al otro sin poder conciliar el sueño. Desesperado, se pone de pie y sale del aula a fumar un cigarrillo. Con la luz de la tarde todavía alumbrándolo todo, decide caminar de vuelta a la iglesia del pueblo. En el atrio, repara en el número de tumbas que hay colocadas una junto a otra. El sonido de un convoy militar que llega lo hace dirigirse a la explanada. Ahí, seis camiones que portan una cruz roja en sus lonas se han detenido. El muchacho se aproxima con curiosidad.

De uno de los transportes desciende un oficial rubio vestido con uniforme de campaña y una banda blanca con la cruz roja en el brazo izquierdo. Al pasar junto a él, de camino a la iglesia, donde se encuentran los oficiales, el mexicano repara con rapidez en el pecho del mando que se ha despojado de su gorra de campaña. De él cuelga una medalla dorada de la que pende un fistol con los colores rojo y blanco y las siglas CAMC. El pulso de Marcelino se acelera cuando gira para observar los transportes y caer en cuenta de que son canadienses.

Élise, piensa el mexicano.

Seis
Bautismo de fuego

El frente está intranquilo. Esta noche, la del 7 de agosto de 1918, habrá alboroto. Al menos eso cree Pascale Marie Pons, el sacerdote del pueblo de Seicheprey.

El viejo camina sin trastabillar sobre el terreno fangoso. En su mano derecha lleva con él una pala de metal que a ratos le sirve de apoyo. Detrás, Alberto Aguirre, Marcelino Serna, los hermanos Ochoa, Víctor Baca, Tobías González, Manuel Chávez y Luis López lo siguen en fila india, con los ojos bien abiertos, bordeando un bosquecillo, o lo que queda de él, de nombre Bois du Jury.

Han pasado dos días desde que llegaron a este sector de Toul y, hace solo unas horas, han sido asignados a su primera misión, que consiste en patrullar los alrededores del pueblo de Seicheprey en busca de un grupo de polizones alemanes que, han dicho los oficiales, se han infiltrado «como ratas escurridizas» de este lado del frente. Esta noche, al no haber soldados franceses suficientes que conozcan el terreno, el sacerdote ha sido asignado por el capitán Moora a conducir al grupo de mexicanos.

—Habrá alboroto. Sí, se los digo yo, habrá alboroto —repite Pons con ese tic suyo, retirándose la gorra café y deteniéndose un momento para vigilar en dirección de la trinchera de Saint-Baussant, la más cercana a ellos.

—¿Cómo lo sabe? —cuestiona Marino Ochoa confundido, apretando su arma de cargo y mirando nervioso a su alrededor.

—Esta serenidad prolongada, muchacho. No hemos recibido ataque alguno en más de una semana desde que destruyeron las vías de la estación de Rambucourt, un día antes de que ustedes llegaran. Los vigías alemanes nos observan. Debes saber que ellos ocupan posiciones privilegiadas; allá, en la cumbre de las colinas, tienen visión sobre nosotros —dice apuntando con su dedo en dirección al norte—. Aquí, entre más tiempo en calma pase, más cerca estamos de una arremetida, grábatelo bien. Esos malnacidos no dejan que sus obuses ni sus cañones se enfríen, mucho menos que se oxiden. Están tramando algo, algo grande. Estoy seguro de que saben que ustedes han llegado. Sí, lo saben… lo que buscan es descifrar su estrategia.

Pons se limpia con la manga de su cazadora el sudor de la frente causado por el calor de esta noche del verano europeo que se niega a morir.

—Si ese par de *boches* en verdad cruzaron hasta aquí, como dijeron los oficiales, seguro estarán ocultos en los cráteres del bosque tratando de acercarse a los campamentos para obtener información, lo que sea, y con ella volver a su trinchera; sí, con eso les basta… esos malnacidos son locos, locos… pero no estúpidos. Vinieron para saber cuántos de ustedes han llegado aquí y qué tipo de armas traen con ustedes, estoy seguro. Iremos en dirección a Flirey a través del bosque, sin duda por ahí se ocultan. ¡Andando!

Pascale Marie Pons se enfila en dirección del Bois du Jury, que no es otra cosa que una formación desperdigada de troncos chamuscados y tierra revuelta en la que se clavan las botas de los soldados por completo. A través de sus anteojos redondos, el sacerdote fija su atención a la distancia. Los mexicanos siguen al viejo como manada en cacería.

Marino Ochoa termina de interpretar del francés al español los últimos dichos de Pons para sus compañeros. Flirey, susurra

Marcelino tras escuchar al maestro. Entonces recuerda que es ahí donde el sacerdote dijo que los canadienses instalarían su clínica de campaña.

Dos días atrás, al ver llegar el convoy frente a la iglesia de Seicheprey y de cruzarse con el oficial rubio que portaba el fistol rojo y blanco en el pecho, Marcelino imaginó que Élise podría ir en alguno de los camiones militares.

El mando canadiense ingresó deprisa al edificio en ruinas que sirve como comandancia a los americanos dejando al convoy con los motores encendidos, a la espera.

Tan rápido como pudo, Serna se montó en la defensa trasera del primero de los seis vehículos con la cruz roja en sus costados. Su esperanza estaba puesta en encontrar a la enfermera de la que había quedado prendado solo unas semanas atrás a bordo de un carro de tren que trasladaba heridos. Deslumbrado, inspeccionó el interior del furgón, donde encontró a un grupo de médicos del destacamento ataviados con su uniforme de campaña, quienes lo miraban con desconfianza. Enseguida se montó, también por detrás, al segundo transporte. Ahí dentro miró a varios ordenanzas amodorrados que usaban sus gorras de servicio para cubrirse de la luz exterior. Deprisa, se dirigió al tercer y cuarto vehículos. Al remover las lonas que los cubrían, se dio cuenta de que iban cargados hasta el tope con cajas de madera y bultos que llevaban grabada una cruz roja, seguramente equipo médico. Recorrió entonces la distancia que lo separaba del quinto transporte, al tiempo que lanzaba una mirada al inicio de la línea donde el oficial de la medalla y el brazalete a cargo del convoy se despedía del capitán Moora con un saludo marcial. El muchacho pudo llegar al quinto camión, donde halló al fin a un grupo de enfermeras sentadas a ambos costados. Entre las sombras, observó las cofias blancas, las capas azules, los cuellos almidonados de sus uniformes y una serie de rostros sorprendidos, sin poder hallar a Élise. El oficial dio la orden a los conductores del convoy para que reiniciaran de inmediato la marcha. Tan rápido como pudo, el mexicano corrió sosteniendo con una mano su casco y con la otra su rifle para alcanzar el sexto camión, el único que no había podido examinar. Detrás de él, un par de soldados americanos de la policía militar lo miraron e intentaron detenerlo sin éxito. De un salto y antes de que el conductor acelerara más, logró montarse en la defensa trasera y asirse de una de las barras superiores. Las pasajeras a bordo se sobresaltaron ante la repentina presencia del soldado-polizón. Con la mirada, Serna recorrió a cada una de las sanitarias hasta que, en la fila de la derecha, reconoció el discreto lunar junto a los labios delicados como pinceladas de la chica de rostro redondo. La duda se disipó en el instante en que reconoció los ojos color miel que lo había cautivado semanas atrás entre la penumbra interior del vagón de heridos.

—Élise —llamó él con el camión ya dando tumbos y mirando directo a su enfermera.

En movimiento y a contraluz, la chica no reconoció de inmediato al soldado-polizón. Sin embargo, una enorme sonrisa se extendió en su rostro al rememorar el gesto recio y los ojos negros del exótico soldado americano de piel cobriza con el que se había cruzado semanas atrás.

Antes de que Élise se pudiera aproximar o de que Marcelino se encaramara en el interior, el transporte se detuvo de golpe sacudiendo a sus ocupantes. A través del espejo retrovisor el chofer había visto a los dos policías militares. Serna sintió las cuatro manos de los soldados caerle encima por la espalda y ser arrojado al piso. A bordo, las enfermeras, con Élise incluida, se pusieron de pie de un salto para observar lo que sucedía debajo e interceder por Serna. Antes de ser arrastrado de vuelta por el camino arenoso, el muchacho se puso de pie tan rápido como pudo y se señaló con el dedo índice a sí mismo.

—Marcelino. Mi nombre es Marcelino —dijo en español sin dejar de mirar a aquella chica que le regaló una sonrisa inocente que, para el mexicano, abarcó el universo entero.

A la distancia, el muchacho pudo leer en los labios de Élise su nombre. Los dos soldados tomaron a Serna por los brazos. El conductor volvió a poner en marcha el furgón sin perder más tiempo y para darle alcance al resto del convoy. A bordo, las enfermeras sonrojaron a su compañera con comentarios sobre el soldado-polizón que se había atrevido a correr detrás de ellas solo para hacerle saber su nombre.

Abajo, Serna fue arrastrado por el camino sin dejar de sonreír y mirar a lo lejos el transporte canadiense que se perdió por el camino que conducía a otro poblado del departamento de Meurthe y Mosela.

El muchacho ingresó a empellones al edificio de la comandancia acusado de pretender desertar sobre un transporte aliado. El mismo capitán John C. Moora, en presencia del sargento Fisher, interrogó a Serna sin que, en un primer momento, el mexicano pudiera darse a entender. Moora lo amenazó con llevarlo al paredón si no confesaba sus intenciones. Su pobre inglés y los nervios no permitieron explicar que aquel incidente con el convoy canadiense nada tenía que ver con dejar su posición, a su compañía o la guerra, en la que él mismo había solicitado permanecer. Después de varios minutos, el capitán recordó al soldado raso quien, en efecto, hacía solo unas semanas había solicitado quedarse con sus camaradas cuando le dio la oportunidad de ser descargado y volver a América. Aun así, por abandonar sin autorización su emplazamiento, a su compañía, más el agravante de no portar la máscara antigases con él, como era obligatorio en todo el sector, el mando ordenó al sargento Fisher que Serna y su grupo de «negros» fueran puestos de pie y rellenaran sacos con arena para reforzar las posiciones.

Fue el propio Serna quien contó más tarde lo sucedido a sus compañeros.

—¿Al menos te reconoció? —cuestionó Luis López a su camarada sin recriminar que haya dormido apenas unos minutos—. El susto que le habrás metido a la pobre muchacha.

—Ya la recuerdo —dijo González—. Era la chica del muerto del vagón. Menudo par de ojos que tiene. Cuéntame de sus compañeras, Chief. ¿Las alcanzaste a mirar? Deben estar bien chulas también las condenadas. ¿Alcanzaste a hablarles de mí? Espero que sí…

Las pesadas labores que Moora asignó al grupo de mexicanos se extendieron por dos días. Sin otro apoyo, tuvieron que asear letrinas, rellenar más sacos con arena, alimentar caballos, acarrear provisiones, entre otras cosas mientras más soldados americanos, muchísimos más, no pararon de llegar al sector de Toul. Los que les siguieron lo hicieron también a pie, otros en camiones y la mayoría a bordo de trenes después de que la vía de la estación de Rambucourt fue habilitada de nuevo. De los recién llegados, solo unos cuantos fueron alojados en Seicheprey, los otros continuaron a los alrededores de los poblados de Beaumont, Mandres y Flirey para ser instalados en campamentos montados deprisa. La primera noche, los miembros de la Compañía B pudieron observar, entre los troncos del Bois de la Hazelle en dirección al este, algunas hogueras que prendieron los miembros del Regimiento 356. Serna pensó que, si ellos podían ver el fuego, el enemigo también los podría detectar a la distancia. Más tarde se ordenó que todo el fuego que había sido encendido fuera extinguido.

—Los doctores francófonos se instalaron en un viejo edificio de Flirey —soltó el viejo Pons a Serna a través de Ochoa durante la cena.

—¿Quiénes? —preguntó Marcelino desconcertado al escuchar esa información inesperada.

—¿Cómo que quiénes? Los canadienses. Instalaron una clínica de campaña en Flirey. Escuché a un soldado francés decirlo esta mañana. Una clínica de campaña en un pueblo en ruinas… esto no pinta bien. No, no pinta nada bien —aseveró el viejo negando con la cabeza para dar el último sorbo a su café.

Los dos soldados miraron al párroco ponerse de pie con dificultad y alejarse del lugar bajo la lluvia, que caía con fuerza.

—Marino, enséñame francés, cabrón —solicitó Marcelino a su compañero.

—Mejor deberías aprender algo de inglés, a nuestra vuelta te será más útil —respondió el maestro mirando a su compañero, quien apenas había tocado el plato de comida y le devolvía una mirada de niño suplicante—. Ta bien, te voy a enseñar lo poco que sé. No es mucho, pero podrás comunicarte con ella. Lo que hacen un par de ojos lindos, me cae…

Por la mañana, los mexicanos volvieron a escuchar el zumbido de los motores de varios aviones que surcaban entre el cielo nublado. El viejo Pons aseguró con su voz rasposa que muy probablemente se trataba de alemanes en busca de información.

—Nos vigilan. Lo dicho, andan queriendo probar lo que imaginan, que ustedes han llegado a descifrar su estrategia; sí, su estrategia.

Al mediodía, Frank Fisher reunió a sus hombres para explicarles que la comandancia había recibido información de que un grupo de espías alemanes había cruzado durante la noche anterior la tierra de nadie aprovechando la tormenta. Esos soldados, disfrazados quizá con el uniforme francés, habían sido vistos entre el Bois de Remieres y el de Jury. El sargento dijo que, en caso de no atraparlos, corrían el riesgo de que llevaran de vuelta información valiosa sobre la cantidad de tropas americanas y sus posiciones. Entonces les ordenó prepararse para salir de cacería. Así fue como, a falta de sargentos franceses que conocieran la zona, Pons fue asignado a guiar a los hombres de Aguirre.

—Conozco este lugar a ojos cerrados. Antes que sacerdote, soy campesino y me crie en estas tierras —afirmó.

Una vez listo, el viejo se mostró sumamente agradecido con Fisher porque, desde que habían cesado las hostilidades cuerpo a cuerpo en ese lugar, y por su profesión, no había podido sumarse de nueva cuenta a ninguna operación militar activa. El sargento le advirtió que no se trataba de ninguna operación militar; por eso, y por no ser soldado, dijo, no podía asignarle ningún arma de cargo, ni de asalto ni de mano, solo una mascarilla antigás moderna de las que los americanos llevaban con ellos. El hombre, para sorpresa de la mayoría, portaba con él una pequeña pala de metal con mango de madera, similar a la que habían recibido los soldados.

Al anochecer, el grupo de mexicanos partió en busca de los alemanes. Sobre el terreno fangoso de los alrededores de Seicheprey y el Bois du Jury se desplazaron como manada de cacería.

—Habrá alboroto, se los digo yo. Habrá alboroto —advierte el viejo Pascal hundiendo la pala en el légamo que antecede al Bois du Jury y atizando el temor en el alma de los soldados.

Desconfiado, Baca alza la cabeza, olisquea en todo lo alto el aire nocturno; en él nota un picor particular, un aroma que jamás había experimentado. Entonces lanza algo parecido a un gemido. Detrás de él, Chávez exhibe un gesto de preocupación en su rostro juvenil. Como la mayoría, desconoce cómo lucen los hombres que esa noche buscan. Desde hace minutos ha hecho un esfuerzo por recordar el aspecto de los prisioneros alemanes que vio hace unas semanas en su paso por Le Havre. Sin embargo, entre las sombras, no está seguro de que pueda distinguir a un alemán, un francés o un americano.

La patrulla de mexicanos continúa su avance sigiloso entre la escasa vegetación del Bois du Jury hasta que, de manera súbita, Pons y Aguirre se detienen. Serna, quien marcha detrás de ellos, golpea sin querer la espalda de su superior con el cañón de su rifle. El sacerdote y el cabo han escuchado algunas voces que cambian de dirección; intentan descifrar de dónde provienen. El sonido se aclara de pronto, hablan en inglés. Los hombres se tranquilizan al saber que se trata de otra patrulla americana que, igual que ellos, avanza en la misma dirección rastreando a los infiltrados alemanes. La marcha se reanuda.

Casi de inmediato, un tercer grupo americano se integra a la izquierda de la columna de los mexicanos y un cuarto grupo, que les ha dado alcance de alguna forma, se desplaza detrás de ellos. Entre las sombras informes de las bases de los árboles aparece el sargento Fisher, quien guía a esa patrulla empuñando en la mano derecha su pistola Colt semiautomática. Detrás de él, Serna reconoce al sargento del vagón de ojos grises y cabellos erizados y algunos de sus hombres, incluidos varios rostros de soldados rubios, quienes no les permitieron sentarse en el suelo del carro durante su viaje en tren desde Le Havre.

Las cuatro patrullas se desplazan como un solo cuerpo. Zigzaguean la escasa vegetación que se aferra a crecer en aquel lugar. Con los ojos bien abiertos, los soldados hurgan entre la negrura, sobre el suelo húmedo, los troncos y los cráteres formados por furiosos impactos de bombas. Serna piensa que, si un par de alemanes en verdad se han ocultado aquí, serán presa fácil al estar ahora en desventaja numérica, rodeados por al menos una veintena de soldados. Aun así, considera que sus enemigos cuentan con el factor sorpresa a su favor.

—No estamos lejos del puesto de reserva detrás del frente donde se quedó estacionado parte del Regimiento 327 hace semanas —dice el viejo Pascale Pons.

—¿Dónde es eso? —pregunta Fisher a través de Marino Ochoa.

—Allá, en un llano, pasando el bosque —responde apuntando con la cabeza.

El sargento sospecha que los alemanes pueden estar ocultos en el puesto de reserva, entre los hombres.

Unos metros adelante, las cuatro patrullas americanas emergen entre los árboles tras cernir el bosque sin éxito. El llano del que habló el párroco se extiende frente a ellos. En este lugar aguardan los hombres que sustituirán a quienes ahora están apostados en las trincheras. Ellos, según Pons, también son recién llegados; aunque son muchos más, quizá cuatro veces más de los que hasta hace unos días ocuparon ese sitio. Fisher agrega que aquellos son hombres del capitán Watts, del Regimiento 356.

El reloj de muñeca de Aguirre marca casi las once de la noche. Pascale apunta con la pala del lado izquierdo del llano, al norte. A solo un par de kilómetros, dice, se encuentran las trincheras francesas de Saint-Baussant; frente a ellas, la llamada tierra de nadie y, sobre ella, elevada, la primera línea de trincheras alemanas. Entonces apresura a los hombres que lo acompañan y les advierte que, si los dos infiltrados llegaron hasta aquí y vieron la multitud, sus comandantes tendrán una idea de lo que está tramando la comandancia aliada.

Los hombres de la Compañía B atraviesan el campamento que, extrañamente, permanece en silencio. Al fondo del llano, Serna repara en el desnivel del otero que ha sido usado para instalar refugios en las paredes. Pons asegura que esos palomares fueron ocupados por los franceses hace ya varios años cuando los ejércitos de ambos lados se estacionaron en ese lugar. En cuestión de días, sigue, los hombres del Regimiento 327 reforzaron esa zona elevada con sacos de arena, tabiques y vigas de otras construcciones para poder utilizarlas. Fisher agrega que escuchó que algunos de los comandantes y soldados de la unidad que ha sido retirada aún los ocupan, que esos hombres se han quedado voluntariamente para participar en las operaciones por venir.

Detrás de la fila López se dice incrédulo de que los alemanes se hayan ocultado en ese lugar. González lo escucha mientras esquiva amarres y busca a sus presas entre las lonas extendidas colocadas por doquier a manera de tiendas de campaña.

—Serían unos idiotas —responde González indagando con cautela los rostros de los uniformados.

—¿Cómo daremos con ellos entre tanta gente? —cuestiona Marino Ochoa a Pons, quien también explora inquieto el espacio.

—La verdad, no creo que se encuentren aquí —interviene Fisher saltando las posesiones de los uniformados que va encontrando a su paso.

—Quizá quienes barrieron del otro lado, en el Bois de la Hazelle o los del frente, hayan tenido más suerte y hayan localizado a esas ratas escurridizas. Hace unos meses, los franceses hallaron a un par merodeando por Beaumont, los capturaron y los llevaron directo al paredón. Ni siquiera los interrogaron. ¡Pum, pum!, los eliminaron enseguida —afirma el párroco imitando una pistola con el dedo índice y el pulgar.

De pronto, el sacerdote se detiene en seco. Su gesto se transforma cuando reconoce en el horizonte dos luceros que ascienden por el cielo provenientes del norte.

—*Merde...* —dice el viejo en voz baja.

Serna mira las dos esferas rojizas cruzar sobre su cabeza como cometas sin cola. Un escalofrío lo recorre de pies a cabeza cuando a esos dos objetos centellantes le sigue otro par similar.

—El quinto ángel tocó la trompeta, y vi una estrella que cayó del cielo a la tierra... —recita Chávez en voz baja.

Un fragoroso estallido sacude el terreno llegando hasta donde se encuentra el grupo. Marcelino pierde el equilibrio y por un momento piensa que la tierra se abrirá por la mitad para tragarse lo poco que ahí se encuentra. Detrás de ellos, los hombres del puesto de reserva saltan fuera de las tiendas de campaña y los refugios. En cuestión de segundos, cada uno de los rincones de esa zona del sector de Toul se contagia de caos y confusión. El sacerdote ordena de inmediato a los hombres insertarse en el Bois de la Hazelle para buscar refugio.

Un segundo impacto golpea el borde del bosque, muy cerca de los mexicanos, haciendo volar por los aires el fango. Los soldados se encogen de hombros y corren tan rápido como pueden uno detrás de otro.

Serna escucha detrás de él un golpe seguido de un gemido seco. Se gira y observa a Chávez caer sobre el piso. Junto a él, de pie, logra reconocer la figura de un soldado con el uniforme francés que jadea y alza en todo lo alto una gruesa rama de árbol para golpearlo a él. Marcelino solo alcanza a subir los dos brazos intentando protegerse. Antes de ser golpeado, para su sorpresa, observa al hombre caer de rodillas delante de él sobre el fango.

Detrás del agresor aparece la figura jadeante del sacerdote Jean Marie Pons, quien ha impactado con ferocidad la nuca del soldado enemigo con el filo de su pala de metal, la cual sostiene entre ambas manos.

Fisher y el resto de los hombres vuelven deprisa. El sargento mira la escena, a Serna, a Pons sosteniendo su pala de metal con la mano derecha y a Chávez y al alemán tendidos sobre el piso.

Aún agitado, Marcelino Serna indaga con urgencia a su alrededor. De pronto, dos disparos hacen que los hombres se agazapen. De un árbol, una silueta arranca una carrera despavorida con dirección a las trincheras. Sin pensarlo, Marcelino sale disparado hacia él y, tras unos metros, logra darle alcance para derribarlo. A la distancia, la luz de los proyectiles que continúan cayendo a su alrededor ilumina la figura del mexicano, quien, de pie, levanta una y otra vez su fusil para tundir con la culata, y con una furia desproporcionada, la humanidad del soldado que intentaba huir.

—¡Basta, Serna! ¡Basta ya! —grita Aguirre cuando llega a él tomando por los brazos a su compañero, quien continúa golpeando la cabeza del alemán hundida en el barro embriagado de colera.

Víctor Baca se acerca a Chávez, quien desde el piso mira en dirección a Serna y a Aguirre. El muchacho dice que se encuentra bien, que solo ha recibido un golpe en la nuca.

El fuego de nuevas explosiones palpita iluminando otra vez el bosque. Jean Marie Pons pide a los hombres agruparse y continuar su carrera en busca de refugio. Fisher ordena dejar a los dos soldados alemanes atrás.

—Ya vendrán por ellos. Ahora hay que buscar refugio —afirma el sargento.

Unos metros adelante, un nuevo proyectil cae violento, tanto que la tropa puede sentir un empellón por la espalda que los arroja al suelo.

El cuerpo y el rostro de Marcelino, quien no hacía más que correr detrás de sus compañeros aún embriagado de furia, se desploma sobre el fango. Su vista se apaga. Junto a él, Chávez y González también caen y tienen la impresión de que será su fin, de que sus vidas terminarán en ese apartado y desconocido lugar del mundo, uno que jamás imaginaron pisar y sin siquiera haber podido defenderse.

La embestida se reduce después de unos minutos. Aguirre pregunta a sus hombres con dificultad si todos se encuentran bien; nadie responde.

Poco a poco, algunos se recomponen. Sus uniformes se han cubierto por completo de suciedad, y sus miradas de ese compañero perene del soldado en combate que es el miedo.

A la distancia se pueden escuchar nuevas explosiones sordas. Una luz ocre acompañada de un aroma irritante a rábano picante impregna el aire. Baca lo identifica por todo lo alto, es el mismo olor que, sutil, se dejó sentir hace solo unos minutos afuera del bosque.

Con el rostro aún clavado en el lodo, Serna vuelve en sí. Despacio se recompone y por fin se pone de pie. Todo lo que su oído puede ahora escuchar es un zumbido agudo. Aturdido y desorientado, mira a su alrededor. Algunos soldados aún se encuentran sobre el piso. Se pregunta si estarán vivos o muertos. Unos pasos adelante, reconoce a Pons. El mexicano observa la boca del párroco moverse sin que el zumbido agudo le permita escucharlo. Por un momento cree que la explosión lo ha dejado sordo. Junto a él, sus compañeros hurgan desesperados en la bolsa que llevan colgada al cuello. Aguirre llega frente a Serna para sacudirlo por los hombros y señalarle con urgencia su pecho. El oído del mexicano rompe el zumbido agudo y escucha de pronto el repicar de unas campanas provenientes de un lugar desconocido y la voz de su cabo, quien grita desesperado:

—¡Gas, gas, gas!

Marcelino mira con incredulidad a su compañero. En la oscuridad, no alcanza a observar los chorros de humo que, a solo unos metros, escupen con toda su fuerza las ojivas que han caído en las márgenes de los bosques de Jury y Hazelle y que un viento esparce sigiloso en forma de tentáculos tóxicos por todo el terreno, pero principalmente en su dirección.

—¡Gas, gas! —repiten las voces de los hombres alertando a quienes, en la retaguardia, aparecen aún aturdidos por la arremetida de la artillería enemiga y no se han dado cuenta del peligro al que se enfrentan.

Serna reacciona al fin. En su interior, su sangre comienza a fluir revuelta. De un movimiento se retira el casco en forma de plato mientras toma su mascarilla del bolso de lona. Luego se pasa las correas de piel sobre la cabeza y las ajusta tanto como le es posible. Recuerda la advertencia de los instructores del campo de entrenamiento sobre los primeros minutos de un ataque con gas: «Ellos deciden entre la vida o la muerte de un soldado». Se pregunta cuánto tiempo habrá pasado desde que soltaron el material, si habrán sido cinco minutos o más, si la mascarilla estará bien colocada y sellada. Ahora da igual, se responde él mismo intentando serenarse y respirar de manera fluida a través del filtro.

Por los cristales redondos que se empañan con el vaho de su respiración mira a sus compañeros a su alrededor. Delante de él observa las figuras estrambóticas de los hermanos Ochoa, Baca, Aguirre y dos más que resultan ser González y López. Todos parecen haber reaccionado a tiempo, todos excepto Manuel Chávez, a quien reconoce de espaldas por su uniforme que le queda ridículamente grande. El muchacho aún sostiene su mascarilla antigás en la mano derecha sin dejar de mirar adelante, en dirección de donde proviene el ataque. Marcelino se acerca a él por un costado. Le grita que hay gas por todos lados y le ordena que se coloque de inmediato la careta. Pasmado, el muchacho ignora a su camarada.

—Manuel, ponte la maldita mascarilla —vuelve a gritar.

Los ojos del muchacho se pierden absortos en los destellos naranja de los proyectiles, que caen violentos.

—Y subió humo del pozo como si fuera un gran horno… y del humo salieron langostas sobre la tierra… —dice Chávez con una voz lúgubre, como si un espíritu se hubiera adueñado de su alma.

—¿De qué demonios dices? —pregunta confundido Serna desde el interior de su máscara mirando las pupilas dilatadas del chico.

—Mira bien. Es el mismo Apocalipsis descrito por San Juan. Ahí, mira bien, Chief —vuelve alzando la mano y apuntando al horizonte—. El pozo del abismo se ha abierto. Ahí, justo delante de nosotros.

Marcelino mira frente a él las luces incandescentes y las siluetas de los soldados que corren de un lado a otro.

—¡Con una chingada, Manuel! ¡Ponte la maldita máscara, por Dios! —insiste la voz atrapada del mexicano.

Chávez gira la cabeza para observar por un instante a su compañero y le muestra el equipo que lleva en la mano. Marcelino cae en cuenta de que el vidrio de uno de los ojos está estrellado y de que carece del tubo que conecta al filtro con la bolsa de lona. A su compañero, a ese soldado con cara de niño que no le interesa en lo más mínimo la guerra, le han proporcionado un equipo defectuoso. Chávez arroja con furia la máscara, la cual rebota un par de veces y grita con las campanas resonando:

—¡Se les dio poder, como tienen poder los escorpiones de la tierra…!

—¡Cállate, Manuel! ¡Cállate, carajo! —grita Serna desesperado buscando una solución a su alrededor y a sabiendas de que el tiempo corre.

—Se les mandó que no dañasen a la hierba de la tierra… ni a ningún árbol, sino solamente a los hombres que no tuviesen el sello de Dios en sus frentes… —dice tosiendo con violencia y mirando con los ojos encendidos de frente a su compañero.

Sin otra opción, Marcelino hace por retirarse su mascarilla para dársela a su compañero. Sin embargo, el viejo Pons interviene de nuevo para detener a Serna. Con un movimiento, coloca su propia mascarilla en el rostro de Chávez. El muchacho, aún trastornado, respira agitado ahí dentro.

Serna mira las luces ámbar de las nuevas explosiones reflejarse en los cristales de la careta de Chávez. Los soldados y el sacerdote, quien ha metido la nariz en su sucia camisa, se encogen de hombros y corren de nuevo agazapados en dirección opuesta a la nube tóxica de humo en busca de refugio.

Detrás de un tronco caído, el grupo se detiene. Pascal Marie Pons expulsa varias veces el contenido de su estómago. Marino Ochoa llega hasta él para auxiliarlo.

—Quema. El pecho quema —dice el viejo escupiendo y maldiciendo la guerra.

De pronto, la arremetida enemiga cesa.

Marcelino Serna mira desconfiado a su alrededor. Algunos gritos rompen el amargo silencio que se ha formado en ese lugar. Las voces de desesperación se multiplican clamando ayuda. Aguirre aprovecha el tiempo para verificar otra vez el estado de sus hombres vueltos un esperpento. Chávez se tumba sobre el piso junto al sacerdote francés, ambos respiran con dificultad. Fisher ordena a uno de los soldados rubios dirigirse, tan rápido como le sea posible, a la comandancia del regimiento para pedir ayuda y recibir instrucciones de los superiores. Tan pronto se aleja, la noche se traga su silueta. La tropa se pregunta si el ataque habrá cesado por completo, si será prudente ahora volver a Seicheprey o habrá que esperar. Nadie lo sabe.

Pasados unos minutos, varios de los soldados del tercer grupo se retiran las mascarillas pensando que el peligro ha pasado. Fisher se da cuenta y los reprende; les ordena volver a colocarse los equipos enseguida, pero algunos se niegan. El sargento sabe que la espesura del químico lo mantiene a ras del suelo y, en una noche como esa, con viento escaso, puede quedarse flotando en el mismo lugar durante horas.

Para uno de los soldados rubios la advertencia llega tarde. Antes de colocarse el respirador de nuevo comienza a toser y lanza un grito de desesperación cuando sus ojos comienzan a arder como si los hubiera lavado con cloro puro. El daño en su cuerpo está hecho.

—*Water, water...* —ruega a sus compañeros.

Marcelino observa la piel del muchacho transformarse, las nervaduras del cuello brotar y sus ojos inflamarse como si fueran a desorbitarse. Desesperado por el ardor que experimenta, el soldado aprieta los párpados e intenta jalar aire. Sin otra opción para auxiliarlo, un camarada de su patrulla decide seguir la instrucción que recibieron en casos como este semanas atrás. De los bolsillos de su cazadora, extrae un pañuelo de algodón y, sin pensarlo dos veces, se baja la bragueta del pantalón para soltar un chorro potente y amarillo con el que empapa el paño. Enseguida cubre los ojos de su compañero y le coloca su máscara antigás.

De forma inesperada, la embestida enemiga se reanuda, esta vez como una granizada copiosa.

La respuesta de la artillería francesa por fin se hace presente. Con el fuego cruzado, Marcelino Serna siente un deseo incandescente de correr en dirección de la artillería alemana para acallar, de una vez por todas, los cañones enemigos con sus propias manos. Sin embargo, los violentos impactos que vuelven a iluminar el espacio desvelando el gas amarillento que se inserta en cada pliegue del bosque hacen retroceder en sus intenciones al soldado.

Los hombres no tienen otra opción ahora que resguardarse detrás de un tronco. Hombro con hombro, cuerpo contra cuerpo, la tropa permanece agazapada, apretada sobre el fango durante largo rato. Entre Aguirre y Chávez, Marcelino se cubre los oídos del estruendo con la palma de las manos mientras, con los dedos, sostiene su casco. Los hombres ruegan al cielo que la violenta acometida caiga en cualquier lado menos sobre sus cabezas. Serna espera que, en caso de ser alcanzado por una bomba, sea de manera contundente, tan rápido y fuerte que ni siquiera tenga tiempo de darse cuenta de su propia muerte. Junto a él, Aguirre abre por un instante su cazadora a la altura del pecho para lanzar una mirada breve a la fotografía de la mujer de trenzas que lleva con él para esperar la muerte. El joven Chávez, por su parte, aprieta los dientes y, sin que nadie lo escuche, vuelve a recitar las premoniciones de San Juan.

—Los hombres buscarán la muerte, pero no la hallarán; y ansiarán morir, pero la muerte huirá de ellos...

El monstruo de la guerra se cansa de rugir. Aguirre abre los ojos. Observa su reloj, son pasadas las cuatro de la mañana, la hora del quebranto en que la noche se niega a claudicar. El bombardeo ha durado dos horas.

Un viento frío barre el bosque. Aún abigarrado entre los cuerpos, el cabo se pregunta si, esta vez, el ataque habrá cesado por completo o si la carga se reanudará por sorpresa en algún momento. Con cautela, los hombres de la patrulla mexicana se desenvuelven uno a uno.

Marcelino Serna siente toda su humanidad estremecerse al intentar encaramarse. Por un momento se mira las manos temblorosas y sucias de fango hasta las uñas. Con ellas mismas palpa su rostro y su cuerpo para comprobar, con incredulidad, que aún está vivo y que no ha sido herido. A sus pies, entre el suelo y el tronco, observa las figuras del viejo Pascale y de Chávez, los únicos del grupo que permanecen tendidos sin moverse. El rostro del sacerdote, que ha dejado de cubrir con su camisa su nariz y boca en algún momento, está languidecido y pálido. Marcelino observa varias heridas en su cuello y pecho. Junto a él, Serna comprueba que el soldado con cara de niño tiene pulso y, aunque de forma sutil, aún respira a través de la mascarilla.

De pie, Aguirre alarga la mirada intentando hallar ayuda a su alrededor.

—¡Auxilio, tenemos heridos! ¡Ayuda!

A unos metros de él, Fisher emerge de un cráter formado por una bomba donde halló refugio junto a los soldados rubios antes de la segunda arremetida. Aguirre observa a su sargento retirarse la mascarilla antigás. El cabo espera unos segundos. Aunque tiene el semblante desecho, el oficial no colapsa. El aire parece estar limpio; el viento ha dispersado el agente tóxico. Aguirre se retira con cuidado el respirador. Marcelino se arranca casi al mismo tiempo la protección y aspira una gran bocanada de aire que entra a sus pulmones como agua fría. Junto a él, Chávez por fin vuelve en sí. Abre los ojos y avienta la máscara para respirar con desesperación. Serna logra tranquilizarlo y repara por un momento en los botones dorados con las siglas U.S. de la cazadora del muchacho que, de manera inexplicable, se han teñido de verde, igual que los de Bicente Ochoa, los de López y los de su propio uniforme.

Sobre el piso, Marino Ochoa intenta reanimar a Pascale Marie Pons, quien apenas respira y está completamente pálido.

—Necesitamos una camilla con urgencia, Aguirre. Tiene quemaduras en la piel. No creo que vaya a resistir mucho tiempo —dice el maestro preocupado.

El cabo se dirige con cautela hasta donde se encuentra Fisher y sus hombres en busca de ayuda. El sargento se encuentra inmóvil, con la mirada perdida por completo en dirección a un cráter. Aguirre observa el interior del agujero. Ahí, un grupo de cuerpos informes se encuentran regados por doquier. Serna, González y López se aproximan para mirar la misma escena lóbrega. El grupo desciende deprisa para revisar a los soldados rubios uno a uno. Algunos hombres parecen dormidos; sin embargo, es el gas el que los ha envenenado hasta matarlos. Entre los cadáveres, reconoce al sargento de ojos grises y pelo erizado del tren aún con vida. Con un gesto se queja de un dolor en su costado, ha sido alcanzado por una esquirla a la altura de la cadera; necesita atención inmediata. Baca repara en otro uniformado americano que se retuerce a causa de una herida en el brazo izquierdo. Tan rápido como puede, el corpulento muchacho se quita una de sus polainas de tela y aplica un torniquete para detener la hemorragia. González y López se encargan, por su parte, de apoyar a quienes han quedado dañados de la vista por el contacto con el gas y no pueden mirar para salir del cráter. Afuera, los heridos son colocados uno junto a otro; los otros cuatro hombres, quienes por su gesto han sufrido una muerte horrible, son acomodados en una sola fila.

—Ese Fisher es el que carga con la mala suerte —dice González a López lanzando una mirada de desprecio al mando.

Un nutrido grupo de ordenanzas por fin aparece con camillas y material de curación, el cual aplican a los heridos de inmediato, sobre todo vendajes impregnados con una solución líquida para aliviar el ardor en los ojos.

Con los heridos sobre las camillas, incluido el viejo Pascale, y quienes han quedado cegados por el efecto del gas, se inicia una marcha para retirar a los heridos que, ciegos, sordos y borrachos de fatiga, forman una multitud igual a *Los burgueses de Calais* de Rodin.

Al llegar al campamento, el personal sanitario corre para recibir a los heridos de las patrullas de la Compañía B. En el llano, iluminado por la luz del sol que crea una calima amarillenta, se miran decenas de heridos recostados sobre el terreno. La mayoría lleva vendados los ojos, otros tienen el torso desnudo a causa de las heridas.

Serna busca entre el personal de enfermería alguno que porte el fistol bicolor que le haga saber que los canadienses están aquí para ayudar y les pueden prestar atención más pronta a sus heridos. Sin embargo, por más que alarga la vista, no alcanza a encontrar a nadie.

Pascale Marie Pons es colocado junto a un grupo de heridos. El sacerdote se niega una y otra vez a que lo trasladen para ser atendido a pesar del nivel de sus heridas y del dolor intolerable que experimenta. Dice que en el salón de clases de la escuela de Seicheprey almacena un compuesto que puede curarlo, los mexicanos lo ignoran y buscan ayuda. Un sargento médico americano llega hasta él para auscultarlo. A través de Aguirre, Chávez pregunta al médico si el sacerdote se repondrá. Tras mirar las heridas en su pecho, el sanitario lanza un gesto de pronóstico reservado.

—Ayúdelo. Ese hombre me salvó la vida dándome su mascarilla —dice Chávez en español, sosteniendo la pala de metal del viejo.

El médico dice que su compañero será trasladado, como la mayoría, a la clínica de campaña del regimiento, que los efectos de un ataque con gas no se manifiestan de inmediato y que las horas y los días posteriores a la exposición son clave para saber si un paciente logrará recuperarse o no.

—Sin embargo, el sufrimiento… —hace una pausa el médico para limpiarse el sudor con la manga de su bata y seguir su labor—. Ese sí puede prolongarse durante varias semanas.

Pons pide a Marino Ochoa que se aproxime rápido a él. Muy cerca, le indica conteniendo el dolor que, por lo que más quiera, le haga favor de llevarle, a donde sea que lo trasladen, un frasco ámbar de cristal que tiene guardado en un estante del salón de clases con la leyenda «*Laboratoire Parisien*».

Pons aprieta los ojos, lanza un grito de dolor y deja escapar un suspiro antes de perder el conocimiento.

Siete
En busca de Pons

Manuel Chávez camina deprisa por el camino polvoriento que conduce a Flirey. Después de dos días, las nubes amarillentas de gas tóxico al fin se han marchado. En su lugar ha quedado un cielo excepcionalmente claro. En una mano, el muchacho con cara de niño carga la pala de metal de Pascale Marie Pons mientras, oculto en un bolsillo de su cazadora, transporta el frasco ámbar de cristal que el mismo sacerdote les ha solicitado. Detrás de él, Marino Ochoa, Alberto Aguirre y Marcelino Serna lo siguen deprisa con sus armas de cargo balanceándose sobre sus hombros y las máscaras de gas pendiendo de su cuello.

Guiado por las banderas de la Cruz Roja, los camiones y la cantidad de soldados que son ingresados a ese lugar, Chávez se enfila al acceso del único edificio del pueblo en ruinas que apenas se mantiene en pie.

El grupo de mexicanos de la Compañía B ingresa por la puerta de la clínica de campaña que fue instalada en ese lugar con la esperanza de hallar con vida al sacerdote francés.

En el recibidor, iluminado por la luz del día que se filtra por la puerta principal, los sanitarios canadienses se mantienen ocupados atendiendo a los heridos que fueron desperdigados dentro del edificio reforzado por sacos de arena, y en un anexo de tiendas de campaña instalado en la parte posterior del edificio.

Serna aprovecha la luz intermitente para buscar a Élise entre los rostros de las enfermeras que aparecen y desaparecen frente a él.

Un intenso aroma a fenol, sudor y pus impregna el aire espeso del interior. Unos lamentos vehementes que hielan el alma atraviesan las paredes del corredor central del edificio. Junto a sus compañeros, Marcelino se interna en la lobreguez en busca del viejo. Una vez habituado a la oscuridad, observa los cuerpos ceñidos de los heridos, quienes aguardan de pie.

Unos pasos adelante, Serna encuentra el acceso a una habitación sin puerta ni ventanas. Apenas alumbrado por la tenue luz de unas velas, mira los cuerpos tendidos sobre el suelo con los ojos cubiertos por una tela blanca. Desde el umbral, escucha a varios hombres toser de forma violenta. Ochoa se aproxima enseguida para preguntar en francés si ahí dentro se encuentra el párroco Pascale Marie Pons. «Pascale Marie Pons, sacerdote de Seicheprey», repite.

Nadie responde. En su lugar, los soldados se quejan de que sus pulmones aún les queman, como si hubieran tragado lumbre, y la razón por la que buscan a un francés entre ellos. Los cuatro soldados continúan su búsqueda. A su paso tropiezan con un grupo de hombres sudorosos, quienes ahogan sus lamentos con largos tragos a una botella de ron. Chávez, Ochoa y Aguirre inspeccionan muy de cerca a cada uno de ellos, no así Serna, quien continúa al fondo de la galería hasta una puerta entreabierta iluminada por un tenue brillo, de donde parecen provenir los lamentos que le hielan el alma. De ella, dos ordenanzas salen deprisa golpeando al muchacho y arrojándolo al piso. Antes de ponerse de pie, Marcelino cae en cuenta de que es un cadáver lo que transportan sobre una camilla. Serna se gira. Adentro, observa un amplio despacho convertido en sala de hospital. El lugar está iluminado por la luz exterior que se filtra por una pequeña abertura en los ventanales tapiados con sacos de arena. Las paredes de la sala están forradas por cientos de libros de lomos resecos de piel colocados en estantes del techo al piso que, piensa, nadie ha leído en mucho tiempo. Al centro de la habitación, una frente a otra, han sido colocadas dos filas de camas de acero vestidas con sábanas blancas. En ellas, desnudos o apenas cubiertos por los genitales, los heridos lanzan lamentos ardorosos que hacen eco hasta el recibidor. Marcelino mira aquella habitación ocupada por el plañido insistente de sus ocupantes. Las palabras de San Juan recitadas por Chávez vuelven a él: «Los hombres buscarán la muerte, pero no la hallarán; y ansiarán morir, pero la muerte huirá de ellos…».

Serna repara en los grupos de enfermeras y médicos que atienden las heridas de sus pacientes. Al llegar al fondo de la habitación se detiene para observar a quien ocupa la última cama. Es un soldado joven que, en posición fetal, respira agitado mientras es atendido por un médico y dos enfermeras. De frente a él, Marcelino se detiene en la porción de rostro del muchacho que tiene visible, en el contorno rojizo e inflamado de su ojo izquierdo, en las nervaduras del cuello que brotan como raíces de un árbol sobre la tierra y en su mandíbula apretada que no hace más que poner en evidencia el dolor que experimenta. Al aproximarse, Serna repara en dos cosas: en las llagas rojizas y circulares que escurren arroyos de líquido transparente por su espalda hasta depositarse sobre las sábanas y en el rostro de una de las enfermeras, quien resulta ser Élise.

La chica canadiense llevaba el cabello revuelto del que apenas se sostiene su cofia blanca y unas ojeras que muestran las horas que ha pasado atendiendo heridos. Al mirar al soldado frente a ella, reconoce a Marcelino con sorpresa y le obsequia lo más parecido a una sonrisa que, en este momento y ante el cansancio, le es posible dibujar con su rostro desmejorado.

—Usted es Élise, ¿no es así? —pregunta en francés Marino Ochoa al acercarse acompañado de Aguirre y Chávez.

La enfermera asiente con la cabeza. Enseguida toma nuevos instrumentos de un pesado escritorio de madera convertido en mesa de curación que se encuentra al centro del salón.

—Señorita, mi nombre es Marino Ochoa, soldado de la Compañía B del Regimiento 355. Disculpe que la interrumpa —dice el maestro—. Estamos buscando a un francés compañero nuestro. Bueno, en realidad no es soldado ni es compañero nuestro. Da igual, su nombre es Pascale Marie Pons. Es párroco del siguiente pueblo, de Seicheprey. Fue herido esta noche en el Bois de Jury mientras lidereaba nuestra patrulla. Necesitamos encontrarlo para hacerle llegar un pedido. ¿Será que lo haya visto entre los heridos?

Muy seria, la enfermera mira por un segundo en silencio a Ochoa y niega con la cabeza.

—Todos los hombres que se encuentran aquí fueron heridos dos noches atrás durante el bombardeo de gas. No recuerdo haber visto a ningún francés, mucho menos a un sacerdote —responde.

—Se trata de un hombre viejo, con anteojos, vestido de civil. Si lo ha visto, es seguro que no haya pasado desapercibido para usted.

Al escuchar que se trata de un hombre viejo y vestido de civil, la enfermera se detiene. Dice que, en efecto, la mañana del día anterior llegó un hombre con esas características. Recuerda haberlo visto entre los heridos que fueron ubicados en el exterior, junto a los hombres del Regimiento 356. La enfermera conversa brevemente con sus colegas, quienes parecen estar de acuerdo con que se ausente por un momento.

—Síganme —dice la enfermera volviendo a lanzar una mirada cómplice a Marcelino y encaminándose a la puerta—. En efecto, ese hombre es el único civil que he visto por aquí. Yo no lo he atendido. Desconozco su estado de salud y si ha sobrevivido, pero sí recuerdo dónde se encuentra.

Deprisa, los cuatro soldados y la enfermera abandonan el despacho convertido en sala de hospital.

—Disculpe, Élise, ¿sabe cuál es el número de bajas que hubo en el ataque con gas? —cuestiona Marino Ochoa mientras intenta seguir los pasos de la sanitaria.

—Desconozco la cifra exacta. Se habla de más de unos quinientos heridos de la División 89.

—La nuestra. ¿Y muertos?

—Hasta ahora, más de cuarenta soldados y, al parecer, un oficial. Casi todos de la Compañía A.

El maestro traduce los números a sus compañeros, quienes intercambian miradas de incredulidad y preocupación.

El grupo abandona el edificio por la misma puerta por la que ingresaron hace unos minutos. Debajo de un tendido de lonas instalado en el exterior, se observa un grupo de catres que han sido colocados con simetría. Igual que al interior, personal sanitario se ocupa de atender a decenas de heridos que ahí se encuentran depositados en varias líneas de camas y catres. Al llegar a una estación de enfermeras, Élise intercambia algunas palabras con la mujer robusta que parece estar ahí a cargo. Ella misma le señala un área ubicada al fondo del tendido donde se encuentra el sacerdote.

—Por aquí —dice la enfermera incorporándose entre la segunda y tercera filas de camas.

De lejos, Chávez reconoce el cabello gris y revuelto del párroco que duerme. De cerca, miran el paño húmedo que cubre su pecho lánguido.

—Pascale, ¿cómo se encuentra? —pregunta Ochoa.

—¿Quién es usted? —replica el sacerdote sin colocarse los anteojos.

—Somos los mexicanos.

—Ah, los mexicanos... no vienen a sacrificar a un francés para sus dioses aztecas aquí, ¿verdad? No creo que conmigo queden complacidos, estoy muy viejo —responde con ironía aguantando el gesto de dolor—. Yo estoy bien, pero son estas heridas las que no aguanto.

—Hemos traído su encargo —dice Chávez extrayendo de su bolsillo el frasco ámbar de cristal.

—A ver, dame acá eso, muchacho. Bien, muy bien.

El párroco retira enseguida el corcho que cubre el recipiente para desprenderse con dificultad de la compresa húmeda de algodón que cubre sus heridas. Con delicadeza, ante la mirada de la joven enfermera y los soldados, rocía un poco de su contenido sobre las lesiones que aún parecen vivas.

—Benditos polvos —dice experimentando un súbito alivio.

—¿Es acetato de aluminio? No es recomendable aplicarlo en seco —afirma Élise.

—Óxido de zinc, señorita —corrige Pons depositando un poco más del compuesto sobre las heridas—. Es mucho más efectivo.

—¿Óxido de zinc? Ese compuesto no lo utilizamos nosotros. ¿Dónde lo consiguió? —vuelve ella curiosa.

—Un soldado que estuvo apostado aquí hace ya algunos meses, a quien yo mismo cuidé cuando no había ni clínicas ni puestos sanitarios, me los obsequió después de que se curara tras un ataque similar. Dijo que había trabajado como vendedor para un laboratorio de París y que había llevado con él varios medicamentos al enlistarse con el ejército. Pero eso es lo menos importante ahora. ¿Sería usted tan amable de dejarme a solas un minuto con estos jóvenes? —pregunta el hombre intentando incorporarse sobre la cama.

Élise se separa del grupo. Enseguida se disculpa y le dice a Ochoa que debe volver a sus labores dentro del edificio. Antes de partir, de su uniforme extrae una hoja doblada en cuatro que le entrega a Serna en la mano. El muchacho recibe con sorpresa el papel, que guarda con gusto en uno de los bolsillos interiores de su cazadora.

—Ochoa, dile que le estoy muy agradecido por salvarme la vida —se adelanta a decir Chávez.

Antes de que el maestro pueda traducir aquellas palabras, Pons lo detiene con un gesto y le dice no tiene nada que agradecer.

—Aunque ha habido bajas, hemos salido bien librados de la refriega. Esta mañana hablé con un par de oficiales que vinieron aquí a buscar franceses heridos —dice el sacerdote lanzando miradas a su alrededor para comprobar que nadie más lo escucha—. Los alemanes están furiosos porque han comenzado a perder territorio en el oeste. En Champagne, los ingleses y sus compañeros americanos han logrado controlarlos. Y, según dijeron, en Amiens, al sur del Somme, se lanzó una dura ofensiva aliada que tomó por sorpresa a los hombres de Erich Ludendorff, el general de los alemanes. Por alguna razón, la comandancia aliada arrancó esa gran ofensiva en la que participaron franceses, australianos, canadienses y americanos. Algo está sucediendo. Quizá sus generales hayan tomado ya el control de sus tropas y estén ejecutando sus propias estrategias.

El viejo se detiene para toser de forma violenta. Al escuchar la interpretación de Ochoa, los soldados se preguntan en qué lugar de la geografía francesa se encuentra Champagne o el Somme y por qué no fueron movilizados a ese lugar para participar.

—Los oficiales han dicho que los estrategas alemanes tuvieron que agrupar con urgencia a sus hombres en Amiens. No escuché cifras de bajas, pero dicen que aquello fue una carnicería. Parece que parte de las tropas alemanas que se encontraban en esta zona fue movilizada al oeste esta misma mañana para reforzar sus posiciones —continúa—. De ser así, las posiciones frente a nosotros podrían haber quedado desprotegidas.

—¿Y qué pasa con nosotros? ¿No le han dicho si seremos movilizados o si combatiremos por esta zona? —pregunta Aguirre.

—No, los oficiales franceses hablan mucho y especulan más. Sí, hablan demasiado. Estos que me visitaron no eran la excepción —responde—. Incluso uno apostó con el otro que las tropas americanas que se encuentran aquí no entrarán en acción. Yo no sé qué creer. De cualquier forma, todas estas posiciones frente a nosotros son bastante complicadas, si no es que imposibles de intervenir.

—¿Por qué? —pregunta Aguirre a través de Ochoa.

—Ya lo vieron, los alemanes dominan casi todas las cumbres en esta zona —sostiene el párroco apretando los dientes de dolor.

—Eso nos pone en desventaja —afirma el cabo.

El sacerdote asiente con la cabeza.

—Cualquier ataque frontal por este sector es complicado —continúa Pons—. Después de la tierra de nadie existe una doble fortificación que construyeron los alemanes, buena parte de ella está entre los bosques, eso incluye trincheras y nidos de ametralladoras. De no tener apoyo de la artillería, que no la hay más allá de los cañones franceses, no podrán llegar ni siquiera a la primera línea.

Chávez traga saliva. Los otros tres soldados mexicanos aquí presentes intercambian miradas de preocupación ante los dichos del viejo.

—¿Está seguro de que este hombre es sacerdote, maestro? —susurra Aguirre a su compañero.

—¿Cómo es que tiene conocimiento de esas posiciones y de estrategia militar, Pons? —cuestiona Ochoa.

Antes de que Pons pueda responder, un ataque de tos hace que la robusta enfermera llegue detrás de ellos.

—Señores, por favor, les pido que se retiren —dice—. El paciente debe descansar.

Ochoa se disculpa y asegura que están a punto de irse. Luego el viejo explica:

—Al inicio de la guerra, yo mismo defendí a nuestro pueblo y estas tierras junto a mi familia, mis amigos; todos ellos eran mis feligreses. Juntos, antes de que los primeros soldados del ejército francés llegaran, intentamos sostener el avance de los *boches*, pero aquello solo fue posible por algunas semanas. Lo hicimos con lo que teníamos, rifles de caza, nuestras herramientas de trabajo, con esa pala, azadones y picos.

Marcelino recuerda por un instante a su gente en Chihuahua y sus razones para sumarse a los revolucionarios en México. El sacerdote continúa:

—Sin embargo, nuestros esfuerzos fueron en vano, lo fueron. A finales del catorce yo mismo enterré a mi hermano Fabien y a mi primo Casper, los últimos que quedaban con vida de mi familia y del pueblo. Entonces me quedé completamente solo. Durante semanas pensé en quitarme la vida —dice mirando hacia la nada—. Para mi fortuna, algo detuvo a los alemanes durante un par de semanas; después me enteré de que se habían ido a invadir Bélgica. Los soldados franceses se aparecieron unos meses más tarde, en 1915, para intentar replegar el avance alemán, pero resultó un fracaso; sí, un fracaso. Todo lo que se logró, a un costo altísimo de vidas, fue que volvieran a las cimas de las colinas, donde instalaron sus fortificaciones. Ahí han estado desde entonces. Han disparado millones de cargas hasta borrar todo, las casas, las calles, los bosques y sus habitantes… hasta quedar como ahora lo ven.

Pons rompe en un nuevo ataque de tos. La enfermera regresa y, con cara de pocos amigos, le exige al grupo que se retire si no quieren que llame a la policía militar.

Los cuatro soldados se disculpan nuevamente y se separan de la cama del viejo. Antes de despedirse, Chávez se aproxima al sacerdote y le agradece de nueva cuenta en español que le haya salvado la vida.

—No tienes nada que agradecer, muchacho —asegura el viejo agotado—. ¿Sabes? Me recuerdas mucho a mí. Yo tampoco me pensé capaz de matar a un hombre, pero no tuvimos otra opción. Tú eres un soldado y debes obedecer, ese es tu trabajo, para eso te han traído aquí. Si te sirve de algo y para que estés en paz, yo te absuelvo desde ahora de cualquier pecado.

Chávez estrecha la mano huesuda del viejo y coloca la pala de metal a un costado de la cama.

—No, no —lo detiene el párroco con un gesto—. Llévala contigo, es tuya ahora. Aquí yo no es útil. Estoy seguro de que te servirá más a ti en los próximos días. Yo ni si siquiera sé si me pueda recuperar, mucho menos si vuelva a necesitarla. Si se da una batalla cuerpo a cuerpo, verás que es más poderosa y efectiva que la bayoneta de tu moderno fusil, de mí te acuerdas.

Serna, Aguirre y Ochoa se despiden deseando pronta recuperación al sacerdote.

—Maestro Ochoa —dice Pons—, una cosa importante antes de que se vayan. Trate de conocer con antelación cuáles son los planes que tiene su comandancia para ustedes en esta guerra. Esa es la única forma de estar preparados y de sobrevivir.

—En nuestra posición, eso es prácticamente imposible, padre —responde justo cuando la enfermera vuelve con dos policías militares.

—Son estos, oficial, no quieren retirarse —afirma.

La luna llena ilumina el patio de la escuela de Seicheprey. Debajo de las banderas americana y francesa, Serna y el grupo de mexicanos reposan después de realizar los ejercicios de marcha que con el paso de los días se han vuelto habituales de noche para ocultarse de la vista de los alemanes.

El muchacho enciende un nuevo cigarrillo. De uno de los bolsillos de su cazadora extrae la hoja que Élise le entregó y que Marino Ochoa le ha hecho favor de traducir al español. Alumbrado por la luz azul de la luna vuelve a leer:

> Marcelino,
> Aunque ambos venimos de la misma orilla del mar, su nombre es todo lo que sé de usted. El brío de su sonrisa es la única fuente de alegría que ha llegado a mí en los días aciagos en este lugar.
> Quiero pensar que a usted y a mí nos conduce el mismo objetivo, el de ayudar a que pronto termine todo este absurdo llamado guerra.
> Quisiera volverlo a ver en algún momento, saber quién es usted y conocer sus sueños, de ser posible.

Élise Roux
Primer Cuerpo Sanitario del Ejército Canadiense
78 Rue Godbout. Quebec, Canadá.

«Quisiera volverlo a ver en algún momento, saber quién es usted y conocer sus sueños», vuelve a leer Serna en la traducción que hizo debajo de la escritura original y lanza un largo suspiro. Han pasado más de dos semanas desde el último encuentro fortuito con la enfermera canadiense en la clínica de campaña.

Antes de que Marcelino pueda preguntar a Ochoa qué tan lejos se encuentra la ciudad de Quebec, un grupo de soldados rubios de la Compañía B ingresa al patio de la escuela hablando casi a gritos entre ellos.

—Pero eso fue el día en que aquí nos gasearon… —Escucha decir Manuel Aguirre a uno de ellos.

—El 8 de agosto —responde un joven soldado que atrae la atención del resto del grupo deteniéndose en una esquina del patio—. Fue una carnicería, no lo voy a negar. Sin embargo, aquello resultó ser una operación espectacular, como ninguna otra que haya tenido lugar en esta guerra. Es difícil describirla.

Contagiado de interés, el cabo de los mexicanos se acerca para escuchar aquella conversación.

—Hay rumores de que fue más grande que la batalla de Cambrai —dice curioso uno de los recién llegados—. ¿Qué hay de cierto?

—Sí lo fue. Se lo aseguro —responde el mismo hombre que atrae todas las miradas—. Los malditos alemanes no nos esperaban. Al final les causamos el triple de bajas de lo que ellos a nosotros.

Los soldados celebran, intercambian gestos de aprobación y entusiasmo.

Aguirre presta más atención a lo que parece una hazaña militar reciente y relevante. Sus compañeros, sin sueño y nada más que hacer, se aproximan a él.

—Parecen entusiasmados. ¿Qué es lo que dicen? —pregunta Elizardo Mascarenos.

—Están hablando del ataque con gas de la semana pasada —asegura López.

—Claro que no. Están hablando de otra batalla del mismo 8 de agosto, el día que aquí nos gasearon, pero no la de aquí. ¿No es así, Aguirre? —interrumpe Ochoa.

—Silencio, que no puedo escuchar nada —dice el cabo.

Los rubios notan la presencia de los mexicanos, pero no dicen nada. Desde que se supo que fueron ellos quienes ayudaron a desalojar a los heridos del Bois de la Hazelle, su presencia ha sido tolerada por parte de la tropa del Regimiento 355 en todas las instalaciones. El grupo continúa su charla. Los soldados de piel curtida por el sol, por su parte, toman asiento a unos metros.

—Bueno, pero cuenta, Jackson. ¿Cómo sucedió? —cuestiona el soldado rubio que parece más interesado en conocer la historia frotándose las manos encontrando un costal de arena que utiliza como asiento—. Y no te guardes ningún maldito detalle.

El tal Jackson es un joven que parece todo menos soldado. Tiene el rostro amigable, los ojos color miel y una sonrisa encantadora. No porta la cazadora, solo una camiseta blanca que deja ver unos brazos trabajados, unos pantalones verde de campaña y botas cafés rodeadas hasta la pantorrilla por las polainas. Su cabello castaño va engominado a la perfección y de lado, como si hubiera sido recién rebajado. El joven se recompone de un pequeño salto de la caja de madera que le han ofrecido como asiento y, sin prisa, enciende un nuevo cigarrillo para narrar:

—Bueno, lo primero que deben saber es que lo que han escuchado es verdad. La bestia se desató en Amiens. Aquello comenzó a las cuatro veinte de la mañana del 8 de agosto sin bombardeos preliminares.

—¿Ni uno solo? ¿Cómo puede ser? —cuestiona sorprendida otra voz.

—Ni uno —responde Jackson.

—¿Cuántos hombres participaron?

—Cincuenta mil.

—¿Solo cincuenta mil? —vuelve el mismo.

—Un puñado… ¿de qué nacionalidades? —pregunta el primero.

—Franceses, ingleses, australianos, canadienses y, claro, americanos —responde—. Sí son muchos menos de los que esperábamos, apenas la mitad de los planeados por la comandancia francesa. Sin embargo, y aquí viene lo relevante, la escasez de hombres se compensó con una mayor potencia de fuego.

Los asistentes intercambian miradas cargadas de curiosidad. Interesados, se acercan al filo de sus respectivos asientos y piden al joven soldado que continúe.

—Cada batallón dispuso de treinta ametralladoras, en lugar de cuatro. Además, se utilizaron ocho morteros de trinchera en vez de uno o dos y dieciséis lanzagranadas. Pero lo más importante fue el uso de tanques —dice el soldado de cejas pobladas resaltando el nombre de ese último equipo tanto como le es posible.

—¿Tanques? ¿Entonces es verdad que se están usando? —pregunta el primero.

—Creí que eran un mito, una invención —dice otro.

—¿Cómo son? Descríbelos —pide alguien más.

López, Ochoa y Serna escuchan la interpretación de Aguirre con el mismo interés que los soldados rubios.

—Es la máquina de guerra perfecta, el futuro de las contiendas —sostiene—. Aquel día participaron más de quinientos de ellos, todos por sorpresa.

—¿Cómo pudieron llegar quinientos tanques sin que los alemanes los notaran? —cuestiona escéptico otro rubio.

—Fue una estrategia americana que quedará grabada para siempre en los libros de historia —asegura el tal Jackson de forma engreída, dando una chupada larga a su cigarrillo como para llamar esas imágenes a su mente—. En secreto, fueron trasladados a la zona de Amiens camuflados por aviones aliados.

—¿Aviones? ¿Cómo? ¿Los cargaron por el aire? —preguntan varios con ingenuidad.

—No, qué va… los aviones sobrevolaron los tanques durante todo su camino para disimular el ruido de sus motores y sus bielas —responde—. Además, los franceses y británicos llenaron el cielo de aparatos suyos para ahuyentar la presencia enemiga en el aire y asegurar el traslado.

—Increíble —susurra Serna estupefacto intentando no perder detalle.

—¿Cómo se ven los tanques? Deben ser muy poderosos. Cuéntanos, Jackson —pide el primero de los soldados.

—Lo son. El avance de esas bestias de metal impone terror, se los digo yo que marché junto a ellas con mis hombres —dice haciendo alarde y continúa—. Pueden desplazarse por los caminos más escarpados sin que los rifles y las baterías enemigas les causen daño alguno. Aquella madrugada, los pelotones de infantería avanzamos a su amparo. Debió haber sido desconcertante para esos malnacidos de los alemanes, primero, escuchar el chirrido de los fierros aproximarse; luego, ver aparecer a la flota de bestias mecánicas entre la niebla. Enseguida comenzaron a destruir sin piedad los nidos de ametralladora. Una a una sus peores pesadillas, como la de no contener un avance enemigo, habrán cobrado vida ante aquellas presencias metálicas. La artillería británica rugió entonces para neutralizar y mantener al enemigo a raya. Ellos contaron con infinidad de artillería y municiones, todos muy precisos, que ayudaron a silenciar las baterías enemigas con gas y bombas. Los cañones de campaña después rugieron protegiendo nuestro avance con una cortina de fuego. Durante horas nos sincronizamos como una orquesta para atacar con furia y devorar el terreno. Al final aquello se volvió una locura, una en la que lo único que importaba era capturar posición por posición y seguir avanzando. Aquella jornada los alemanes no nos pudieron detener. No, señor, no hubo manera. Debo decir que en el curso del día muchos de los tanques quedaron inutilizables por culpa de alguna avería o por el fuego de la artillería. Sin embargo, a media tarde, pudimos avanzar hasta trece kilómetros.

—¡Trece kilómetros en un día! ¡Carajo! —lanza alguien.

—Y no solo eso. En Amiens, en cuatro días, acabamos con seis divisiones alemanas —presume Jackson—. Pusimos a salvo esa ciudad y la línea de tren. La gente nos vitoreó al saber que sus calles habían quedado limpias de alemanes gracias a nosotros, los americanos. Esos cabrones estuvieron en inferioridad numérica todo el tiempo, desde el inicio, hay quienes dicen que de dos a uno.

—¿Y las bajas?

—Antes de venir aquí, hace un par de días, escuché que las bajas británicas y francesas, hasta el 11 de agosto, ascendían a más de veintidós mil por cada lado; pero, las alemanas, a setenta y cinco mil, de las cuales cincuenta mil fueron soldados hechos prisioneros —sostiene chupando lo que queda de su cigarrillo.

Los hombres frente al mando han quedado estupefactos con su narración. Aguirre, por su parte, termina de interpretar al español las palabras del soldado de cabello castaño a sus hombres, quienes también se muestran sorprendidos.

—Y ¿qué ocurrió con esos cincuenta mil prisioneros? ¿Qué hicieron con ellos? Escuché que los canadienses acostumbran deshacerse de los alemanes, ¿es verdad? —cuestiona el primero.

Marcelino se recompone en su asiento al escuchar hablar de los canadienses.

—Ha habido algunos episodios —asegura—. Los canadienses y los australianos son quienes tienen peor reputación en lo que se refiere a actos de violencia contra los prisioneros. Tienen sus razones…

—¿Como cuáles?

—Escuché que lo que los motiva es vengar a uno de ellos que encontraron no hace mucho tiempo crucificado con bayonetas en las manos y los pies en una trinchera alemana.

Un gesto de sorpresa se dibuja en el rostro de los soldados americanos y, con un efecto retardado por la interpretación, en el de los mexicanos.

—Dicen que ellos, en respuesta, hicieron algo parecido a un soldado alemán que fue hecho prisionero, solo que con un añadido.

—¿Cuál?

—Lo amarraron y embozaron vivo a la rueda de una carreta vestido con el uniforme canadiense. Luego lo arrojaron a tierra de nadie a plena luz del día. La rueda giró varios metros hasta que las balas de los fusiles de sus propios compañeros lo alcanzaron y lo mataron. Aquello yo no lo vi, pero es lo que cuentan en el frente —asegura mirando con un interés repentino en dirección al grupo de los mexicanos—. Los británicos dicen que, en otra ocasión, un oficial canadiense fue enviado a custodiar a tres prisioneros alemanes en una trinchera. Fastidiado por los lloriqueos y los gemidos de uno de ellos, le apuntó con su revólver e hizo que abriera los bolsillos de su pantalón sin darse la vuelta. Enseguida le arrojó una granada en cada uno con el disparador arrancado. El canadiense se escabulló por una trinchera transversal y ¡pum, pum! Ahí quedaron esparcidos los pedazos del hombre.

Los soldados dibujan en su rostro un nuevo gesto de sorpresa y repugnancia seguido de un instante de silencio que rompe la voz del sargento Frank Fisher.

—El fanfarrón de Jackson... —dice detrás de los mexicanos.

Serna nota la presencia del mando, quien lanza una mirada de desprecio con sus ojos azules en dirección del soldado de camiseta blanca, quien también parece haber reconocido a la distancia al sargento.

—¿Quién es ese? —pregunta Aguirre.

—Daniel Jackson, originario de Arizona y dueño de una pedantería encantadora —indica Fisher sosteniendo la mirada entre los hombres.

—Eso es evidente, sargento —afirma el cabo.

—Ambos peleamos en abril pasado en Château-Thierry al mando de nuestros propios pelotones. Ese cabrón fue soldado raso de Pershing en México, bajo el mando de Moora, yo todavía no estaba en el ejército.

—No recuerdo haberlo visto en Chihuahua —dice Aguirre intrigado.

—Es un imbécil al que le encanta familiarizar con la tropa de esa forma, hacer alarde de cualquier acción, como puede ver. No hay nada que disfrute más que ser el centro de atención. ¿Qué demonios hace aquí?

El cabo vuelve a la narración de Jackson, quien asegura que, por extraño que parezca, los alemanes, al momento de hacer prisioneros a los soldados aliados, ni los torturan ni los matan.

—Han aprendido a tratar bien a los nuestros una vez que los detienen, al menos eso parece —afirma—. Cuando detienen a un americano buscan información, eso es lo que en verdad vale para ellos en este momento.

—¿Y los desertores? —pregunta el primer soldado.

—¿Los desertores? Esos son otra cosa —responde.

—Pues aquí los espías que se habían infiltrado la noche que nos gasearon los encontraron muertos en medio del bosque —afirma un soldado corpulento—. Hay quienes dicen que eran desertores y que buscaban entregarse por voluntad cuando nos bombardearon.

En silencio, los mexicanos intercambian miradas de complicidad.

—No lo creo. Conociendo a los alemanes, no creo que hayan buscado entregarse. Bueno, señores, mañana con gusto podré compartirles más actos de bravura en los que yo y mis hombres nos hemos visto envueltos en esta guerra que, estoy seguro, vamos a ganar con el esfuerzo de todos. Por ahora debo retirarme, me esperan en la comandancia. Pasen ustedes buena noche —dice Jackson al grupo poniéndose de pie.

Los mexicanos observan al mando aproximarse en su dirección. De un salto, se ponen de pie y saludan.

—Frank Fisher… esto sí que es una sorpresa —asegura con un tono de voz cargado de ironía—. Te imaginaba de vuelta en Fuston después de la desgracia ocurrida a tus hombres en Château-Thierry.

—Daniel… —responde el sargento.

—Capitán Jackson para ti. Yo fui ascendido de teniente a capitán. Debes tener cuidado ahora con las formas, sargento —asegura aproximándose, mirando con desprecio a Fisher y transformando su gesto en uno falsamente amistoso.

—Capitán Jackson —responde con desgano Fisher mirándolo a los ojos.

—Esos soldados con los que hablaba parecen estar listos para entrar en acción. Gente como ellos son la que necesita nuestro ejército. Muchachos blancos, gente de bien que sepa obedecer, seguir órdenes. ¿No lo crees, Frank?

El sargento permanece inmóvil y en silencio mirando al capitán, quien toma distancia y aguarda un momento para rodear la figura de Fisher.

—Por su bien, espero que no sean de tus hombres, sargento —dice palmeando su espalda—. De ser así, debería volver a reunirlos y advertirles en algún momento sobre la clase de mando que tendrán en la batalla. ¿No lo crees?

—No son de mis hombres. Puedes hacer lo que quieras con ellos, capitán —afirma Fisher sobre su hombro.

—Claro que puedo hacer lo que quiera, sargento. Ya lo verás. Tú solo preocúpate de no desaparecer durante la batalla —afirma Jackson enfilándose a la salida de la escuela.

—Jamás he desaparecido ni me he ocultado detrás de mis hombres, o de los tanques, como parece que tú sí hiciste en Amiens para luego vanagloriarte con éxitos ajenos.

Los mexicanos observan al capitán detenerse casi al llegar a la salida del patio, girarse y, con la mirada encendida, volver sobre sus pasos.

—Tú, Fisher, lo que deberías hacer es explicar, de una vez por todas, cómo es que sobreviviste después de aquella masacre en Château-Thierry sin un solo rasguño. No soy idiota. Sé muy bien que esos muchachos con quienes hablaba no son de tus hombres y son afortunados de no serlo. Estos indios recogealgodón son a quienes comandas ahora, ¿no es así? —dice lanzando una mirada llena de desprecio al grupo detrás del sargento—. Cuídalos bien, Fisher, porque los vamos a necesitar en Mort Mare para cubrir nuestro avance en unas semanas. Aquello será fulminante. Tú mismo serás testigo.

El capitán se gira para dirigirse a la salida de la escuela.

—Idiota —dice Frank Fisher entre dientes dibujando una sonrisa en su rostro al mirar la figura de Jackson abandonar el lugar—. Nos ha dicho lo que necesitábamos saber, cabo.

Aguirre sonríe junto a su superior también complacido.

—¿Qué es lo que ha dicho? —pregunta Serna a Aguirre intrigado.

—El capitán ha desvelado el lugar por donde avanzaremos.

—¿Por dónde? —pregunta Chávez.

—Mort Mare o algo así —responde Aguirre.

—¿Dónde es eso?

—No tengo idea. Hay que ir a buscar en el mapa de Pons. Andando.

Ocho
Los elefantes

Un cuervo solitario escruta nervioso el horizonte desde lo alto de un tronco muerto. A lo lejos, por el camino que conduce de Beaumont a Seicheprey, aparece un grupo de vehículos militares. El ave tuerce el cuello confundida y sacude sus plumas negras tornasol cuando observa al convoy aproximarse a toda velocidad. Al llegar frente a ella, el rugido sordo de los motores hace que lance un graznido, extienda sus largas alas y levante el vuelo de un salto para alejarse tan rápido como puede del lugar.

Es la mañana del 10 de septiembre de 1918 y el tráfico se ha incrementado extrañamente a plena luz del día en este sector. A los primeros camiones, que van dando tumbos por el camino desgastado, los siguen un grupo de automóviles y motocicletas militares que escupen humo negro por sus escapes; detrás de ellos, unas cuantas carretas de madera tiradas por caballos levantan una nube de polvo que se mezcla con el humo de los motores hasta formar una columna densa y visible a la distancia que asciende por todo lo alto.

—¿Por qué tanto alboroto? —pregunta Tobías González retirándose el casco en la plaza de Seicheprey, que ha sido ocupada por completo por tiendas de campaña donde han alojado a más tropa americana que, de noche y en las últimas semanas, no ha parado de llegar a toda esta zona.

Junto a él, Marcelino Serna señala con la cabeza en dirección del camino. González enciende un cigarrillo y afina la mirada tratando de identificar si se trata de transportes americanos, franceses o ingleses.

—Son de los nuestros —se adelanta a decir el cabo Alberto Aguirre, quien llega junto a ellos cubriendo sus ojos del reflejo del sol con su antebrazo derecho.

—En el mes que llevamos aquí no había visto movimiento así de día. Tenemos suficientes suministros en la cocina. ¿Son más hombres o qué traen esos cabrones? —regresa González.

—No, no son más tropas —responde el cabo de gesto recio forzando la vista.

Sin ningún sigilo, la caravana motorizada continúa su marcha aproximándose a más velocidad ayudada por la pendiente del camino.

La confusión se atiza cuando Aguirre dice reconocer los ataúdes de madera que transporta uno de los camiones.

—Traen artillería, pueden ser obuses o morteros —afirma mirando con fijeza a la distancia y limpiándose con la punta de los dedos la comisura de su boca ancha.

—Tas loco, Aguirre. No se transporta artillería a esta hora del día —asegura González.

—Eso ya lo sé —responde seco—. Pero eso traen.

—Algo está pasando. Quizá hayan cambiado el plan de ataque —sostiene Serna.

—Puede ser, Chief. Todo esto es un desmadre y nadie dice un carajo —añade el cabo negando con la cabeza—. Aquí nadie sabe nada y los que dicen saber algo por el día, afirman otra cosa por la noche.

Alertados por Elizardo Mascarenos, Luis López, Víctor Baca, Manuel Chávez y los hermanos Ochoa se desperezan en el patio de la escuela donde dormían junto a otro grupo de soldados para ir al encuentro de la misteriosa caravana militar. Como desde hace semanas, los mexicanos han pasado otra noche realizando los mismos ejercicios de marcha agrupados en pelotones.

González acomoda su rifle sobre su hombro y al fin mira llegar a los primeros transportes con los motores ardiendo frente a ellos. El primer grupo se detiene en la plaza del pueblo rodeados por una multitud de soldados curiosos. Otros más pasan de largo en dirección al este, por el camino polvoriento que conduce a Flirey y continúa al pueblo de Limey. El segundo grupo, el de los carros, las motocicletas y las carretas, cruza también sin detenerse forzando la marcha.

Los soldados miran detrás de ellos. De la iglesia salen dando largos pasos los mandos de las compañías A, B y C acompañados del capitán John C. Moora.

Un soldado espigado desciende del primer camión y saluda al mando. Enseguida le informa —como supuso Aguirre— que los transportes vienen cargados hasta el copete de obuses, morteros, ametralladoras y municiones de distintos calibres. El soldado agrega que han recogido el material esa mañana muy temprano en la estación de tren de Rambucourt y que, por órdenes de la comandancia general, deben ser descargados tan rápido como sea posible sin esperar la noche. El capitán responde que está al tanto de las órdenes de la comandancia general, que él mismo tuvo comunicación hace solo unos minutos con el cuartel del Regimiento 355 en Ansauville, quienes recibieron las instrucciones. Con su encargo cumplido, el soldado espigado se cuadra y se despide. Moora ordena a sus oficiales repartir instrucciones a sus hombres y poner manos a la obra de inmediato.

Marcelino Serna observa en dirección a la trinchera de Saint-Baussant, la más próxima a ellos, desde donde sabe que los vigías alemanes les siguen los pasos de día y de noche.

—Por fin, Pershing ha tomado el control de nuestro ejército —dice Frank Fisher aproximándose al grupo—. El Primer Ejército Americano ha sido formado y su plan está en marcha. Es cuestión de horas para que lleguen nuestras instrucciones.

—Eso es evidente, sargento. Llamaron muy bien la atención de los alemanes —sostiene el párroco Pascale Marie Pons integrándose al grupo de mexicanos, quienes saben que entrar en acción es cuestión de días, o incluso horas.

La tarde anterior, al caer el sol detrás de las colinas abigarradas del departamento de Meurthe y Mosela, Manuel Chávez entró corriendo al patio de la escuela donde algunos de los mexicanos preparaban material mientras otros jugaban rayuela apostando a ver quién tiraba la teja más cerca de una línea recta marcada en la tierra.

—Aguirre, el viejo se recuperó y volvió. Aguirre —gritó el soldado unos metros antes de su compañero.

—Tranquilo, niño. ¿De qué hablas? —preguntó confundido el cabo.

—¿De Pons? —intervino Ochoa.

—Sí, pues cuál otro viejo. Lo trajo la enfermera del Chief junto a otros soldados que dieron de alta hace un rato. Están en la plaza, vienen pa'cá.

—Bien dicen que hierba mala nunca muere —susurró González usando su turno para tirar la última teja, misma que cayó muy cerca de la línea superando al resto de sus compañeros.

Al escuchar que Élise acompañaba al párroco, Serna dejó caer al suelo su casco verde en el que grababa en uno de los costados con pintura blanca una W dentro de un círculo, el símbolo de los *Rowling W*, su regimiento. Tan rápido como pudo, ató los cordones de sus botas, tomó su cazadora donde llevaba el papel con el mensaje de la chica y otro más que había escrito él mismo con la ayuda del maestro Ochoa y salió corriendo. Detrás de sus compañeros, llegó al encuentro de su enfermera, quien ya se enfilaba al acceso de la escuela.

—*Bienvenu*, Pons. Carajo, ¡qué gusto! —dijo Ochoa sonriendo al encontrarse con ellos—. ¿Cómo está?

—Bien, maestro. Me recuperé gracias a los polvos del soldado; pero sobre todo gracias a las atenciones de estas señoritas canadienses. Son unos ángeles, tienen ustedes la suerte de que estén a su lado —enfatizó mirando de reojo a Élise—. Si tan solo tuviera treinta años menos, solo treinta menos, me pensaba eso de los votos religiosos para irme con cualquiera de ellas a su país, aun y con el frío que me cuentan que hace por allá.

La joven enfermera sonrió de forma breve mientras los hombres rieron al escuchar la interpretación de Ochoa. Entre los rostros juveniles y expectantes de los soldados, Élise reconoció el de Marcelino Serna, quien la miraba encantado como a las aguas del mar por vez primera hace unas semanas. La chica, por su parte, no hizo por ocultar lo que para ambos era evidente en ese momento y se acercó a él. Le extendió un trozo de chocolate que el muchacho recibió con sorpresa. Serna, por su parte, le entregó la hoja doblada en la que Ochoa había transcrito las líneas en francés.

—¿De dónde ha salido este gentío, maestro? —preguntó el sacerdote mirando a su alrededor—. Es, por lo menos, el doble de personal del que recuerdo, quizá más.

—Somos más del triple que hace un mes —corrigió Aguirre.

—Hay tantos que a nosotros nos botaron del salón de clases para acomodar a unos muchachos blancos de Connecticut que se estaban empiojando en el campamento —interrumpió Ochoa.

—Antes de dejar el lugar nos aseguramos de guardar sus cosas en un sitio seguro, padre —agregó Chávez—. Incluido sus libros, el mapa y sus pócimas.

—No son pócimas, muchacho, es medicamento, medicamento. Les agradezco —respondió el viejo sonriendo—. ¿Hay más gente en el puesto de reserva, el que está detrás de la trinchera?

—No, de hecho, ahí en el llano y en el otero, donde están los palomares, redujeron el número de elementos desde hace una semana —reportó el maestro—. También disminuyó considerablemente el tráfico de vehículos de noche y de día, sobre todo en el camino que va de Flirey a Limey.

—Los que están a la vista de los alemanes…—dedujo Pons. Ochoa asintió con la cabeza.

—Y debería ir a asomarse allá detrás del bosque de Hazelle, en el de Voisoigne, en el vallecito ese que se hace pasando Beaumont, para que vea la cantidad de gente que hay ahí amontonada. Yo no he ido, pero he escuchado que en Rambucourt los soldados apenas tienen lugar para recostarse entre los escombros y hacer sus necesidades. No tengo idea de cómo la estén pasando ni cómo los estén alimentando. Hay quienes dicen que somos más de medio millón regados en toda esta zona, entre Bouconville y Mousson, y no lo dudo. Desde que llegamos éramos un chingo, ahora más.

—Es lo que escuché decir a los sanitarios hace unos días, que ya superan el medio millón…—confirmó el sacerdote volviendo a mirar a su alrededor.

—Todos estamos listos e impacientes por entrar en acción, padre. Pero no vemos claro pa' cuándo vaya a pasar eso —sigue el maestro mirando al grupo—. Tenemos semanas esperando y nada, puro ejercicio. Solo nos dicen que hay que practicar de vuelta porque un ejército sin orden es solo una muchedumbre.

—Yo no estoy esperando el momento en que cancelen la operación y nos devolvamos por donde vinimos —dijo Chávez—. A ustedes son a quienes les anda por ir a echar plomazos.

Desde su posición, Tobías González lanzó una mirada irritada a su compañero.

—¿Qué les dijo Fisher sobre sus órdenes? —cuestionó el párroco tomando asiento en una esquina del patio, con los soldados morenos rodeándolo.

—No mucho. Aquí todos los días murmuran varias cosas, tantas que no sabemos qué es verdad y qué es mentira, incluyendo los dichos del sargento. Todo lo que hacemos es esperar. Apenas por el día limpiamos fusiles, preparamos las mochilas, comemos y sesteamos hasta que se pone el sol. Entonces salimos a marchar, marchar toda la noche agrupados en pelotones en formación de zigzag allá en un claro de Beaumont, donde según no nos pueden ver los alemanes. Lo último que pudimos saber, y eso fue hace unas semanas gracias al sargento Fisher, es el lugar por el que, Dios sabe cuándo y cómo, seremos utilizados.

—¿Cuál lugar?

—Mort Mare o algo así.

—Mierda —escupió Pons de pronto.

—Es un bosque frente al pueblo de Flirey, ¿no es así? No habíamos podido localizarlo en su mapa porque no estaba marcado, pero unos soldados franceses que volvieron de la trinchera nos ayudaron a ubicarlo.

—Así es. ¿Y les hablaron acerca de ese lugar?

—No. ¿Por qué?

El párroco miró por un segundo al maestro y lanzó un suspiro antes de responder.

—Mort Mare, en efecto, está justo frente a Flirey. Ese lugar es... —se detuvo el párroco con los mexicanos mirándolo con atención—. No sé si sea prudente que les comparta a sus compañeros esto que le voy a contar.

—¿Qué cosa? Dígame. Yo veo si les traduzco o no.

Al escuchar las palabras del sacerdote, Élise, quien aún se encontraba junto a Serna, se acercó para escuchar a detalle.

—Esa franja del sector a donde serán enviados es impenetrable, impenetrable.

—¿Impenetrable? ¿Por qué razón? —volvió el maestro invadido por una mezcla de curiosidad y desconcierto ante la mirada atenta de Aguirre, quien no entendía ni una sola palabra.

—Se trata de un kilómetro de tierra inhóspita habitada por un mar de obstáculos, alambre de púas, rocas, fango y cadáveres insepultos. Lo peor es que... —se detuvo nuevamente Pons frente al grupo que seguía sin comprender por qué Ochoa tardaba tanto en interpretar—. Lo peor es que ese llano tiene una pendiente en contra, quizá la más pronunciada de todo este sector. Créame, desde que los alemanes se estacionaron aquí nadie ha alcanzado su posición por esa franja, nadie. Y son muy pocos los intentos que se han hecho. Cualquier ataque frontal por ese lugar es una locura, por completo suicida; sí, suicida. Para los alemanes, desde ahí arriba, detener su avance será tan sencillo como una práctica de tiro.

Ochoa sintió un hueco en el estómago al escuchar aquellas últimas palabras. Su preocupación se reflejó en un gesto de su rostro que no pudo ocultar más.

—¿Qué chingados dijo? —preguntó Aguirre molesto—. Dime, carajo.

El soldado tomó unos segundos para responder a su superior.

Al terminar de escuchar a Ochoa, el cabo apretó la mandíbula. Chávez se llevó las dos manos a la cabeza lamentándose y el resto se miraron unos a otros con preocupación. Élise tomó la mano rasposa de Marcelino, a quien tenía a su izquierda junto a ella y la apretó sin que los demás presentes lo notaran.

—¿Qué carajos hacemos aquí, Aguirre? —preguntó el soldado con cara de niño esta vez muy nervioso—. Larguémonos ya, ahora que podemos. Esta no es nuestra guerra. Estos hijos de la chingada nos enviarán al matadero. Carajo, ¿no lo ves, no lo ven? Podemos largarnos esta noche de aquí, viajar hasta España, no debe estar tan lejos. Quizá podamos quedarnos ahí hasta que la guerra acabe y volver a casa o hacer una nueva vida allá. No tenemos que morir por un país que nos desprecia, no tenemos que hacer esto, por Dios…

—Si lo que dice Pons es cierto, si avanzamos por ese lugar, lo más probable es que vayamos a morir, Aguirre —sostuvo López con preocupación mirando a Chávez.

El desasosiego se apoderó del grupo por completo por unos segundos hasta que González dijo negando con la cabeza:

—Pues no voy a ningún lado, Aguirre. Ni madres. Si desertamos y nos agarran, nos mandarán directito para el paredón. Ay, ustedes saben. Yo me quedo aquí.

—Exacto. Nos enviarán al paredón sin juzgarnos, seguramente —lo secundó Mascarenos—. Yo también me quedo.

—¿Prefieres entonces que una bala te atraviese? —preguntó Chávez.

—Yo no voy a salir corriendo a ningún lado. Vine a pelear y eso haré —respondió González mirando de frente a su compañero.

—Yo también, aquí me quedo. Somos machos, no cobardes, cabrón —regresó Elizardo.

—Hombría, cobardía... es que no hay gloria en todo eso, por Dios. Maestro, usted es un hombre de razón, haga que recapaciten —pidió Chávez aún más agitado, dirigiéndose a Marino Ochoa, quien volteó a mirar a su hermano—. Nos quieren como hulla para alimentar los cañones enemigos, que seamos su cortina de humo para que puedan avanzar y llenarse de gloria. Vamos a morir en tierra ajena y dejarán ahí nuestros cuerpos pudriéndose en el campo peor que animales, ¿no lo ven?

—Y allá de donde vinimos, ¿cómo morimos nosotros y nuestra gente, chamaco? —pregunta de pronto Bicente Ochoa dando un paso al frente para encarar a su compañero—. Allá nuestra gente se muere de cualquier cosa, de una enfermedad, de sed en el desierto o de cansancio por trabajar en el campo bajo el rayo del sol, por picar piedras en una mina o por cualquier cosa que los patrones llaman accidentes. ¿Crees que eso es mejor que aquí? Si a ti te parece así, lárgate, vuélvete a la chingada, pero ya. Yo tampoco me voy a rajar.

—¡Yo tampoco! —dijeron varios al unísono.

Chávez los miró con desprecio por unos segundos, luego soltó sin medir sus palabras antes de girarse con la intención de alejarse:

—Son unos pendejos.

Serna, quien se encontraba de frente a él, miró el gesto de Bicente Ochoa llenarse súbitamente de ira y soltar un puñetazo en medio de la cara de Chávez seguido de un puntapié en el vientre que le sacó el aire.

Temerosa, Élise dio un brinco para colocarse detrás de Marcelino sin comprender qué había encendido el ánimo entre los soldados.

—Entiende, nos están enviando al matadero, cabrón —afirmó Chávez doblado de dolor.

—Carajo, Bicente —soltó Marino acercándose para tranquilizar a su hermano mientras el resto del grupo miraba desconcertado.

—Ya. Serénense, cabrones —gritó Aguirre dando un paso al frente intentando poner orden—. No tenemos que madrearnos por algo que no decidimos nosotros. En efecto, nadie se va a ir de aquí. Vamos a pelear y lo vamos a hacer por cada uno de nosotros y por nuestra gente, por nuestras familias. Es el momento de mostrar, de una vez por todas, de lo que es capaz nuestra raza, la valentía y el coraje que corre por nuestras venas.

El grupo asintió al unísono intercambiando miradas cargadas de bravura y vigor. Manuel Chávez, por su parte, miró con resentimiento a sus compañeros y a Bicente Ochoa en particular, quien se alejó furibundo justo en el momento en que dos enfermeras canadienses entraban al patio de la escuela buscando a Élise para informarle que los transportes estaban a punto de volver a la clínica de Flirey.

—Por favor, dígale a Marcelino que espero volver pronto, antes de que sean movilizados —pidió la chica al maestro Ochoa lanzando una mirada cargada de ternura a Serna antes de abandonar el lugar.

El mexicano observó a la chica alejarse junto a sus compañeras y se aproximó a Chávez, quien intentaba recomponerse de los golpes.

—Manuel, escúchame. Para pelear una guerra hay que tener una causa. La lucha no existe sin una causa y una razón justa. Casi todos aquí tenemos una o varias. Te recomiendo que halles la tuya.

—Yo no tengo por qué pelear esta ni ninguna otra guerra.

—No hay muchas alternativas, Manuel —dijo Serna sin que su compañero lo mirara a los ojos.

En la plaza del pueblo, el grupo de enfermeras canadienses y los ordenanzas que las acompañaban abordaron el camión que las llevaría de vuelta a la clínica de campaña.

Una vez arriba, Élise desdobló la hoja de papel que Serna le había entregado y leyó:

Élise,

Soy mexicano, del estado de Chihuahua. Dejé mi casa, a mi madre y a mis hermanos hace cuatro años porque me sumé a la Revolución en México. Al pelear por causas que considero justas en mi país, me di cuenta de que mi vida tenía sentido. Hace dos años me fui a trabajar a Texas, después a Colorado. Cuando nos llamaron a la guerra, me apunté para ser soldado sin pensarlo. He venido a pelear junto a mis hermanos mexicanos; ellos están aquí por sus familias en Estados Unidos y yo estoy aquí por ellos.

Yo también anhelo conocer más detalles sobre usted en algún momento.

Con respeto y admiración,

Soldado raso, Marcelino Serna
Compañía B, Regimiento 355, División 89, Fuerza Expedicionaria Estadounidense.

Al llegar a la clínica de campaña, Élise volvió a leer la carta de su soldado, esta vez, reparando en cada detalle ahí escrito.

Es de madrugada y llueve. Pero esas no son todas las novedades de este 11 de septiembre de 1918, en Seicheprey. La más importante es que las órdenes de combate para todos los hombres del recién formado Primer Ejército de Estados Unidos, apostados en el sector de Toul, por fin han llegado.

En unas horas, cada uno de los casi seiscientos mil hombres que aquí se encuentran deberán conocer a detalle su función en el tablero bélico que está a punto de ser desplegado. Así lo ha dispuesto la comandancia general en una reunión de alto nivel ocurrida dos noches atrás. En ella, por seguridad, solo han participado el mariscal francés Ferdinand Foch, el general francés Philipe Pétain, el mariscal inglés Douglas Haig y el general estadounidense John J. Pershing, la cúpula militar aliada.

De las resoluciones de ese encuentro, el sargento Fisher ha tomado nota esta noche en una reunión en el cuartel del Regimiento 355 de Ansauville. Ahora, envuelto por la penumbra y la lluvia, se dirige a largos pasos al patio de la escuela de Seicheprey, donde duermen sus hombres después de una larga y pesada jornada para descargar la artillería que llegó a bordo de los camiones y de llevar a cabo los ejercicios de marcha. Al ingresar al patio, el oficial se desplaza dando saltos por una cordillera de ponchos para la lluvia tendida sobre el suelo. Protegidos del frío y el agua, encuentra a sus hombres en una esquina junto a la barda en ruinas.

—Aguirre, despierta —dice el sargento con el agua escurriendo por su casco.

El cabo se despereza y reconoce al oficial frente a él.

—La llegada de los camiones de ayer fue una acción premeditada, también el retiro de los hombres del campamento de reserva —asegura Fisher mientras el cabo trata de comprender las palabras de su superior—. Llegó el momento de entrar en acción. Necesitamos con urgencia el mapa y a Pons. Rápido. Hay que alistar a la gente para dar a conocer las órdenes. Rápido, tienes diez minutos.

De un salto, Aguirre se pone de pie y golpea las botas de Marino Ochoa, quien aún duerme profundamente.

—Carajo, ¿qué ocurre? —pregunta el maestro desprendiéndose de la capa impermeable que le cubría la cara.

—Fisher dice que las órdenes han llegado. Vete a buscar a Pons, pero de volada. Antes, dile al Niño que se traiga el mapa y al Chief que prepare al resto. Fisher nos quiere a todos listos en diez minutos. ¡Ándale, pícale que es para ya!

Marino Ochoa se aleja corriendo en busca del sacerdote. Marcelino, por su parte, urge a sus compañeros a ponerse de pie y prepararse. Mascarenos y González lo toman por loco y vuelven a acurrucarse en la zanja que ellos mismos cavaron hace unas horas y que, durante toda la noche, les ha servido como refugio impermeable. Baca, por su parte, pregunta amodorrado si acaso se trata de otro ejercicio militar de madrugada. Sin embargo, al enterarse de que no se trata de otro simulacro y de que las órdenes de batalla esta vez han llegado, se despabila y comienza a juntar sus cosas con la celeridad de quien domina una acción con los ojos cerrados por haberla entrenado una y otra vez hasta el cansancio.

Serna observa a Chávez arrimar sus pertenencias y ajustar sus cartucheras a su pecho con una actitud distinta, con una mezcla de coraje y orgullo, que no intenta disimular esta vez, como si algo, con el transcurso de las últimas horas, lo hubiera hecho recapacitar. Marcelino se apresura para acomodar sus pertenencias y, por ahora, no hace más por saber qué fue lo que sucedió con su compañero y si ha desistido a la idea de desertar.

Junto a los mexicanos, otros grupos reciben también la orden de alistarse. En cuestión de minutos, todo el pueblo de Seicheprey se convierte en una romería de uniformes verde olivo que va y viene entre las sombras, en un aparente sin sentido en busca de agruparse con sus unidades.

Por completo equipados, los mexicanos se reúnen en el salón de clases que ha abandonado el grupo de muchachos rubios de Connecticut. Al ingresar con una lámpara de gas en mano, Fisher suelta enseguida la noticia de que hace un par de semanas el batallón de comunicaciones, apostado en la comandancia de la División 89 de Lucey, logró interceptar un reporte de inteligencia de uno de los regimientos de la División 10 alemana que aseguraba que, dada la reducción de tráfico en la zona en los últimos días, el ataque americano por este sector «había sido probablemente pospuesto». Sin embargo, la tarde anterior, como todos observaron, la comandancia aliada quiso hacer evidente al enemigo la llegada de equipo a esta zona.

—La comandancia lanzó el anzuelo y esos malditos lo mordieron —dice cuando deposita la lámpara sobre el escritorio del salón—. Las tropas alemanas fueron desplazadas al oeste del frente.

—Un movimiento inteligente, pero que seguro es parte de algo más grande —afirma el viejo Pascale Marie Pons, cuyas arrugas del rostro son marcadas por la luz amarilla que ilumina el mapa.

—¿A qué se refiere? —pregunta el sargento extrañado mirando a Ochoa, quien vuelve a interpretar al sacerdote.

—Digo que toda guerra se gana con una idea, sargento —aclara Pons—. Los elefantes de Aníbal con los que cruzó los Alpes, el caballo de Troya… ¿cuál es la idea de la comandancia americana para acabar de una vez por todas con esta guerra absurda?

Detrás de sus compañeros, Víctor Baca frunce el ceño, cruza los brazos y lanza un largo suspiro al no comprender de qué va esa conversación.

—La idea es de Pershing —asegura el sargento mirando al sacerdote—. La ofensiva de hecho ya ha arrancado. Lo hizo con la batalla de Amiens. En este momento nuestros servicios de inteligencia son mejores que los del enemigo, no se diga la artillería, los aviones y la cantidad de tropa que tenemos. En esencia, la idea, padre, es lanzar una serie de ataques sorpresa y rápidos contra objetivos muy concretos que hagan que los alemanes abandonen los territorios que han mantenido ocupados, tal y como los que tenemos delante de nosotros.

Fisher apunta con su dedo índice a un punto en el mapa. Los mexicanos se compactan al mismo tiempo en el escritorio solo para comprobar que el mando ha apuntado a la zona del bosque de Mort Mare como esperaban.

—Lo que buscaba la comandancia con la llegada del convoy de ayer era llamar la atención de los alemanes, hacerles creer que el movimiento de material y tropas recién ha iniciado para que ellos movilicen sus equipos y divisiones desde el oeste hasta aquí —continúa el sargento—. Lo que no saben es que nosotros atacaremos antes.

—¿Cuándo? —pregunta Aguirre

—Mañana mismo.

Atento, entre las sombras, Serna acaricia la madera y el hierro frío de su fusil que lleva al hombro. Junto a él, González susurra a un Baca que continúa perdido:

—Te dije que no pasaba de este mes, Pie Grande. Los comandantes no van a dejar que el frío del invierno nos alcance por ningún motivo.

—Los refuerzos alemanes no tendrán tiempo ni de salir hacia acá cuando inicie nuestro avance para romper sus líneas —continúa Fisher—. Entonces, en el oeste, otro ataque arrancará y nosotros tendremos que suspender el nuestro antes de que se produzcan más bajas de las necesarias. Esta estrategia ya se probó y funcionó para liberar la línea ferroviaria de París a Avricourt y la de París a Amiens en agosto. El plan de Pershing es que el enemigo no tenga idea del lugar por donde vendrá una nueva arremetida a lo largo del frente y los tome desorganizados.

Del interior de su cazadora, Fisher extrae un documento que, informa, son las órdenes oficiales recibidas por la comandancia de la División 89:

La misión de la División 89, según lo dispuesto por las órdenes de campo, son las siguientes:

Esta División atacará de manera general en dirección a Dampvitoux, apoyando el avance de la División 42 a nuestra izquierda. Desde ahí se asistirá también el avance del Primer Cuerpo de la División 2, girando en el bosque de

Euvezin hasta llegar al bosque de Beau Vallon y Thiaucort desde el oeste. Mediante la captura del borde este del bosque de Mort Mare, nuestra división ayudará al avance inicial del Primer Cuerpo de la División 2. Si la División 2 se retrasa, la División 89 capturará Thiaucort y se la entregará a la División 2.

Sobre el primer mapa, el sargento desdobla un segundo plano de la zona que él mismo ha trazado, uno mucho más detallado en el que se extiende el frente en una línea horizontal sobre los pueblos de Xivray, Seicheprey y Flirey. El trazo hecho a mano está dividido en cuatro secciones que corren en paralelo en dirección al norte. Cada una está marcada por el número de división que avanzará a través de ellas. En el centro de la imagen, los soldados observan la zona por la que correrá la División 89, los *Rowling W*, la de los mexicanos que, como afirma la orden de campo, avanzará a la derecha de la División 42 y a la izquierda de la División 2, los llamados *Indianhead*.

—En unos minutos seremos trasladados a la trinchera que se encuentra al norte de Flirey —asegura—. Ahí esperaremos la orden de avance en dirección al bosque de Mort Mare.

Serna observa de reojo a Chávez, quien mantiene una actitud orgullosa y concentrada. De pronto, Aguirre se adelanta y solicita la palabra.

—Sargento, si me permite, los hombres están enterados de lo complejo que puede ser avanzar por esa zona de Mort Mare. Aquí el sacerdote Pons nos ha puesto al tanto de la situación del terreno. Si no falto a su autoridad, quisiéramos saber qué sabe usted sobre las posibilidades reales que tenemos de conquistar ese terreno ante un enemigo en franca ventaja por su posición elevada.

Al escuchar las palabras del cabo, Fisher lanza un largo suspiro y se aleja del mapa. Sin prisa, se retira el casco y mira por un instante los rostros cobrizos e impasibles, llenos de vida, que tiene delante de él.

—Sargento, con su permiso, con esta estrategia están enviando a estos muchachos a morir —agrega el viejo Pons mirando fijamente al mando—. Para alcanzar la cima donde se encuentra el bosque de Mort Mare es necesario ascender por lo menos un kilómetro por un llano desprotegido de, también por lo menos, cuarenta grados de inclinación en contra.

—La comandancia está al tanto de eso, padre —responde Fisher.

—Si están al tanto, ¿por qué los están enviado por esa zona? —insiste el sacerdote—. Hace tres años, en 1915, una división francesa intentó exactamente la misma operación que ustedes ahora plantean, sargento. La respuesta alemana fue tal que ningún soldado, ni uno solo, pudo aproximarse siquiera a la primera trinchera enemiga. Todos quedaron muertos y sus cuerpos nunca se recuperaron. Ahí deben de estar todavía. ¿Se lo han dicho sus superiores?

—No, padre.

Frank Fisher coloca las manos sobre el escritorio y aprieta los puños conteniendo el coraje.

—Jamás mencionaron esa operación fallida. Esos desgraciados me están poniendo en la misma situación que en Château-Thierry.

Los mexicanos se miran unos a otros sin entender a qué se refiere Fisher.

—Somos nosotros —dice con agudeza Chávez a Marcelino de cerca.

—¿Quiénes?

—Los elefantes de Aníbal, el caballo de Troya… la idea de Pershing es echarnos a nosotros en bola al frente para llevar a cabo su avance masivo.

«El brío de su sonrisa es la única fuente de alegría en los días aciagos en este lugar», lee Serna sobre el papel en el que se depositan las gotas de lluvia que continúan cayendo sobre el pueblo de Seicheprey.

Entre la nutrida multitud de soldados desperdigados a la espera de la orden de avance para ir a posicionarse en la trinchera, el mexicano piensa un momento en el rostro y la figura de Élise, a quien desconoce si volverá a ver en algún momento. Sin prisa, dobla la carta y la coloca en el interior de su cazadora, a la altura de su pecho, como un tesoro, como ha visto que los demás soldados hacen con las misivas de sus novias provenientes de Estados Unidos.

En silencio, aún dueño de esa expresión de orgullo y molestia en el rostro, Manuel Chávez llega junto a Serna equipado por completo y listo para marchar.

—Decidiste quedarte, Manuel. Me da gusto —asegura Marcelino.

El soldado con cara de niño asiente indiferente con la cabeza.

—Encontré una razón para luchar —dice sin mirar a su compañero.

—¿Cuál es?

—La guerra misma.

—¿La guerra? —cuestiona extrañado Serna cargado con todo su equipo y cubierto por la capa impermeable.

—He comprendido que la única forma de largarnos de aquí es terminar con la guerra de una vez por todas. No queda de otra más que ser parte de ella, luchar e intentar sobrevivir desde dentro.

—Bien. Pero recuerda una cosa: de la guerra nadie sale victorioso, solo la guerra misma, Manuel —dice Marcelino mirando a su compañero a los ojos, a ese muchacho que desde el primer momento en que lo conoció mostró su desacuerdo con viajar a Francia.

—No busco victoria, solo que este absurdo termine de una vez por todas y para siempre.

Una multitud de soldados rubios se aproxima para sumarse a la columna de los mexicanos que se prepara para avanzar. Se trata de los hombres de la Compañía A del muy pedante capitán Daniel Jackson, quienes forman una columna de cuatro. Fisher y el coronel Moora se integran y ordenan al resto, los negros y los mexicanos, colocarse en formación sobre el camino que conduce a Flirey.

—Hay algo que he querido preguntarte desde hace tiempo, Marcelino —sostiene Chávez integrándose al grupo.

—¿Qué cosa?

—La noche que nos gasearon, cuando patrullábamos el bosque y el soldado alemán me agredió. ¿La recuerdas?

—La recuerdo bien.

—Desde el piso, entre el humo del gas, te vi golpear con furia a ese soldado. Esa imagen no se borra de mi mente: la culata de tu rifle castigando a ese hombre una y otra vez. Ese coraje… no sé, es algo en lo que pienso mucho desde entonces y que creo que es tu razón para pelear más allá de la injusticia que te parece la guerra.

—Ese cabrón y su compañero intentaron matarnos, Manuel. El primero te golpeó por la espalda y el segundo nos disparó antes de huir, quizá no lo recuerdas —responde Serna seco intentando justificarse.

—Claro que lo recuerdo. Estuvimos en riesgo un momento, pero solo un momento. Éramos más y tú le diste alcance. Pudiste haberlo tomado prisionero y, con eso, demostrar tu valentía; pero no, algo más allá de evitar que me hiciera daño te hizo golpearlo hasta la muerte, algo que no sé qué fue y quiero saber qué es —dice Chávez con las gotas de lluvia deslizándose sobre la tela de su poncho.

—No sé a qué te refieres.

—Mira, si voy a quedarme a participar en esta maldita guerra, quiero saber qué hace a un hombre capaz de matar a otro y volver a dormir sin culpa alguna —se gira para increpar a su compañero—. Estoy seguro de que después de asesinar te conviertes en otro. ¿No es así?

—Así es —responde Serna bajando la mirada.

—Necesito saber qué te ha motivado a matar a ti, Marcelino

Serna. Necesito saberlo antes de que entremos en acción. Te lo pregunto porque, en este grupo, los únicos dos que han sido soldados antes de venir aquí a Francia son Aguirre y tú; pero el único que le ha arrancado la vida a un hombre, que yo sepa, eres tú. Y no me salgas con eso de que, si no matas, te matan…

Serna mira de frente a Chávez nervioso intentando resistirse al asalto repentino de los fantasmas del pasado, a esos recuerdos infaustos que asisten al primer llamado e invaden por completo su mente y su alma.

—Te lo dije, Manuel, cada quien tiene sus razones para pelear. En mi caso, debes saber que hay algo que, en ocasiones, como ocurrió aquella noche, se mete dentro de mí y que no lo puedo controlar —asegura Serna tragando saliva—. No sé cómo explicarlo. Es… es como un calor que me recorre y me embriaga de furia por completo. Es… algo que me pasa desde hace muchos años. Al ver a aquel soldado alemán aprestar el garrote en todo lo alto para golpearme pude ver en su cara el origen de aquella ira incontrolable que me consume.

—¿Qué?

Marcelino hace una pausa antes de responder.

—Mi padre.

—¿Tu padre? —replica sorprendido el muchacho.

El chihuahuense asiente con la cabeza cuando el capitán Moora da la orden de iniciar la marcha en medio de la noche en dirección al frente.

Nueve
La sombra

Las botas de piel de Marcelino Serna se clavan y brotan del fango una y otra vez. Junto a decenas de soldados, el mexicano camina decidido y a paso veloz con sus pertrechos a cuestas. Los hombres de las compañías A, B y C del Regimiento 355, integrados en la Brigada 178, bajo el mando del coronel George Baker —un hombre recién llegado de Estados Unidos, de toda la confianza del capitán John C. Moora— son los primeros que deben llegar a la última trinchera francesa que mira al bosque de Mort Mare antes del alba. Ahí tendrán que aguardar por la orden de avance que los lleve a hacer frente a su destino, cualquiera que sea.

La columna se inserta deprisa en línea de cuatro por las calles desgastadas de Flirey. A su paso, Serna reconoce la vía que lleva al único edificio en pie de este pueblo, el de la vieja alcaldía convertido en clínica de campaña. El mexicano se agita cuando observa, entre el manto blanco de una sutil neblina y la lluvia que no deja de caer, los camiones con las cruces rojas a sus costados. Un súbito deseo de romper filas e ingresar a la clínica de campaña, iluminada por unos faroles de gas, en busca de Élise lo invade; sin embargo, la idea de ser castigado y no poder participar en la primera arremetida por la que ha aguardado durante todos esos meses detiene su impulso y sigue su marcha.

Un puñado de sanitarios sale de la clínica alertado por el paso del primer cuerpo militar americano que se moviliza al frente. A lo lejos, Serna cree reconocer una figura pulcra cubierta por la capa azul marino del uniforme canadiense que se adelanta y se aproxima curiosa a la formación que no se detiene. Su duda se desvanece cuando, de cerca, reconoce el rostro ovalado de Élise alumbrado por la luz de un farol. Sin conseguirlo, el soldado hace por llamar la atención de la enfermera mientras ella recorre con urgencia el pelotón en sentido opuesto.

Una voz grita el nombre de la chica. «Élise», vuelve a escuchar sin que ella pueda localizar de dónde proviene el llamado. Su corazón da un vuelco cuando, al otro lado del camino, entre la delicada cortina blanca, sus ojos logran identificar la figura del soldado mexicano cubierto por su impermeable y su casco. Sin esperar, la enfermera toma la iniciativa y atraviesa la tropa zigzagueando por en medio de la formación en movimiento. Como la primera vez que ambos se encontraron en el vagón de heridos, el mundo y la guerra dan una minúscula tregua cuando sus miradas se encuentran de cerca. Debajo de su casco, Marcelino dibuja una sonrisa cómplice con sus gruesos labios que ella descompone, de forma inesperada, con un beso profundo e intenso.

—*Reviens bien, s'il te plaît. Je serai l'ombre qui regarde tes pas* —dice ella acariciando tiernamente el rostro terso del joven mexicano, quien la mira cautivado.

—Regresa con bien, por favor. Yo seré la sombra que cuide tus pasos —dice la voz de Marino Ochoa detrás del mexicano.

Con un gesto, el maestro se disculpa con la enfermera y su compañero por entrometerse y escuchar sus palabras. Enseguida, le pide a Marcelino que se apresure para reincorporarse al grupo si no quiere que ambos sean castigados.

Sin dejar de contemplar a su enfermera, Serna asiente con la cabeza y, a manera de promesa, se lleva la mano derecha al corazón.

—Yo no la olvidaré ni con la muerte —asegura Serna en español, esperando un momento para que el maestro interprete sus dichos—. No se preocupe, Élise. Estoy seguro de que nos volveremos a encontrar. Aquí o al volver a América. Da igual.

Los dos soldados arrancan una carrera que sacude todo el equipo que llevan a cuestas. Aguirre los mira volver mientras el sargento Frank Fisher les ordena con un grito que se incorporen a la fila de inmediato. Marcelino se coloca entre Luis López y Manuel Chávez mientras Marino Ochoa se inserta en la primera línea junto a su hermano y el párroco Pascale Marie Pons, quien marcha integrado a la columna.

Cargado de un nuevo brío, Marcelino avanza a paso veloz. En los linderos de Flirey, repara en una imagen que le eriza la piel. Como un ejército en formación, hileras interminables de cilindros de acero se asoman entre pilas de escombros y sacos de arena. Al aproximarse, Serna reconoce los miles de crestas doradas y relucientes de las ojivas de las cargas de obús. Entre ellas, observa los largos cañones de ruedas de madera y acero que apuntan y aguardan el momento de ser utilizados. Pons asegura que se trata de artillería británica con apoyo americano, cuyos operadores se encuentran acampando detrás de la clínica de campaña de los canadienses, también listos y en espera de la orden de ataque.

Una luz delinea el horizonte anunciando el alba. Con el tiempo encima, los últimos hombres de la larga caravana abandonan Flirey. Unos metros adelante, el puño derecho de Fisher se hace visible a sus hombres en todo lo alto. Se trata de la señal que indica que, a partir de este punto, la columna es susceptible de ser vista por el enemigo, por lo que deben marchar en línea de uno a paso lento intentando hacerse invisibles.

Cauteloso, Marcelino avanza con los ojos bien abiertos apretando su fusil al pecho y siguiendo los pasos de su columna. Adelante, antes de ingresar por lo que queda de una arboleda miserable, las compañías se dividen por orden del capitán Moora. La A y la C, la de los rubios y la más numerosa, comandada por el capitán Daniel Jackson —a quien Serna reconoce enseguida— dobla a la derecha; la Compañía B, la de Fisher, tuerce a la izquierda y continúa en dirección al norte.

Marcelino no logra divisar la zanja de trinchera por ningún lado. Por un momento se pregunta si aún estarán lejos de ella o si habrán perdido el rumbo a punto de que el sol se asome por el este haciéndolos completamente visibles al enemigo. Lo que sí alcanza a contemplar, al aproximarse entre la penumbra, son las cocinas rodantes de leña que escupen unas discretas líneas de humo por sus chimeneas. Frente a ellas, unos cuantos soldados franceses disponen unas marmitas sobre las parrillas y se detienen curiosos a contemplar el paso de la columna americana.

Adelante, el grupo reduce su avance sin hacer alto. El crepúsculo delinea el contorno de los cuerpos de los soldados que se compactan. Unos metros adelante, Marcelino Serna cae en cuenta de que sus pasos lo conducen por un terreno inclinado por el que desciende poco a poco. En cuestión de segundos, el soldado se halla caminando entre dos paredes de arcilla roja guiándose del cuerpo que tiene delante, el de Luis López, quien sigue a Chávez y el soldado con cara de niño a alguien más que camina frente a él. Sin darse cuenta, la columna de la Compañía B al fin se ha insertado por completo en la trinchera francesa.

Ahí dentro, una corriente eléctrica fluye por la sangre de los soldados cuando son conscientes de que han llegado al lugar donde ocurre la guerra. Baca olisquea por todo lo alto el aire matinal; en él encuentra el mismo picor de la noche en que fueron gaseados. Fisher se aproxima deprisa al corpulento soldado para ordenarle a gritos que se agazape y advertirle que no se le ocurra levantarse por arriba de la trinchera en ningún momento. La orden de caminar encogidos recorre la formación. Marcelino observa tanto como le es posible —que es casi nada— adelante y alrededor de él. El lugar resulta ser un laberinto indescifrable de galerías profundas, mucho más complejo de lo que imaginaba.

Calles y corredores forman bifurcaciones con destinos desconocidos para los recién llegados. En algunas esquinas, Marcelino puede leer señalamientos en francés que, imagina, son utilizados para orientarse y saber a qué distancia se encuentran de otro punto del frente. A su paso, transita por un corredor con cajas de madera, utensilios de cocina, barriles vacíos, girones de tela tendidos sobre alambres, viejos fardos cubiertos por moho y humedad que ponen en evidencia el paso del tiempo por ese lugar.

La columna continúa andando hasta que, de forma súbita, hace alto.

Los hombres esperan impacientes algunos minutos a que se reinicie la marcha. Aguirre imagina que los batidores americanos están extraviados, como ocurrió hace unas semanas en el bosque, y deben orientarse. Dice que ellos han sido los primeros soldados americanos en ser movilizados de miles y miles que formarán parte de la operación llamada Saint-Mihiel. Los mandos, agrega, parece que están en búsqueda de una posición que han dado en llamar activa o de acecho, y que no es otra cosa que el centro de la trinchera que mira a la tierra de nadie y al frente.

La columna se pone en marcha de nuevo y se integra por una calle aún más estrecha de paredones de tierra. Cables y pisadas de gato cruzan por encima de la cabeza de los soldados. Unos metros adelante, la fila vuelve a detenerse, los hombres se quejan en voz baja. Junto a él, Marcelino observa brotar unos rayos de luz que indican vida en el interior de una cueva. Ahí dentro observa a una patrulla de soldados iluminados por una farola de gas. La luz amarilla acentúa la expresión trágica en el rostro de esos muchachos de uniformes azules sucios y remendados, que son apenas un grupo minúsculo de soldados franceses que forman parte de quienes han sostenido durante semanas esta posición inamovible del frente occidental.

Pons se acerca a intercambiar palabra con uno de los soldados de bigote ralo, quien parece reconocerlo. Desde afuera, Marino Ochoa escucha la conversación. Antes de responder qué tan lejos están de la trinchera de acecho, el soldado le pregunta al párroco qué día es. «Miércoles 11 de septiembre de 1918», responde el viejo. Todos se lamentan. Ninguno de ellos ha atinado a la respuesta correcta, por lo que nadie ha ganado la apuesta lanzada entre ellos. El francés dice que ya no se encuentran lejos de la última línea, ubicada en la tercera sección.

Serna mira por un segundo sobre su cabeza la aurora gris y lluviosa a través de la porción que tiene visible de cielo. La tenue luz del alba que penetra ahora en la trinchera es suficiente para iluminar el corredor de paredes de sacos de arena por la que continúan la marcha.

Adelante la atmósfera cambia repentinamente hasta volverse tibia; un olor a cuerpos sudorosos flota penetrante. Serna y los mexicanos se encuentran con su origen. Se trata de un batallón de soldados franceses de aspecto cansado que reposan sobre cajas, bultos y tierra cubiertos de la lluvia por sus impermeables de lona. Algunos de ellos se calientan frente a un par de fogatas miserables hechas en toneles mientras otros fuman, leen o escriben en pedazos de papel sucio. Varios de ellos reparan con recelo en la presencia de los americanos. Pons asegura que esos hombres son parte de la división francesa que participará como apoyo durante el avance. Un soldado de barbas rojizas reconoce al sacerdote, enseguida se aproxima para saludarlo y se une a la columna.

«No asomar la cabeza durante el día», traduce Ochoa un letrero escrito en francés en un trozo de madera colgado al final de la calle, la cual culmina en una intersección en T.

El primer grupo, el de la Compañía B, recibe la orden del coronel Baker de avanzar por la derecha; el otro, el de la Compañía C, por la izquierda. Delante de él, Serna observa una larga avenida en cuya parte superior se encuentra instalada una maraña de alambre de púas. Debajo, con una separación de no más de cuatro metros, unas escaleras de madera se encuentran recargadas sobre los muros hechos de sacos de arena, listas en posición vertical.

—¡Pelotón, alto! —grita Fisher.

Marcelino Serna, seguido de Chávez y González, se detienen justo a un costado de una de las escaleras de madera. Los hombres miran pasar delante de ellos a Fisher, Baker, Jackson y a Moora en sentido opuesto mientras Aguirre informa a sus hombres que han alcanzado la zona de acecho, que al fin se encuentran en el corazón de las trincheras.

Poco a poco, las compañías van ocupando sus posiciones en donde tendrán que esperar por la orden de salto y de avance. El soldado pelirrojo asegura que sobre sus cabezas se encuentra la llamada tierra de nadie.

Recargado sobre los sacos de arena, Marcelino respira una bocanada de aire frío y mira otra vez sereno con sus ojos negros al cielo gris. Las finas gotas de lluvia caen y se deslizan sobre su rostro. Por un instante, piensa en Élise y se siente reconfortado al recordar sus palabras: «Yo seré la sombra que cuide tus pasos». Enseguida repara en el silencio total que habita en aquel lugar y en todo el tiempo que le ha tomado llegar al centro de la guerra para convertirse en uno de sus protagonistas, en uno de los impetuosos soldados desconocidos de la pantalla del cinematógrafo de Fort Morgan que tantas veces vio avanzar sobre el campo de batalla. El chihuahuense experimenta entonces una gran excitació, mezcla de alegría e incertidumbre.

Las horas pasan en una tensa espera. Todo lo que los hombres pueden hacer ahora es conversar, fumar y procurar mantenerse calientes y secos aproximándose unos a otros. Los oficiales han vuelto a hacer énfasis en la orden de que ningún hombre debe levantar la cabeza por ningún motivo por encima de la trinchera. Aguirre asegura que, aunque la comandancia ha hecho visible la artillería y los equipos, el plan está basado en que las tropas pasen desapercibidas para el enemigo; sin embargo, casi todo el mundo se pregunta: ¿cómo hacer que medio millón de soldados pase inadvertido? Eso es imposible, piensa Serna.

Minutos más tarde el soldado francés de barba roja dice que han llegado rumores de que, durante la última semana, los comandantes de la División 10 alemana sustituyeron al Regimiento 227, uno que sostuvo la trinchera del bosque de Mort Mare durante meses. En su lugar ha llegado el Regimiento 447 de apoyo, parece que menos numeroso y que desconoce por completo el terreno, asegura.

Entrada la tarde sin haber recibido todavía la orden de avanzar, Manuel Chávez acomoda su casco sobre su cabeza y se aproxima a Serna para hablarle de cerca.

—Chief, tu padre.

—¿Mi padre qué? —pregunta Marcelino.

—No me contaste qué fue lo que ocurrió con él para que vieras su rostro en el de aquel soldado alemán —dice el muchacho—. He estado pensando en eso. ¿Quieres contarme ahora?

—Mi padre era un hijo de puta —responde seco lanzando al fango lo que quedaba del cigarrillo.

Chávez mira a su compañero con curiosidad e insiste en conocer qué fue lo que ocurrió entre ellos.

Una tarde, después de su jornada en la fundidora de plata, Marcelino ascendió deprisa el cerro del Coronel para mirar a la lejanía desde arriba. En los últimos días había corrido el rumor en la Hacienda Robinson de que los rebeldes de Francisco Villa estaban al acecho de la ciudad de Chihuahua.

Cansado de vivir prácticamente como esclavo del mayordomo don Adelaido, y tras el asesinato de su prima Candelaria debido al fuego propagado por los federales hacía unos meses, el muchacho de apenas trece años decidió buscar él mismo a los hombres de Villa sin decirle nada a nadie, ni siquiera a Jesús, su hermano.

Aquella tarde, desde un peñasco, vigiló durante horas el camino polvoriento que conducía al pueblo de Santa Eulalia en espera de que aparecieran por algún lugar los hombres a caballo que habían cobrado fama por toda la región por enfrentarse con los pelones del gobierno para acercarse a ellos. Marcelino pasó el tiempo buscando grillos que, al ocultarse el sol detrás de los cerros y con el descenso de la temperatura en el desierto, rozan sus alas endurecidas provocando un chillido agudo.

Ya muy entrada la noche, sin que se presentara por ningún lado rastro alguno de la tropa de quien era apodado el «Centauro del Norte», cansado y con frío, decidió emprender el regreso a la colonia de trabajadores. Alumbrado por la discreta luz de una luna en forma de hoz que se asomaba arriba del horizonte, el muchacho dio pasos arrastrando los huaraches por el filo de la vereda cuidándose de las culebras. Antes de que pudiera alcanzar la falda del cerro, desde donde se dominaba la colonia de los trabajadores de Robinson, ubicada junto al río Sacramento, escuchó varios gritos y risas.

El muchacho continuó sin detenerse por el sendero en dirección a su casa intentando ubicar de dónde provenían aquellas voces y pensando que podían ser algunos hombres del general Villa. Muy tarde, cuando ya estuvo muy cerca del origen del vocerío, pudo reconocer entre los mezquites y los huizaches a los dos hombres, quienes bebían aguardiente de la misma botella. Se trataba del mayordomo don Adelaido y Luis, su padre, cuya presencia provocó en él un escalofrío que lo recorrió por completo.

Al mirar a su hijo parado detrás de los arbustos, el semblante de Luis se transformó de golpe. Con un grito le preguntó a Marcelino qué demonios hacía afuera de su choza tan tarde. Aterrorizado, el muchacho no supo qué responder y arrancó una carrera despavorida en dirección a la colonia. Don Adelaido no perdió la oportunidad de prender la mecha de su trabajador diciéndole que desde hacía días había escuchado que su chamaco andaba buscando a los rebeldes de Villa, muy seguramente para «jalarse con ellos». Luis echó a andar en dirección de su vivienda convertido en un volcán activo.

Al abrir la puerta de madera, el hombre halló de pie frente al fogón de leña convertida en ceniza blanca a Nestora, su mujer, alumbrada por la tenue luz de una vela colocada sobre la mesa de madera desvencijada. Detrás de ella se ocultaba la figura enjuta de Marcelino horrorizado por conocer las reprimendas a las que su padre lo tenía acostumbrado desde hacía años.

—Vienes a esconderte en las faldas de tu madre, cabrón —dijo encolerizado el hombre—. Pero ai andas en medio de la noche buscando problemas y dejándome como un pendejo a mí. Aquí no vas a hacer lo que se te dé la gana, hijo de la chingada. Ven pa' cá.

El hombre logró prensar al muchacho de su camisa blanca de algodón y tirarlo con fuerza hacia él.

—No le pegues, Luis. Por favor, no le pegues —intervino la mujer intentando calmar a su marido sin lograrlo.

—¡Tú no te metas! —ordenó el hombre a gritos—. Este cabrón anda buscando a esos bandidos tan buenos para nada para irse con ellos. ¿No es así? Dile a tu madre. Ten el valor de decirle y ahorrarle la tristeza de tener un hijo bandido.

Sin recibir respuesta y completamente intoxicado de ira, Luis tundió una y otra vez con la mano abierta el cuerpo cenceño de Marcelino, quien solo pudo compactarse y cubrirse la cabeza con los brazos y las manos ante la lluvia de golpes que caía sobre él mientras, desde la boca oscura de la puerta de la cabaña, don Adelaido miraba con placer y tambaleándose aquella escena con la botella de aguardiente en la mano.

—¡Déjalo, Luis, lo vas a matar! —rogó a gritos la mujer.

El alboroto formado en el interior de la vivienda despertó a Jesús, a Gregoria y María, quienes, al darse cuenta de la situación, se abrazaron uno a otro temerosos en una esquina al no entender lo que ocurría con su hermano y su padre. Al final del cuarto, Anastasio, el más pequeño de la familia, de apenas nueve meses, rompió en llanto mientras Nestora volvía a implorar a su marido que parara el castigo al muchacho.

—Hazte a un lado, vieja. Carajo, hazte a un lado. Este no me va a dejar como un imbécil —aseveró el hombre recomponiéndose un momento para buscar a su alrededor entre las sombras con la mirada trémula de rabia.

—¡Déjalo, por Dios santo! —gritó ella girándose para interponerse entre su marido y su hijo.

De pronto, desde el piso, Marcelino miró a su padre tomar un objeto de la mesa desvencijada, el cual alzó en todo lo alto. Enseguida lo dejó caer en seco sobre la humanidad de su madre, quien, en el acto, se desvaneció sobre el piso de tierra ante la mirada de don Adelaido y de los niños, quienes detuvieron su llanto un segundo angustiados.

Los cabellos revueltos y negros de la mujer se humedecieron casi de inmediato formando un charco espeso y carmesí que se deslizó sobre el polvo del piso de la vivienda.

—Malnacido —gritó Porfirio, el padre de Nestora, quien en ese momento llegó acompañado de Facunda, su mujer, su hija Petra y varios de los vecinos de la colonia que habían sido alertados por los gritos.

Con la respiración agitada y al darse cuenta de lo que había hecho, Luis dejó caer el marro manchado de sangre sobre el piso. Luego él mismo cayó de rodillas para mirar el cuerpo de la mujer con la que había vivido por trece años. Don Adelaido aprovechó la llegada de más gente y la confusión que se formó adentro y fuera de la choza de Luis y Nestora para alejarse y coger rumbo a la casona de la hacienda.

La tía Petra corrió junto a su hermana, quien continuaba desangrándose frente al fogón y sus hijos. Sobre el piso, le habló, le rogó que resistiera. La robusta mujer pidió con urgencia un paño con el que presionó la herida para intentar frenar la hemorragia en la sien que se avivaba con la luz de la vela. Petra enrolló con fuerza un girón de tela de su faldón alrededor de la cabeza de su hermana.

Minutos después, Porfirio volvió a la choza de su hija con una carreta tirada por dos mulas que había conseguido su sobrino Victoriano. Tan rápido como pudieron, los vecinos montaron a Nestora sobre unos costales de yute tendidos en la plataforma. Junto a ella, atado de pies y manos, subieron a empellones a Luis Escontrías, quien no opuso resistencia alguna.

En medio de la madrugada, alumbrada con discreción por la misma luna en forma de hoz, ahora ubicada en el cenit, la carreta arrancó su recorrido con la esperanza puesta en que Nestora resistiera el trayecto al médico de la ciudad de Chihuahua.

Pasaron quince días para que la mujer pudiera recuperar la conciencia. Marcelino tuvo que volver enseguida al trabajo como peón en la fundidora de plata y Gregoria a hacer el de su madre para no perder su salario. Fue su abuela Facunda quien se encargó de cuidar a sus hermanos y Petra de alimentar a Anastasio, quien rápido se adaptó a los voluptuosos pechos de su tía.

Una mañana, Porfirio y Victoriano montaron a Marcelino, Jesús, Gregoria y María en la carreta para viajar juntos a la capital. Su abuelo había mencionado que irían únicamente a visitar a su madre al hospital. Al llegar ahí, los cuatro niños vieron a su madre sentada en el vestíbulo con la cabeza envuelta en vendas blancas; la saludaron con afecto. Ninguno de ellos reparó en que Nestora no llevaba ropa del hospital sino su ropa habitual, su faldón, una blusa de manta y su rebozo en hombros. Con delicadeza, su padre y su primo subieron a la mujer a la carreta junto a sus hijos para ser conducidos a una instalación ubicada a las afueras de Chihuahua.

Al ingresar por una puerta de un edificio de concreto, Marcelino miró un grupo de cuartos y varias celdas. Entonces se dio cuenta de que se encontraban en la cárcel de la ciudad. La familia ingresó a una de las aulas donde ya los esperaban dos hombres engominados y vestidos de forma elegante; uno de ellos intercambió palabra con Porfirio. Unos segundos después, por la misma puerta que había ingresado la familia, el muchacho de piel cobriza miró a unos celadores que condujeron a su padre esposado de manos al interior del lugar. Un sentimiento de furia lo recorrió por completo cuando miró el rostro de su padre demacrado intentando encontrarse con la mirada de Nestora, quien se mantenía con una actitud serena mirando al piso. Un hombre vestido de traje y corbatín negro ingresó al último y les pidió a los presentes que tomaran asiento.

—He escuchado la acusación sobre lo ocurrido en Robinson entre usted, señora Serna, y el señor Escontrías, su marido —dijo el hombre vestido de negro—. He solicitado que vinieran sus hijos y su padre, don Porfirio Serna, porque entiendo que son quienes han sido testigos de lo ocurrido.

Los cuatro niños y el anciano asintieron con la cabeza en silencio.

—¿Qué fue lo que hizo su padre a su madre? —preguntó directamente a los menores el hombre de negro, quien se encontraba detrás de un escritorio.

—Golpeó a mi madre en la cabeza con un marro, señor —respondió Marcelino con su voz aún de niño apretando los puños y conteniendo las lágrimas—. A punto estuvo de matarla.

—¿Dónde y cómo encontró a su hija, señor Serna?

—Sangrando en el piso de su casa, señor juez. Delante de ella estaba este malnacido con un marro en la mano, lo trajimos como evidencia. El licenciado aquí presente lo tiene —respondió señalando al letrado que lo acompañaba.

—Sí, lo he mirado —respondió el juez, y luego volteó a mirar con seriedad a Luis Escontrías, quien no negó la acusación de su hijo mayor ni de su suegro.

—Quiero saber qué castigo creen ustedes que merece su padre —dijo el juez mirando a los niños y a la mujer.

Marcelino dio un paso al frente, aclaró la garganta y, mirando fijo a su padre, sostuvo sin titubear:

—Que lo fusilen.

—¡Sí, que lo fusilen! —secundaron con un grito al unísono sus hermanos Jesús y Gregoria, mientras María miraba confundida con sus ojos negros en forma de almendra a su alrededor sin entender qué sucedía ahí.

El juez contempló por un instante a los niños y a la mujer envuelta en vendas, quien había roto en llanto al escuchar la respuesta de sus hijos y se cubría con su rebozo. La sentencia, al final, fueron cinco años de prisión para Luis Escontrías por violencia física. Molestos por el fallo, al salir de la sala, ninguno de los tres hermanos de Marcelino dirigió la mirada a su padre. Él, sin embargo, lo observó fijo durante unos segundos como para dejar grabada en su mente la imagen de odio que sentía por ese hombre.

Seis largos meses tuvieron que pasar para que Nestora Serna abandonara por completo el hospital y volviera a su casa en Robinson con su familia. Sin embargo, las secuelas que le dejó la agresión no le permitieron volver a trabajar en la casona de los Creel.

De Luis Escontrías, la familia no volvió a saber ni se habló de él nunca más. Los primeros que decidieron no volver a utilizar el apellido Escontrías de su padre fueron Marcelino y Jesús, y, después, Gregoria.

Una tarde, meses antes de que su madre fuera dada de alta del hospital, una nube de polvo se levantó por el camino que conducía de Santa Eulalia a Chihuahua. Los caballos rebeldes se aproximaron a las faldas del cerro del Coronel formando un torbellino de polvo que fue visible a la distancia. Ahí, a un costado del camino, el sujeto de barba y bigotes dispersos, cartucheras cruzadas al pecho y sombrero ancho de palma que conducía la caravana de hombres requemados se detuvo junto al chamaco solitario que halló de pie debajo del rayo del sol.

—¿Son ustedes hombres del general Villa? —preguntó Marcelino.

—A la orden, muchacho, ¿pa' qué semos buenos además de echar tiros? —respondió el sujeto, quien se veía grande y poderoso sobre su animal.

—Esa que ve ahí es la hacienda Robinson, quizá la conozca.

—No.

—Da igual —respondió el joven encogiéndose de hombros—. El cacique mandó quemar nuestras casas hace un tiempo y los acusó a ustedes, ese día murió una prima mía. Su mayordomo se dedica a abusar de la gente y no hizo nada para detener a mi padre de casi matar a mi madre. Desde hace un tiempo me les quiero juntar para hacer justicia.

—¡Qué jijos de la chingada…!

El hombre miró al niño de rostro impasible un momento.

—¿Cuántos años tienes, mijo? —preguntó paternalmente.

—Casi diecisiete —mintió.

—¿Sabes herrar, ensillar, montar?

—Sí, señor. Todo lo sé hacer. A mí me gustan los caballos.

—¿Y tu nombre?

—Marcelino. Marcelino Serna, pa' servirle, señor.

El hombre asintió satisfecho.

—Con eso basta, Marcelino. Soy el general Candelario Cervantes, peleo con estos cabrones que ves aquí para defender los derechos del pueblo que han sido pisoteados por el cacique vil como el tuyo. Súbete atrás, con las hembras de la tropa, chamaco. Ámonos que el tiempo apremia. Luego vendremos aquí a Robinson a cobrar tus cuentas.

—Sí, mi general Cervantes —respondió el muchacho y corrió con sus huaraches detrás de la fila para subir a un caballo y abrazarse a la cintura de una mujer con cartuchera.

Al terminar de escuchar aquella historia, Chávez mira atónito a su compañero sin saber qué decir.

—A mi padre lo fusiló la mera gente de Villa en una ocasión que entraron a liberar a sus hombres a la cárcel de Chihuahua. De eso me enteré yo mismo tiempo después —asegura Marcelino indiferente encendiendo otro cigarrillo con la lumbre de un fósforo que ilumina su rostro—. Mi madre, mis hermanos y mis abuelos se quedaron en la colonia de la hacienda, que le fue arrebatada al cacique y entregada a los trabajadores.

Apenado, el soldado con cara de niño no hace más preguntas y se cubre con su impermeable en espera de las órdenes de avance.

Por la intersección, un grupo de franceses aparecen cargando con ellos una olla humeante con comida. Aguirre informa a sus hombres hambrientos que pueden acercarse con sus platos a tomar un poco de avena y un trozo de pan.

González y Mascarenos no hallan sus platos entre sus pertenencias y comen deprisa y con apetito la avena que les sirvieron dentro de sus cascos. Ambos envuelven el trozo de pan en un pañuelo reservándolo para más tarde. Al darse cuenta, el soldado francés de barba rojiza les indica a los americanos que lo coman en ese momento. Los dos soldados se miran unos a otros confundidos ignorando al francés. Antes de que puedan preguntar la razón por la que deben comerlo en este instante, el francés lo detiene con un gesto y alza la mirada al límite de la pared de la trinchera. Ahí, el grupo observa algunas ratas enormes de caras desnudas, colas duras y pelonas que olisquean el interior de la trinchera.

—Ratas de cadáver —dice el francés—. Han estado atentas desde que llegaron ustedes aquí.

—Parecen hambrientas —asegura Víctor Baca dando la última mordida a su porción de pan sin dejar de mirar a esas visitas inesperadas y repugnantes.

—Lo están —responde el galo—. Aquí no se puede dejar nada de alimento para después, menos cuando están ellas presentes. Ayer por la noche un soldado colgó del techo un alambre delgado y sobre él colocó un pan envuelto en un pañuelo. Al encender la lámpara miró en el alambre balanceándose una rata gorda que roía la tela y robaba el pan. Esas malditas son un signo infalible de que habrá problemas.

—¿Qué quiere decir? —pregunta curioso el maestro.

—Ellas son las únicas que cruzan de un lado a otro la tierra de nadie. Lo hacen cuando escasea la comida en la trinchera alemana, vienen acá y viceversa. Habían estado ausentes por un par de semanas. Han vuelto, lo que quiere decir que hay menos víveres y soldados del lado alemán. Ellas saben que cuando hay gente, hay comida. Los alemanes tardarán máximo un día en darse cuenta de que las ratas se han ido y que están de nuestro lado. Nosotros igual.

El grupo mira sobre su cabeza a los ágiles animales cruzar prensados de sus pequeñas patas por los cables tendidos.

—¿Por qué las llaman ratas de cadáver? —cuestiona Ochoa.

—Cuentan los soldados que cuando aparecieron en el sector vecino, hace ya un tiempo, atacaron a un perro y a dos gatos grandes —sostiene el francés—. A los dos los mordieron hasta matarlos y se los comieron. También porque quizá han escuchado que en este sector ningún cadáver ha sido recuperado de la tierra de nadie.

Los hombres asienten.

—Quienes han vuelto de colocar alambre de púas ahí arriba dicen que han visto a las ratas devorando la carne de nuestros hombres. Yo no lo sé, nunca he estado ahí arriba.

Un balazo seco, solitario, rompe el silencio que se formó tras las últimas palabras del francés. Los hombres se miran expectantes unos a otros.

—¿Qué ha sucedido? ¿Ha comenzado? —pregunta Chávez mirando de un lado al otro y apretando su arma.

—No, no puede ser. No hemos recibido la orden aún —dice Aguirre aproximándose al resto y tratando de localizar al sargento Fisher a su alrededor, quien desde hace horas permanece ausente.

—Eso fue un disparo de un francotirador —afirma el francés a través de Pons—. Esos malditos conocen los puntos de tiro de nuestras trincheras.

La tropa forma un ominoso silencio que oculta todas las posibles respuestas. A lo lejos se puede escuchar el barullo de camiones y personal movilizándose.

Enseguida, unos gritos de alerta atraviesan la galería.

—A un lado. Háganse a un lado —ordena a lo lejos un ordenanza sanitario seguido de un par de camilleros que lo acompañan.

Los tres hombres pasan de frente a los mexicanos y continúan abriéndose paso entre la tropa tan rápido como les es posible hasta perderse por el corredor entre cascos y uniformes.

—¿Qué carajos habrá sucedido, Aguirre? —pregunta alguien.

—No tengo ni puta idea —responde el cabo mirando a ambos lados.

Después de varios minutos, la misma voz en inglés vuelve a escucharse por el corredor. «A un lado. Abran paso. Abran paso». Es el mismo ordenanza quien vuelve antecediendo a los camilleros.

Los mexicanos miran brevemente al paciente que es trasladado sobre la camilla con el rostro cubierto a la altura de la sien izquierda con un vendaje ensangrentado. Marcelino alcanza a reconocer al soldado. Es uno de los cabos de la Compañía A, la de Jackson, que se encuentra a la derecha de ellos.

—Ese imbécil se asomó por arriba de la trinchera —asegura el pelirrojo mirando a los sanitarios girar en la intersección—. Espero que no hayan reconocido que era americano.

El día transcurre por completo en una ansiosa expectativa. Como muchos, González, López, Baca y Mascarenos se preguntan cansados, hambrientos y con frío hasta cuándo entrarán en acción y por qué durante toda la jornada no han llegado los regimientos que avanzarán en la segunda tanda y los de reserva.

—Para qué demonios nos hicieron venir aquí tan temprano si íbamos a tener que esperar durante todo el día —sostiene González fastidiado.

—Tenían que aprovechar la oscuridad para movilizarnos. Para trasladar a la segunda tanda seguro están esperando lo mismo —afirma Mascarenos apoyando su rifle Lee-Enfield sobre sus piernas y pasando su pañuelo por la mira telescópica para mantenerlo seco.

González enciende un cigarrillo y pregunta:

—¿Recuerdas al soldado inglés del barco camino a Francia? Dijo que estar aquí en las trincheras es el azar y que durante las batallas por cada muerto hay cuatro heridos. ¿Qué crees que vaya a pasar con nosotros, seremos uno de los muertos o de los cuatro heridos?

—No lo sé, cabrón. No quiero pensar en eso ahora —replica Mascarenos poniéndose de pie de un salto.

Junto a ellos, Baca escucha la pregunta de su compañero y se encoge de hombros.

—Yo tampoco, pero es algo muy probable —afirma González—. ¿Saben qué me preocupa en realidad?

—¿Qué?

—Que hoy mismo me metan un balazo como a ese soldado que vimos pasar y que muera sin haber conocido cómo se siente estar dentro del cuerpo de una mujer.

Sorprendido, Mascarenos suelta una carcajada.

—Pero ¿qué carajos dices? ¿Nunca has estado con una chamaca?

—No.

—¿Quieres decir que ya no eres virgen del horror de la guerra, pero sí del placer de una dama? —añade lanzando una carcajada.

—Cállate, cabrón. Cállate —ordena González avergonzado mirando a su alrededor y cubriendo la boca de su compañero con su mano.

—¿Y las putas de Le Havre? —cuestiona Mascarenos.

—Bueno, esa noche tenía intención, pero antes de que me decidiera ya estaba muy borracho, del resto no me acuerdo. Además, no quería estar con alguien a quien tuviera que pagarle. Esperaba conocer a alguien decente aquí en Francia, pero en todo este tiempo no ha habido ningún chance. Eso es lo que me encabrona, que tal vez voy a morir en este maldito lugar sin haber sentido la suavidad y el calor de la piel de una mujer, sin saber a qué saben sus pechos, si es verdad que se les escurre un licor caliente entre las piernas durante el acto. Me lleva la chingada…

Víctor Baca, quien ha seguido atento la conversación, mira a su compañero con una sonrisa pícara y dice:

—Bueno, yo creo que puede ser una gran motivación para mantenerte con vida durante la batalla, ¿no crees?

—Sí, como si dependiera por completo de uno —replica con ironía González poniéndose de pie.

—Pues procura hacer tu parte y tómalo como una recompensa cuando nos larguemos de aquí —concluye Baca.

González suspira, mira al cielo en silencio y observa desesperado la tarde irse a pique.

Al oscurecer, los hombres de la Compañía B reciben noticias de que las brigadas de la segunda tanda y las de reserva, pertenecientes a la División 354, han comenzado a movilizarse desde el pueblo de Beaumont. De forma súbita, en la negrura, los hombres escuchan un murmullo que proviene de la retaguardia. Aguirre dice que se trata de las tropas de apoyo que siguen llegando para ocupar las líneas detrás de ellos.

La espera por las órdenes de entrar en acción se extiende hasta hacerse casi insoportable. Aguirre intercambia algunas palabras con Marino Ochoa y Pons y escruta de un lado a otro de la trinchera. Impaciente, mira las manecillas latonadas de su reloj de muñeca que marcan ahora las diez de la noche.

—¿Alguien ha visto a Fisher? —pregunta el cabo al volver a recorrer su columna.

Indiferentes y amodorrados, ninguno de los soldados responde.

—Ese cabrón nos va a dejar botados como a sus hombres en Château-Thierry, estoy seguro —susurra González expulsando el humo de un cigarrillo.

—¿Qué es lo que has dicho, González? —vuelve Aguirre con su gesto recio.

—Que no hay por qué esperarlo. Quizá ni vuelva. Con él o sin él, si dan la orden, hay que avanzar, ¿no es así?

—Eso es cierto —afirma Mascarenos—. Ese tipo jamás ha aclarado qué ocurrió en esa batalla donde murieron un chingo de sus hombres. Además, aparece y desaparece cuando se le da la gana.

—¿Por qué tendríamos que confiar en él, Aguirre? No va a volver para subir ahí arriba a pelear con nosotros. Si dejó a sus güeros, ¿por qué crees que peleará con una bola de indios? —sostiene González.

—Todo lo que sabemos de él es que por sus decisiones todo un pelotón murió —afirma alguien más.

El cabo mira en silencio y muy serio a sus compañeros sin responder a sus dichos; por un momento piensa que todos tienen razón.

—De cualquier manera, Pons ha conseguido información relevante con los franceses sobre lo que nos aguarda ahí arriba —sostiene Aguirre.

Los hombres se compactan alrededor de su cabo para escucharlo.

—Como sabíamos, se trata de un terreno de poco menos de un kilómetro con inclinación en contra —sostiene—. Hay dos emplazamientos de alambres de púas, el primero a unos sesenta metros de la trinchera, el cual tendremos que cortar nosotros mismos en caso de llegar primero a él. Además de la primera trinchera, los franceses creen que hay un emplazamiento con morteros en el interior del bosque que tendremos que tomar. Les recomiendo que revisen los cordones de sus botas, sus polainas y sus cartucheras que estén bien apretadas. Esperaremos la orden de avance en nuestras posiciones y que sea lo que Dios quiera.

Los hombres asienten sin ánimo y vuelven a tomar sus posiciones.

Envuelto por la oscuridad, Marcelino Serna toma desconcertado su posición junto a la escalera apretando la madera de su fusil.

«Yo seré la sombra que cuide tus pasos», repite el mexicano en su cabeza.

Ahora todo parece estar dispuesto para entrar en acción.

Diez
El salto

Un zumbido rompe el silencio. A la una de la mañana del 12 de septiembre de 1918 el primer estallido en la tierra parece abrir un boquete al infierno.

—Ha comenzado. Atentos —grita el cabo Alberto Aguirre recorriendo la trinchera mexicana con el agua por encima de los tobillos para comprobar que sus hombres se encuentran listos y en posición.

Una onda expansiva se propaga enérgicamente debajo de la tierra haciendo vibrar los sacos de arena.

—Tranquilos, cabrones. Nadie se mueve hasta que yo diga —ordena intentando contener el ímpetu de los soldados, quienes respiran agitados.

Junto a la escalera de madera, Marcelino Serna mira al cielo. Sus pupilas se dilatan cuando una llamarada lo enciende con un enorme ciclón escarlata que todo lo alumbra. Durante varios minutos, su corazón bombea al ritmo del fuego graneado que se deposita, por ahora, solo del lado alemán. El sueño, el hambre y el frío que hasta hacía unos minutos lo envolvían han quedado olvidados por el bramido furioso de los cañones aliados, por verse inmerso en la guerra. Como todos, el mexicano aguarda impaciente empuñando su arma de cargo el momento de saltar a la tierra de nadie.

—Manténganse en su posición. En su posición —dice la voz del cabo.

Por toda la zanja, los oficiales, americanos y franceses de la División 89 replican la misma orden. Con la lluvia escurriendo por su casco, que lleva grabado por un costado con pintura blanca la W dentro del círculo de los hombres de la División 89, los *Rolling W*, el cabo vuelve a recorrer la columna a largos pasos en busca del sargento Frank Fisher, quien no ha aparecido desde hace horas. Del otro lado, el párroco Jean Marie Pons, quien ha quedado atrapado sin poder volver a Flirey, responde que tampoco ha visto al mando desde que llegaron ahí.

Con el transcurso de los minutos, el número de proyectiles aliados se multiplica. Sin embargo, por alguna razón desconocida, la respuesta alemana no se presenta. La tensa espera no hace más que atizar los temores más profundos de los hombres; incluso hay quienes, sin notarlo, han manchado los pantalones. Los mandos temen que el miedo —ese compañero perene del soldado en guerra— les arrebate el control de la tropa.

Del otro lado, los cañones alemanes despiertan. Aguirre apenas puede lanzar la alerta para que sus hombres se cubran. El impacto golpea violento haciendo volar por el aire la tierra, los cables y los pasos de gato formados por tablones de madera que, solo un instante antes, cruzaban por encima de su cabeza. Las explosiones se multiplican y se recrudecen de ambos lados hasta volverse un solo aullido ensordecedor. En el suelo, los soldados se compactan formando una pila informe de torsos, extremidades y cabezas. Durante minutos, no hay nada que puedan hacer más que quedarse tendidos. Desesperados, todos aprietan los dientes y clavan la cabeza entre las paredes, el fango y el agua.

Un nuevo proyectil estridente cae muy cerca de la trinchera mexicana. Esta vez la lluvia de esquirlas afiladas va a clavarse en los maderos de la escalera y en la panza de los costales de arena de la parte superior. Debajo de la pierna de algún compañero, Serna cubre sus oídos con la palma de sus manos curtidas y abre la boca tratando de contener la presión que se ha formado a su alrededor. El bombardeo no cesa. Marcelino es consciente de que un proyectil caído del cielo o la explosión accidental de alguna de las granadas que lleva metidas entre las ropas puede negarle la posibilidad de ascender y pelear como perro. Sin otra alternativa momentánea y sintiendo su sangre hervir sin control en su interior, resiste, y se da cuenta de que estas son las dimensiones reales de esta guerra, de la bestia que ruge frenética en medio de la noche como nunca antes en la historia de la humanidad lo hizo. Una extraña sensación de incertidumbre que jamás había experimentado —incluso en los momentos más álgidos de la revuelta en México— lo invade por completo al sentirse irremediablemente atrapado. La posibilidad de sufrir una muerte trivial, en esta porción miserable del mundo, es real. Con media cara sumida en el barro, se pregunta por vez primera si este es el lugar donde debería estar, exponiendo su vida en esta ruleta rusa del frente. La sensación de estar al límite del abismo, que lo recorre de pies a cabeza, lo llena de una vitalidad inaudita.

Pegado al de Chihuahua, con medio cuerpo metido en el agua, Manuel Chávez aprieta los ojos mientras sostiene su casco y recita algo que, esta vez, resulta por completo inaudible para el resto de sus compañeros. Tobías González y Elizardo Mascarenos, por su parte, se compactan uno contra otro deslizando de arriba abajo las botas en el fango. Desesperados, caen en la cuenta de que la guerra está muy por encima de aquel espectáculo que, hace solo unas semanas, esperaban encontrar.

Detrás de ellos, Marino Ochoa observa incrédulo una visión siniestra que es desvelada por el resplandor palpitante de las bombas. Sobre el agua depositada en el fondo de la trinchera, un par de ratas de cadáver asoman su cabeza desnuda. El maestro las mira montarse sobre el cuerpo de su hermano Bicente intentando alcanzar la pared de sacos de arena. Al sentir sus pesados cuerpos y sus colas duras sobre él, el muchacho se pone de pie de un salto tratando de sacudirse esos repugnantes animales. Al darse cuenta de la situación, Víctor Baca extrae su bayoneta para intentar clavarla sin éxito en la panza de la última rata que se aleja aterrorizada sobre la superficie. Un nuevo destello ilumina el rostro sucio de Bicente. En él, Marino reconoce las marcas de la angustia de su hermano y las propias, unas que aún desconoce si podrá superar en algún momento de su vida.

—Abajo, cabrones —regresa la voz de Aguirre para que Bicente y Baca vuelvan a cubrirse.

De manera inexplicable, después de varios minutos, los cañones aliados detienen su embestida. Del lado alemán, la artillería responde con el mismo silencio. El bufido de la artillería queda atrapado en el aire junto al intenso sabor acre de la pólvora.

Aguirre se encarama con cuidado. Confundido y con un zumbido agudo en el oído, acerca la muñeca a su rostro para mirar las manecillas de su reloj. Diez para las tres de la mañana, observa. Junto a él, Serna hace un esfuerzo para ponerse de pie con el uniforme y el equipo empapados. Con las piernas temblorosas, observa a su alrededor sin comprender por qué los oficiales no han dado la orden de saltar después de casi dos horas de bombardeo.

—Lo bien que me vendría un traguito de aguardiente en este momento —dice González confundido.

Baca saca de su cartuchera la cantimplora con ron que le regaló uno de los soldados americanos unas semanas atrás.

—Toma.

De pronto, a lo lejos, por el pasillo de la trinchera, entre el humo y el racimo verde olivo de soldados desconcertados que intentan recomponerse poco a poco, Marcelino reconoce una figura espigada que se aproxima deprisa hacia donde se encuentra, sosteniendo un cigarrillo entre sus labios y una pistola que se balancea al cinto. Detrás de él, un soldado carga una caja de madera.

—Fisher —dice entre dientes.

—¿Cómo? —pregunta sordo Aguirre junto a él.

—Ai está Fisher —repite el mexicano señalando con la cabeza delante de él.

El sargento americano identifica al viejo sacerdote francés y a sus hombres. Aguirre se aproximan para cuadrarse frente al mando. Al reconocerlo, el resto de la unidad le lanza miradas displicentes a quien se ha mantenido ausente durante toda la primera embestida.

—El bombardeo me atrapó en el emplazamiento del capitán Moora. Me fue imposible venir antes. ¿Bajas, cabo? —pregunta mirando seriamente a su alrededor con sus ojos azules.

—Ninguna, hasta ahora, sargento.

—Yo le tengo malas noticias.

Aguirre lanza una mirada cargada de intriga al sargento.

—El hijo de puta de Jackson se ha salido con la suya —dice y toma un segundo para continuar—. Nosotros seremos quienes avanzaremos primero, antes que todos, antes que la compañía de ese malnacido.

—Ah, chingá, ¿nosotros primero? —expresa Aguirre sin dar crédito a lo que ha escuchado—. ¿Por qué demonios?

Los mexicanos van del rostro del sargento de ojos azules al del cabo sin que puedan comprender por completo la conversación.

—Van a esperar a nuestro avance por el centro, en una especie de patrulla —sostiene Fisher con rabia.

Aguirre no puede creer que esa estrategia haya sido aceptada por la comandancia, la cual considera por completo suicida.

—Estamos jodidos. Si vamos solos ahí arriba, aunque sea por unos minutos, nuestro destino es la muerte, sargento —responde Aguirre.

—Jackson ha convencido a Baker para que lo apoye en esa estrategia y Moora ha accedido, igual que el resto de la comandancia de la división. Al final han sido órdenes directas del coronel, no pude hacer nada. Pero, escuche, cabo, creo que todavía tenemos esperanzas de lograrlo.

—Ah, ¿sí? Con todo el respeto que me merece, sargento, no comparto su opinión. Yo no me voy a oponer a una orden directa, vine aquí a pelear. Pero no estoy aquí para ser carne de cañón.

Tampoco puedo ocultarles la verdad a estos cabrones, y esa es que quedaremos del todo expuestos a una muerte segura ahí arriba —espeta Aguirre mirando a sus hombres.

Fisher queda en silencio. Detrás de Aguirre, los soldados intercambian miradas cargadas de preocupación e incertidumbre.

—¿Qué es lo que ha dicho el sargento? —pregunta alguien del grupo sin obtener respuesta del intérprete.

González se aproxima a Marino Ochoa para comprobar si ha comprendido los dichos de Fisher. El maestro asiente con la cabeza sin mirar a su compañero. Los ojos de Pons parecen desorbitarse cuando por fin cae en la cuenta de lo que está ocurriendo y de la estrategia decidida por la comandancia.

—Siempre son los mismos a los que se manda a la muerte —dice el anciano en francés negando con la cabeza.

—Mierda... nos van a echar al fuego como hulla —suelta López—. El plan de Jackson era peor de lo que pensábamos.

—¡Me lleva la chingada! —exclama por su parte Mascarenos llevándose las manos a la cabeza—. El Niño tenía razón.

Junto a la escalera, detrás de Serna y de Víctor Baca, Chávez termina de comprender la situación y se desliza por la pila de sacos de arena hasta quedar en cuclillas, con los tobillos y las nalgas a medio sumergir en el agua ahí atrapada.

—Hoy vamos a morir... —asegura en voz baja retirándose el casco y dejando expuesto un gesto de desesperanza.

—Este cabrón no hizo nada por nosotros —espeta González apretando los puños y mirando directo a Fisher—. Para eso nos trajeron a esta maldita guerra estos hijos de las mil putas, para echarnos por delante.

El sargento comprende la actitud de sus hombres. En medio de la madrugada, y a sabiendas de una posible sublevación de toda la unidad, ordena a Aguirre que los reúna enseguida e interprete sus palabras.

—Escuchen bien, cabrones —pronuncia el mando en el mejor español del que es capaz sin que logre captar la atención de los soldados para continuar en inglés—. Yo no tengo la obligación de discutir con ustedes las órdenes que he recibido. Sin embargo, aunque los cañones hayan estallado, esta guerra no ha comenzado aún para ninguno de quienes nos encontramos aquí y eso nos incluye a nosotros, por tanto, no podemos dar nada por perdido. Aún es posible lograr nuestros objetivos. ¿Comprenden?

Los hombres permanecen en silencio indiferentes.

—Cada uno de ustedes está bien entrenado y equipado —continúa el sargento—. Detrás de nosotros, cuidándonos el trasero, hay medio millón de soldados y un cuerpo de artillería con el que ningún ejército ha contado jamás en la historia. Lo que escucharon hace unos momentos fue apenas el despertar de unos cuantos cañones aliados de los cientos que hay preparados allá atrás. Además de ellos, decenas de tanques y aviones están listos para entrar en acción como apoyo nuestro. No hay por qué pensar que seremos usados como carne de cañón.

Los hombres se miran entre sí incrédulos ante los dichos del mando. Son conscientes de que Fisher miente. A la hora del avance, saben que estarán solos por completo, que los cañones, los miles de hombres o los aparatos de guerra en la retaguardia de poco o nada les servirán. Aguirre continúa la interpretación. Confundido, Serna aprovecha para vigilar a Chávez, quien permanece sentado en el agua con la mirada perdida en el cielo.

—Escúcheme, cabo —regresa Fisher—. El objetivo del primer bombardeo fue el de sorprender a los alemanes y obligarlos a esconderse en los refugios a prueba de obuses que tienen a lo largo de sus trincheras. La respuesta que han mostrado esos bastardos a nuestro ataque ha sido mínima, eso es justo lo que esperábamos. Yo puedo no estar de acuerdo en que seamos nosotros quienes avancemos primero, pero, hasta ahora, la estrategia de la comandancia ha sido la correcta. Tenemos informes de que los alemanes no cuentan con reservas ahí delante y el apoyo que han solicitado apenas viene en camino proveniente del oeste y todavía tardará un par de días en llegar. Me atrevo a decir que ahora mismo seguro han quedado solo unas cuantas unidades a la espera de cualquier avance nuestro. Es por eso que creo que tenemos una oportunidad. ¿Entienden?

Aguirre se muestra incrédulo ante los dichos del sargento. Los hombres vuelven a negar con la cabeza; incluso hay quienes, como González y Mascarenos, lanzan miradas displicentes al superior. Baca, junto a su ametralladora, la Excavadora de Papas, expulsa algo parecido a un bramido y escupe con furia sobre el agua.

—Por favor, señores, vamos a tranquilizarnos —interviene el padre Pons para destensar la situación—. Sargento, con su permiso, lo que están haciendo es utilizar un fuego intermitente, ¿no es así?

—Correcto.

—¿Qué quieren lograr con esa estrategia?

—Meter a los *boches* a sus madrigueras. Ya lo dije.

—¿Cuáles madrigueras? ¿Qué quiere decir? No comprendo.

—En aproximadamente una hora, nuestra artillería volverá a activarse intensificando el fuego. La comandancia calcula que solo quedará un puñado de soldados en los nidos de metralleta ubicados a ciento cincuenta metros uno de otro. A ellos son a quienes nosotros, en la avanzada, tenemos que reducir.

—¿Sus hombres o los de Jackson, sargento? Porque parece que aquí sus hombres solo serán el señuelo para que esos cabrones ingresen y se lleven todo el crédito —regresa el párroco sin encontrar respuesta.

Los mexicanos vuelven a mirar con desconfianza al mando. Bicente Ochoa, quien hasta el momento había mantenido una actitud reservada y hostil con Chávez, se acerca a él. De pie, le extiende una mano a su compañero para ayudarlo a levantarse.

—No voy a hablar más con usted, Pons —dice fastidiado Fisher para acercarse a Aguirre—. ¿Qué es lo que pasa, cabo? ¿Acaso usted y sus hombres tienen miedo o se están negando a obedecer órdenes? ¿Es necesario que les recuerde cuál es la consecuencia de cualquier acto de sedición?

Sin prisa y ausente de temor ante cualquier represalia castrense, el cabo mira directo a los ojos a su superior para luego pasear la mirada por la fila de rostros orgullosos y sucios detrás de él.

—No nos subestime, sargento. Valor nos sobra, no tenemos que probarle nada, ni a usted ni a nadie —regresa Aguirre—. Lo que debe saber es que estos muchachos son como mulas testarudas, no van a avanzar hasta no saber quién los conduce y si no los traicionará allá arriba.

—Sea claro, Aguirre, que no estoy para descifrar ningún acertijo.

—Está bueno, sargento. Mis hombres y yo queremos saber si usted nos dejará botados a nuestra suerte, como se rumora que hizo con sus hombres en Château-Thierry. Eso es, sargento.

La mirada de Fisher se transforma tras escuchar a Aguirre. El mando toma un cigarrillo de su cazadora, lo enciende y lanza una bocanada de humo trayendo los recuerdos que siguen en su mente muy presentes y que, cada noche, le impiden dormir.

—Eso es lo que les preocupa entonces… —vuelve muy serio—. Bueno, pues aquello no fue otra cosa más que una emboscada, una maldita emboscada en la que, créalo o no, nuestras propias balas mataron a varios de mis hombres sin que pudiera hacer nada.

El 2 de junio de 1918, muy cerca de río Marne, a unos sesenta kilómetros de París, el entonces teniente Frank Fisher y sus hombres formaban parte de uno de los batallones de la División 3 americana que se preparaba para entrar en acción en la batalla de Château-Thierry bajo las órdenes del ejército francés.

Ese día caminaron diez kilómetros para cerrar la brecha a las tropas alemanas que, en mayo, tras firmar el armisticio con los rusos en el frente oriental, se habían reagrupado para llevar a cabo una serie de ataques en el frente occidental.

Al norte de la carretera París-Metz, el batallón de Fisher esperó durante horas entrar en acción. Fue por la tarde cuando recibió instrucciones directas del general americano James Harbord, quien estaba a cargo de los primeros americanos desplegados en Europa, de apoyar a los franceses para proteger la ciudad de Lucy del embate alemán.

Para ello, el teniente conformó una patrulla de veinticuatro soldados en un campo de cereal despoblado donde se habían concentrado las tropas americanas con el objetivo de ingresar a un bosque llamado Bellau. Sin imaginar la escena terrorífica que los esperaba ahí dentro, una que se convertiría en pesadilla recurrente, la patrulla ingresó entre los árboles majestuosos para conocer la situación de los alrededores de Lucy.

Colgados de las ramas de los árboles como frutos, el capitán y sus hombres observaron boquiabiertos los torsos de varios soldados franceses cortados por la mitad. Sus otras mitades, las de sus extremidades inferiores, las fueron hallando regadas a su paso por todo el espacio entre charcos de sangre y el follaje verde que cubría la mayoría del lugar. No obstante, cuando una mina estalló e hizo volar por los aires a uno de sus hombres —quien la había accionado sin querer al caminar—, el teniente Fisher se dio cuenta de que estaban peligrosamente rodeados por esos artefactos asesinos. El miedo se apoderó por completo de él y del resto de su tropa. Todos estaban absortos, se quedaron inmóviles como estatuas de sal.

El teniente intentó comunicarse por radio con sus superiores en la retaguardia para alertarlos de la situación al interior del bosque. Sin embargo, la única respuesta que obtuvo fue la orden de aguardar por nuevas instrucciones en su posición. Nervioso, esperó por un buen rato. Después de media hora el aparato de comunicación expulsó una voz viciada que no terminó de arrojar la orden porque una bala enemiga atravesó por la mitad la caja de acero dejándola inservible; otra más dio un golpe letal al operador casi al mismo tiempo. Los hombres de Fisher respondieron el fuego enseguida, pero sin ningún sentido. Pronto se vieron rodeados por el batallón alemán que había tendido la trampa, fingiendo replegarse del otro lado del río y dejando las minas regadas por todo el bosque de Bellau.

Fisher por fin dio la orden de retirada. Algunos soldados de la patrulla fueron empujados por la dura arremetida al terreno poblado por minas donde, al contacto, activaron los explosivos mientras otros fueron alcanzados por las balas alemanas quedando regados sobre el terreno.

Aquella escandalosa emboscada desató la respuesta americana desde el campo de cereal hacia el interior del bosque, lo que causó que las balas de sus compañeros golpearan lo que quedaba de la unidad de Fisher. Los hombres cayeron uno a uno víctimas del fuego cruzado.

Desde unos agujeros que pudieron cavar en el terreno con sus bayonetas, los hombres del campo de cereal recibieron a los alemanes. Después de más de dos horas de combate, los alemanes al fin tuvieron que dar media vuelta y emprender la retirada hasta cruzar el Marne al verse superados en número por las tropas aliadas.

Oculto detrás de uno de los troncos de los árboles, Fisher reaccionó al cese del fuego para darse cuenta del fatal desenlace que había sufrido la patrulla que él mismo había formado aquella tarde. Los hombres del campo de cereal vieron emerger la figura desencajada del capitán desarmado sin creer que él fuera el único sobreviviente.

A pesar de que repitió hasta el cansancio lo sucedido aquella tarde frente a la comandancia general, el teniente Frank J. Fisher fue acusado de no proteger a sus hombres al no obedecer la orden de su superior de abandonar el bosque —orden que nunca recibió—, lo que causó la muerte de los veinticuatro soldados americanos que se encontraban bajo sus órdenes.

Los mexicanos quedan en silencio, apenados después de escuchar la narración del mando. Marcelino Serna se abre paso entre los hombres y se gira para hablarles de frente.

—¿Vamos a dejar que sean los hombres de Jackson quienes tomen la trinchera alemana o seremos nosotros? Contesten, cabrones. No se queden ahí como pendejos.

Es el propio Manuel Chávez quien observa a su compañero recomponiendo su orgullo y asiente con la cabeza. Junto a él, Mascarenos y Baca hacen lo mismo.

—Hay que aprovechar los minutos que nosotros estaremos ahí arriba antes que ellos para adelantarnos y tomar los nidos de metralletas por nuestra cuenta —continúa con bravura el de Chihuahua—. No sé ustedes, pero yo no vine hasta acá para andar de agachón de nadie. ¿Se jalan o se rajan?

La historia del sargento en Château-Thierry y las palabras del mexicano parecen tocar esta vez la fibra más sensible de estos hombres, la de su orgullo. Juntos asienten y, de golpe, su ímpetu y su brío se renuevan. Fisher reconoce esa actitud colectiva y, sin perder tiempo, pide a Aguirre que lo interprete otra vez tan rápido como pueda.

—Bien. Formaremos pelotones de diez hombres —dice el sargento—. Una vez arriba, ascenderemos deprisa la colina en zigzag, como lo hemos entrenado en las últimas semanas. En caso de que el avance sea contenido por alguna razón, cada pelotón deberá realizar los ajustes estratégicos que crean convenientes, pero sin dejar de avanzar. Lo primero que debemos tener en la mente es llegar hasta la cima. ¿Entendido?

Los hombres asienten muy serios mirando al sargento.

—Señor, ¿qué pasa con el alambre de púas? —pregunta alguien con razón.

—Es casi seguro que con el bombardeo haya quedado destruido de ambos lados. Tenemos que buscar el paso que permita avanzar a través de ellas. En caso de que no haya un pasadizo, tendremos que utilizar a, por lo menos, tres hombres. ¿Voluntarios?

Bicente Ochoa y Tobías González se adelantan dando un paso al frente. Antes de que Serna se pueda ofrecer, Manuel Chávez toma la iniciativa.

—Bien. La otra alambrada, la alemana, se encuentra ubicada a unos cien metros antes de la trinchera —continúa—. Los franceses han dicho que en caso de que la lluvia no pare y no corra viento, el humo de las bombas se quedará aquí atrapado por un buen rato. Esperemos que así ocurra para que cubra nuestro avance. Hay que estar también alertas al gas. Tendremos que ahorrar municiones, no las gasten a lo pendejo, ¿oyeron?

—Sí, señor —dicen los soldados al unísono en español con el ánimo recuperado por completo.

—Hay que tomar lo más rápido posible la primera trinchera. Los franceses aseguran que hay una segunda que llaman de comunicación, ubicada dentro del bosque. Una vez tomados ambos sitios, debemos avanzar hasta un pueblo de nombre Euvezin, al sur de Beney. Ese es nuestro primer objetivo. ¿Quedó claro?

—Euvezin —repite Serna en voz baja.

—Apóyense de esto en caso de ser necesario.

De la caja de madera, el cabo extrae una buena cantidad de granadas de mano cilíndricas que reparte a sus hombres, quienes las aprietan entre sus cartucheras y sus uniformes.

Los hombres se miran unos a otros cargados de entusiasmo.

—Una cosa importante, cabrones: yo iré primero —remata Fisher para beneplácito del grupo—. Preparados entonces.

Unos minutos más tarade, Luis López se acerca a Serna para pedirle un favor.

—Marce, en caso de que no logre salir con vida de esta, vuelve a la colonia de Morgan y cuéntales a mi madre, a mi padre y a mis hermanos que no me rajé aquí en Francia, que sepan que no fui ningún cobarde, sino todo lo contrario, que di la vida por ellos. Y mira, aquí, en el pecho, llevo esto.

El muchacho muestra su cajita de latón.

—Adentro tiene todos los pagos que he recibido como soldado, no falta un solo franco; no he gastado un solo centavo. Dáselos, por favor, a mi madre. Prométeme que lo harás, Marce.

Al escuchar a su compañero, Serna asiente. Enseguida, Manuel Chávez se aproxima al Chief para pedirle que, en caso de que algo le ocurra, viaje también a Nuevo México, cuando le sea posible. En un papel, anota el nombre de un rancho y le pide que pregunte por Aida Chávez, su madre. El soldado con cara de niño se cuelga entonces su mochila con la pala que le regaló el viejo Pons a la mano.

—Ustedes dos están pendejos —responde Marcelino mirándolos a ambos—. Escúchenme bien, aquí llegamos juntos y de aquí nos regresamos juntos. ¿Oyeron?

Los dos soldados asienten sin mucha fe.

El mexicano respira hondo intentando ahuyentar los lóbregos pensamientos que cruzan por su mente para encarar lo que el destino le tenga deparado.

Junto a él, observa a Aguirre, quien ha terminado de apretar los cordones de sus botas, sus polainas, las correas de sus cartucheras y echa un vistazo, esta vez sin ocultarse, a la fotografía de la mujer que lleva en el pecho.

Marcelino lanza un largo suspiro y una mirada al cielo en dirección a la retaguardia. Traga saliva y piensa por un momento en su madre, Nestora; en su abuelo, Porfirio; en sus hermanos, Gregoria, María y Jesús, a quienes no sabe si volverá a ver. Pero principalmente en las palabras de Élise que logran serenarlo: «Yo seré la sombra que cuide tus pasos».

A las cinco de la mañana en punto, el frente se convierte en una vorágine siniestra.

Los cientos de cañones aliados escupen una lluvia de bombas de humo que van a caer en la llamada tierra de nadie. Enseguida, cuando los obuses se suman y dirigen sus violentas cargas explosivas sobre el lado alemán, el cielo comienza a aullar.

En el corazón de la trinchera mexicana, una poderosa fuerza de resistencia parece succionar el alma de los soldados.

—Atentos —grita Fisher mirando desde el primer peldaño de la escalera el mar de cascos en forma de plato y bayonetas que se alistan.

Con la lluvia aun cayendo sobre él, Serna aprieta las granadas entre su vientre y los cinchos de su cartuchera. Con un movimiento, carga su fusil para alojar la primera munición dorada en la recámara; sus compañeros replican la acción.

—Preparados. Sin abrir fuego hasta que sea necesario —vuelve el sargento mirando sobre su cabeza, empuñando con firmeza en su mano derecha su Colt semiautomática y despertando el instinto más animal de los soldados, quienes ahora solo pueden sentir su respiración agitada, la adrenalina correr por sus venas y su corazón latir a toda velocidad.

—Listos. Adelante —ordena el mando americano ascendiendo peldaño a peldaño cuando los silbatos de los sargentos hacen eco en toda la trinchera anunciando su incursión.

Los sesenta y ocho soldados mexicanos de la Compañía B de la División 89, convertidos en miembros de la Brigada 178 del Ejército Americano, escalan deprisa por las escaleras dejando atrás y para siempre su juventud y sus sueños para dar un salto al abismo de donde, aunque la batalla los arroje con vida, no volverán siendo los mismos.

Sobre el campo estéril, Serna pone pie decidido detrás de Fisher y de Aguirre. Con su rifle al pecho y formando con su respiración volutas de vapor en el aire frío, el mexicano corre enterrando las botas sobre el fango convertido en uno más de los soldados que admiraba en la pantalla de la sala de cine de Fort Morgan; sin embargo, en este rincón de Francia no hay cámara cinematográfica alguna que registre su avance para la posteridad. Olvidado de todo, en la cabeza del mexicano solo hay una cosa: ganar tantos metros como sea posible sobre este terreno escarpado.

En el cielo, las cargas aliadas continúan su vuelo en dirección al norte. Algunas siguen de largo mucho más lejos; otras, las que son más sonoras, van a caer a solo unos metros de la columna formando un concierto de tambores al momento de su impacto.

La respuesta alemana, esta vez, no se hace esperar más allá de unos segundos. Ante la dura embestida, el pelotón se agazapa sin detenerse. Los obuses enemigos van a depositarse detrás del pelotón salpicando columnas de fango por todo lo alto y haciendo volar las filosas esquirlas por doquier. El alarido mortal de las bombas de uno y otro lado se convierte en un bramido sordo que vuelve a cubrir y alumbrar con intermitencia todo el espacio.

Los hombres continúan su andar aún sin accionar sus armas. Unos metros adelante se insertan por completo en la columna sólida de humo tanteando el terreno. Frente a Marcelino, la figura del sargento Fisher con su escuadra automática en mano aparece y desaparece. Lo mismo ocurre con Aguirre, quien, un par de metros a su derecha, se desplaza con destreza sosteniendo a la altura del pecho su rifle; a su izquierda, solo unos pasos detrás, Luis López avanza atento con la mascarilla antigás dentro de la bolsa de lona pendiendo de su cuello.

En un momento, entre la agitación y la expectativa, el clamor de los impactos deja de ser perceptible para Marcelino. De forma extraña, todo queda reducido a un rugido furioso y a la necesidad de hallar la primera alambrada de púas, la del lado francés, para cruzarla y continuar hasta la emplazada alemana.

El terreno se vuelve cada vez más espeso. Las botas de Marcelino se sumergen en el légamo hasta cubrir sus polainas. Ahí mismo, los escombros de los que les hablaron los franceses, formados por tabiques, trozos de madera vieja, piezas de metal oxidado, retazos de tela y uno que otro calzado viejo sin par, emergen al paso del pelotón.

Una carga poderosa detona muy cerca, a solo unos metros del grupo, enviando a Serna al interior de un agujero profundo. Por unos segundos, su rostro y su torso quedan enterrados en el fango. A lo lejos, entre la confusión, escucha la voz del sargento Fisher, quien conmina a sus hombres a reincorporarse y seguir adelante.

El mexicano sabe que no puede quedarse atrás porque quedaría en una situación vulnerable. Tan rápido como puede, busca recomponerse. Sin embargo, al colocar una mano a un costado, nota la tela reblandecida de la cazadora de un uniforme francés. Sus ojos negros no dan crédito cuando reconoce el cadáver informe de un soldado con medio cuerpo enterrado en el fango. Serna repara en la porción visible que emerge de la tierra. Sus cavidades oculares parecen vacías, pero, igual que las de su nariz, están descarnadas, llenas de coágulos negros; sus pómulos huesudos sobresalen y su quijada está por completo abierta y petrificada en una expresión de profundo dolor. El miedo que invade a Serna lo empuja a salir deprisa del agujero. Con el uniforme, las cartucheras y las granadas cubiertas por completo de barro, corre tan rápido como puede hasta alcanzar a su columna y reincorporarse a su posición. Aguirre lo mira desconcertado. El corazón del mexicano bombea ahora frenéticamente cuando la imagen espeluznante del soldado francés en el cráter vuelve a su mente.

Unos metros adelante, para sorpresa de todos, la enredadera de alambre de púas de la línea francesa aparece destruida. Uno detrás del otro, el pelotón de Fisher se aproxima para cruzar por un hueco que Bicente Ochoa y Tobías González han terminado de hacer con sus tijeras de corte. El resto de los pelotones también encuentra espacios por donde cruzar. Con la suela de su bota, Aguirre sostiene el último trozo de metal para que sus hombres puedan continuar. El sargento apresura a los suyos; el tiempo ahora apremia. Para este momento, piensa, los hombres de Jackson debieron haber saltado ya de su trinchera y estarán de camino en su misma dirección por el flanco derecho.

—Vamos. No se detengan. No se detengan —ordena Aguirre incorporándose él mismo a su posición tanteando la tierra de nadie.

El avance dura unos treinta metros hasta que el bramido de una metralleta los alerta.

—¡Abajo! ¡Cúbranse! —grita Fisher.

Los soldados se tiran pecho tierra. Por unos segundos, se mantienen apretando sus rostros contra el fango y conteniendo la respiración.

El sargento mira sobre su cabeza delante de él intentando calcular qué tan lejos se encuentran aún del tendido de alambre alemán.

Baca arrastra su pesada ametralladora Colt-Browning frente a él. Con un movimiento, abre el tripié y toma las municiones de su cartuchera preparándose para descargarla en dirección de donde proviene el repiqueteo. A lo lejos, Fisher observa al corpulento soldado apuntar en dirección de la niebla.

—Aguirre, que no dispare —grita con urgencia el sargento y agrega que aún son invisibles para los *boches*—. Son disparos de seguridad de esos malnacidos. No nos han visto aún.

Fisher se toma ahora unos minutos sobre el fango para recomponer su estrategia. Ordena a sus soldados un avance discontinuo para conseguir tantos metros como les sea posible cada momento que la ametralladora alemana se silencie y volver a ocultarse con rapidez cuando sea accionada.

Agazapados y con los ojos bien abiertos, el grupo reinicia el avance a través de la neblina hasta que aparece la madeja de hilos filosos del tendido alemán que también ha quedado dañada por las bombas aliadas. Los hombres caminan deprisa en diagonal buscando un espacio por el que puedan cruzar. González es quien, después de varios metros, encuentra un boquete entre la alambrada.

Juntos, sin el acompañamiento del resto de los pelotones del Regimiento 178, que han quedado retrasados, los soldados de Fisher avanzan hasta que, como de un estanque de leche, emergen de la niebla haciendo sus siluetas visibles al operador de la metralleta alemana, gracias a la luz lanzada por las explosiones.

Las balas vuelan en su dirección, golpean la tierra, las maderas de la empalizada con la maraña de alambre y el casco del sargento Fisher, quien se tira al suelo al sentir el impacto de una carda afilada clavándose en la pierna derecha. Sin saber que su sargento está herido, los hombres corren agazapados rompiendo el orden de la formación en busca de un refugio.

Aguirre y Serna son quienes se percatan de la herida del mando y lo toman por los brazos para arrastrarlo hasta una falla en el abrupto terreno. El cabo mira la herida que sangra a la altura del muslo.

—Apenas es un rasguño —dice Fisher sin revisarse—. Localice a Baca, cabo, que se prepare para cubrirnos.

Aguirre observa a su alrededor. A unos metros, aparece el corpulento soldado detrás de González. Con una seña, le ordena que instale su metralleta sobre el terreno y se prepare para responder al fuego enemigo.

—Usted, Serna y Mascarenos se van conmigo; el resto se queda aquí. A mi orden, Baca abre fuego.

—¿Está seguro de que puede continuar, señor?

—Sí, le digo que es un rasguño. Nos deslizaremos por ahí, por el costado derecho —asegura Fisher apuntando con la mano y bajando la cabeza para cubrirse de las balas que vuelven a volar.

Baca descarga su metralleta en dirección al nido alemán logrando silenciarla por un instante.

Detrás de Fisher, Aguirre, Serna y Mascarenos aprovechan el momento para ponerse de pie y correr tan rápido como les es posible. El terreno debajo de ellos se cimbra a causa de los impactos de los obuses aliados que, aunque menos frecuentes, todavía caen adelante.

Una nueva ráfaga de fuego enemigo obliga a los cuatro soldados a arrojarse detrás de un terraplén formado por las bombas, en cuyas márgenes se van a enterrar las cargas.

Sorprendido por no haber sido alcanzado aún por bala alguna, Fisher se revisa la pierna. La sangre de la herida horizontal ha humedecido el pantalón del uniforme hasta la rodilla. Por encima de su cabeza, intenta espiar otra vez delante de él. La trinchera alemana parece estar muy cerca, a solo cien metros de distancia de su grupo.

Aguirre llama al sargento para hacerle notar que los hombres de Jackson están llegando a la alambrada alemana.

Con la metralleta repiqueteando, Serna encuentra una posibilidad de aproximarse a la zanja enemiga por el centro del terreno desde donde ha visto que no proviene ninguna agresión. Tan rápido como le es posible, le explica a Aguirre que él mismo puede avanzar en línea recta si distraen lo suficiente al operador del arma. El cabo transmite las intenciones del soldado raso a Fisher.

Sin otra opción para acercar a su pelotón y detener la metralleta que permita el avance de sus hombres y los de Jackson, el sargento accede al plan de Marcelino Serna y ordena a Mascarenos preparar su rifle.

A través del catalejo de su mira telescópica, entre la bruma, Mascarenos observa la casamata hecha de concreto y forrada de sacos de arena que resiste a pesar del bombardeo. Desde su posición, el soldado puede mirar la figura del operador de la metralla sin tenerlo franco para realizar un disparo limpio. Marcelino, por su parte, ajusta sus granadas y su rifle a su espalda y se gira para avanzar pecho tierra.

—Preparados, ¡fuego! —ordena Fisher.

Aunque el primer disparo de Mascarenos no logra dar en su objetivo, logra atraer la atención del operador.

Sin pensarlo, como se toman las decisiones de juventud, Serna aprovecha y se desliza por el terreno apoyado por sus extremidades con la cara tan cerca del fango que puede sentir el calor de su propia respiración en su rostro. Brazada a brazada, se aproxima por el centro absorbiendo en su pecho la fuerza de cada impacto de la artillería aliada. Desde su posición, Aguirre sigue con los ojos bien abiertos la trayectoria de su compañero hasta que lo mira alcanzar las márgenes de la trinchera alemana por el centro, increíblemente, sin un solo rasguño.

Marcelino Serna se pone de pie con sigilo. Enseguida toma su rifle y mira a delante sobre él para encontrar la galería muy dañada. Con cuidado, avanza por la cornisa desprendiendo paso a paso un poco de tierra que cae al interior. Más adelante se detiene y se agazapa cuando observa a dos soldados de uniforme gris ingresar corriendo a una cueva. El mexicano sospecha que se trata de una de las madrigueras de las que habló el sargento Fisher. De nuevo sin pensarlo, coloca una rodilla en el suelo y apunta su Lee-Enfield en esa dirección.

En español, ordena a quien sea que se encuentre ahí dentro que se rinda y salga con las manos en alto. Un barullo incomprensible para el mexicano se escapa de las entrañas de la habitación. De pronto, un soldado se asoma y abre fuego con su arma de cargo. Serna responde la agresión impactando el pecho del hombre, quien cae al piso. Enseguida cambia de posición imaginando que el segundo puede salir en cualquier momento.

No es uno sino tres los soldados que emergen de forma sorpresiva realizando disparos sin sentido a la superficie. Marcelino responde accionando su fusil y reduciendo a los tres alemanes. Un solo disparo le queda en su cargador. Sin saber cuántos hombres más puede haber ahí dentro, y sabiéndose solo, decide tomar una de las granadas de mano que lleva al cinto. Despacio, remueve el seguro y la arroja con fuerza dentro de la madriguera. La explosión sacude con violencia la galería. Gritos de desesperación emergen de su interior. Con la agilidad del mejor guerrero, Serna se rueda para ubicarse justo frente al acceso del que se escapa y asciende una columna de humo.

«*Nicht schießen. Nicht schießen*», gritan desde el interior sin que el mexicano comprenda.

Con su arma alzada al hombro, Marcelino cuenta incrédulo veinticuatro soldados que, confundidos, emergen con las manos en alto. El mexicano recuerda de nueva cuenta que solo lleva una bala disponible.

Mediante señas, Marcelino les ordena a sus nuevos prisioneros que se coloquen mirando a la pared de la trinchera.

Antes de girarse, uno de los alemanes observa de reojo a su captor e intuye que está solo. Temiendo ser fusilado ahí mismo, baja una mano y, con discreción, busca un revólver que lleva oculto entre el vientre y el cinturón. De un movimiento, el ahora prisionero se gira apuntando el arma a la superficie. Antes de que Serna pueda darse cuenta del peligro, un disparo seco se escucha junto a él. El alemán cae lentamente al piso impactado, en medio de los ojos, por una bala de la Colt humeante nada menos que del sargento Frank Fisher.

Once
Los lamentos

Lo único que cruza por la mente del soldado en la batalla es el presente. Ese instante efímero que, frente al enemigo, se reduce a la decisión de matar o morir.

Marcelino Serna mira los cuerpos informes y sin vida en el interior de la trinchera. Junto a él, el sargento Frank Fisher desciende de un salto seguido de sus hombres apuntando su arma de cargo al grupo de soldados alemanes hechos prisioneros por el mexicano.

En el amanecer del 12 de septiembre de 1918 el mando reconoce entre ellos a dos oficiales por los emblemas y los cascos afilados que portan. En un fluido alemán, y con las cargas de la artillería cayendo como un concierto de tambores, Fisher les ordena a los oficiales que compartan con él detalles sobre la situación de sus tropas ahí dentro y en el bosque de Mort Mare.

Sin bajar los brazos, uno de ellos de bigote largo observa a uno de sus compañeros muertos frente al acceso del refugio antibombas. El otro repara en el soldado que recibió la bala del sargento americano en medio de los ojos, cuya herida deja escapar un hilo espeso de sangre que recién se va a depositar al fango. Con una mirada de desprecio, el oficial de bigote largo vuelve al rostro de Fisher y niega con la cabeza. Impávido, suelta un contundente «*Fick dich*», con el que salpica unas gotas de saliva en el rostro del mando americano. Furioso, el sargento golpea con el filo de la empuñadura de su Colt en la nariz al hombre, quien se dobla del dolor.

Enseguida, el sargento americano ordena a sus hombres registrar a cada uno de los prisioneros alemanes y revisar el interior de la guarida para saber cuántos soldados han quedado atrapados ahí.

Luis López y Tobías González son quienes reportan dieciséis muertos en total, los cuatro del exterior y doce más en el interior. El mando comisiona a los dos soldados a quedarse en resguardo del grupo de veinticuatro prisioneros. El resto del pelotón, detrás de él, se inserta por la misma trinchera que mira al frente.

Entre la niebla atrapada, el grupo se dirige de inmediato en dirección al este, a la posición de donde proviene el repiqueteo incesante de la metralleta que, solo unos minutos antes, contuvo su avance y que, según sus órdenes, deben neutralizar para permitir el progreso de los hombres de la Compañía A, los del capitán Daniel Jackson.

A la cabeza de la columna, Fisher avanza apuntando su arma de cargo y preparado para hacer frente a cualquier peligro que aparezca adelante, ya sea algún soldado solitario o alguna unidad alemana que lo tome por sorpresa. Detrás de él, Aguirre sostiene la caoba de su empuñadura mientras acaricia, con la punta de su dedo índice, el gatillo de su rifle. Al interior de esta trinchera, todos lo saben, están en desventaja; un ataque puede sorprenderlos desde cualquier flanco, a través de la bruma, en la próxima intersección o, peor aún, desde el exterior.

Marcelino Serna avanza con los ojos abiertos por completo. Observa que las bombas aliadas han convertido la instalación en un corredor casi imposible de transitar. Regados por todo el espacio, entre las porciones vencidas de paredes reforzadas por concreto, habitan un sinnúmero de objetos abandonados como envases, herramientas y cajas de madera. Sin embargo, lo que más llama la atención del soldado mexicano es la ausencia de más tropas que sostengan este emplazamiento considerado por los franceses un bastión inamovible del frente occidental.

Fisher se detiene de pronto y con él la columna. Un deslave cubrió todo el corredor, por lo que le es imposible franquear la trinchera. Del otro lado, la metralla continúa su bramido. Al darse cuenta de la situación, Manuel Chávez se aproxima al frente sosteniendo su pala. Tan rápido como puede, cava una y tantas veces en la tierra suelta para abrir paso. Aguirre pide permiso y cruza solo en dirección de la casamata donde se encuentra el arma y su operador. Antes de que pueda llegar a ella, el cabo escucha la metralleta silenciarse, varios gritos y dos disparos secos que terminan con un gemido ahogado.

Con cuidado, el cabo se aproxima con la respiración agitada. En el interior de la estructura de concreto, que tiene una profundidad de no más de un metro, halla el arma ardiendo con un hilillo de vapor emanando del cañón. Debajo de ella, sobre un tapete dorado de casquillos percutidos, descansan los cuerpos sin vida de los tres operadores alemanes.

Antes de que Aguirre pueda volver e informarle a Fisher sobre la situación, reconoce a través de la apertura del refugio la figura del teniente Chauncey Porter, uno de los hombres de más confianza de Jackson. Detrás de él, entre la bruma, observa a varios de sus hombres aproximarse a grandes pasos. Comprende que ha sido el mismo teniente Porter quien ha reducido al último operador de la metralleta.

—¿Dónde diablos estaban, Fisher? —espeta el capitán Jackson descendiendo a la galería seguido de sus hombres.

—Pudimos avanzar por el centro y capturar un refugio con cuarenta alemanes, veinticuatro de ellos vivos.

—Pues no parece haber servido de mucho. Esos hijos de puta mataron a uno de mis sargentos e hirieron a varios hombres ahí detrás. Son ustedes unos ineptos —dice rabioso el mando americano ordenando a sus hombres que se den prisa para ingresar a la trinchera.

—Esos prisioneros suyos, ¿han soltado prenda? ¿Han dicho algo sobre lo que nos aguarda ahí delante?

—Nada aún, capitán.

Jackson niega con la cabeza y tuerce la boca.

—Nosotros seguiremos a la trinchera de comunicación —asegura el capitán.

Fisher replica que la orden directa que él tiene del coronel Baker es la de avanzar juntos hasta encontrarse con los hombres del Regimiento 177 después del bosque.

—No me interesa, sargento. No puedo fiarme de ti o de tus indios para continuar nuestro avance de aquí en adelante —responde el mando—. Avisaré por radio que tienes prisioneros para que vengan por ellos. Limpia la trinchera por completo y continúa. Nos encontraremos antes de ingresar al bosque.

El capitán ordena con una seña a sus pelotones seguir por la primera calle perpendicular en dirección al norte. A diferencia de Fisher, Jackson se inserta a la mitad de una de sus columnas.

—Maldito cobarde —susurra el sargento dando media vuelta para volver sobre sus pasos.

Serna observa a la columna de soldados rubios adentrarse por el pasadizo profundo sin comprender qué y cuál es la función de la llamada trinchera de comunicación y por qué resulta tan importante en ese lugar.

El pelotón de la Compañía B vuelve a la entrada del refugio donde López y González continúan en resguardo de los prisioneros alemanes. Impacientes, esperan varios minutos por el grupo de la policía militar de su brigada para continuar.

Es hasta este momento en que Marcelino cae en la cuenta de que los cañones alemanes se han silenciado por completo; en contraste, del otro lado, el fuego aliado no parece dar tregua. A este costado del frente llegan ahora gritos y explosiones confusas que provienen de distintos puntos.

Cansado de esperar sin que aparezca algún pelotón de la policía militar de la División 89, Fisher instruye a López y a

González que esperen por ellos resguardando a los prisioneros y por las tropas de apoyo del Regimiento 354.

—Cualquier movimiento, denles plomo a estos malnacidos —amenaza el sargento en alemán sin que sus dos hombres comprendan una palabra.

El pelotón se divide en dos patrullas que embocan por los pasadizos misteriosos e inexplorados del lado oeste. La idea del sargento es barrer esa porción de la instalación para que las tropas de apoyo transiten sin dificultad.

Detrás de Aguirre, Víctor Baca, Elizardo Mascarenos y Bicente Ochoa toman la primera calle; Marino Ochoa, Serna y Chávez, por su parte, siguen a su sargento por el segundo pasadizo, uno mucho más estrecho y húmedo.

Envuelto en el vapor de su propia respiración entrecortada y apuntando la bayoneta de su rifle al frente, Marcelino avanza expectante a lo que aguarde oculto a través del desolado laberinto. Poco a poco, el grupo va peinando el lugar sorteando vigas de madera vencidas y cables tendidos desde la superficie intentando mantener la dirección al norte. Al observar el nivel de destrucción que ha causado en ese lugar la artillería aliada durante tantas horas de embestida, para Serna resulta cada vez menos extraño que, a esa hora de la mañana, las tropas alemanas hayan huido.

El grupo encuentra a su paso un acceso a lo que aparenta ser otro búnker. El mexicano nota que el techo del refugio subterráneo ha sido alcanzado por las bombas y se ha hundido por la mitad; adentro, no encuentra señal alguna de vida.

Unos pasos adelante, Fisher vuelve a marcar el alto. Sigilosos, Ochoa, Serna y Chávez se aproximan al acceso de otra habitación que se mantiene de pie. Por un segundo, los soldados aguardan con el oído atento para escuchar si se encuentra ocupada. Es Marino Ochoa quien, por orden del mando, quita con sigilo el seguro de una de sus granadas de mano. Con un movimiento ágil, la arroja al interior. La sórdida explosión provoca una polvareda que escupe agresivamente escombros al exterior a través de la puerta.

Serna y Fisher se acercan apuntando su rifle y su pistola. Ningún signo de vida ni de angustia se escapa del interior.

Con su lámpara de mano y apuntando su arma de cargo, el mexicano alumbra el interior. El halo de luz atraviesa la nube de polvo mostrando de forma confusa varias filas de literas, algunas colchonetas viejas y objetos personales como una taza de lámina, un tubo de pasta dental vacía, jabones y peines. Sobre una pared, Marcelino descubre con sorpresa un crucifijo de hierro corroído por la herrumbre a punto de caer. Al mirar el rostro angustiado de Cristo, piensa por un instante en las semejanzas con quienes ahora llama enemigos y se pregunta, con razón, a qué bando apoyará Dios.

—Vamos, Chief. Tenemos que apresurarnos —dice Chávez desde afuera.

Los cuatro hombres continúan por el corredor esquivando otros objetos que encuentran a su paso hasta llegar a un área de cocina.

Sobre los estantes de la pared, Marcelino observa algunos enseres de peltre, frascos de cristal con jaleas y latas con embutidos. Junto a ellos, varias ollas con sobras de sopa descansan sobre las hornillas de un fogón. Al centro de la habitación, carente de techumbre más que una lona, sobre una mesa de madera, Serna y Chávez reparan en algunos trozos de pan y queso. Ambos soldados recuerdan que, desde el plato de avena y el trozo de pan que les repartieron hace casi veinticuatro horas, no han probado alimento alguno.

El soldado con cara de niño toma un trozo de pan con las manos llenas de tierra hasta las uñas. A punto de llevarse el alimento a la boca, Fisher se aproxima a él para golpear su mano y gritarle en inglés que no se atreva a comer nada de lo que ahí se encuentra. Sin saber si ha comprendido o no sus palabras, el sargento señala debajo de la mesa. Ahí, Chávez, Serna y Ochoa hallan a un grupo de ratas de colas pelonas que han quedado tiesas e inflamadas. Todas ellas llevan en sus hocicos, o apretadas entre sus pequeñas garras, un trozo del mismo pan y queso depositados sobre la mesa. El mismo Fisher es quien se encarga de arrojar sobre el piso los alimentos y pisarlos para que nadie más intente ingerirlos.

Los soldados abandonan la cocina para continuar por la misma galería. Al final, en la última intersección, se reencuentran con el grupo de Aguirre, quienes han llegado al mismo tiempo. El cabo informa a su superior que ellos tampoco han localizado a ningún soldado alemán ni otro emplazamiento ocupado, solo una bodega dañada con bidones vacíos.

Sin López ni González, quienes han quedado al resguardo de los prisioneros, el pelotón continúa hasta la salida de la trinchera que conecta con los primeros árboles del apretado bosque de Mort Mare. Antes de que puedan ingresar a través de la arboleda, varias explosiones vehementes cimbran la tierra. Los impactos han sido tan sorpresivos que los hombres solo alcanzan a encogerse de hombros.

—¿Eso vino de aquí adentro, Aguirre? —pregunta Bicente Ochoa.

—No tengo idea —responde el cabo mirando a su alrededor desconcertado.

—Sonó como dinamita —asegura Serna.

Dos nuevas explosiones de las mismas dimensiones estremecen la tierra. Los hombres se movilizan en dirección al bosque.

—Qué carajos… —exclama Mascarenos empuñando su rifle.

Fisher mira en dirección a la copa ocre de los árboles que sostienen en sus ramas las últimas hojas verdes del año. A través de ellas, puede mirar varias columnas de humo gris y sólido que ascienden verticales al cielo.

Afuera, el sargento ordena a los mexicanos darse prisa e insertarse entre la apretada vegetación. Aunque también cree que las explosiones fueron mucho más fuertes que las de los cañones aliados o enemigos, no descarta que Jackson y sus hombres hayan sido víctimas de una celada al interior del bosque.

Cauteloso, Marcelino Serna se aproxima a los primeros árboles junto a sus compañeros. Sus botas caen sobre el follaje atrapado entre los árboles haciendo tronar las ramas secas. A través de la mirilla de su rifle, el soldado examina nervioso delante de él en busca de cualquier enemigo que pueda aparecer delante.

De repente, una figura cruza como un espectro entre los árboles y la maleza. A punto de accionar su arma sobre ella, Serna repara en que se trata de uno de los suyos gracias a la forma de su casco. El mexicano limpia con su lengua las comisuras de sus labios resecos por la sed, aprieta los párpados y sacude la cabeza para ahuyentar la pesadez del cansancio que, a esa hora de la mañana, comienza a hacer estragos en él.

Marcelino continúa su camino prestando más atención al frente. Apenas unos metros adelante, reconoce a los hombres de Jackson diseminados entre los matorrales y detrás de algunos troncos enjutos. Oculto por una roca, uno de los oficiales reconoce al sargento Fisher y a sus hombres. Con una seña, les ordena que se cubran y aguarden hasta recibir nuevas órdenes. Marcelino, Fisher y Mascarenos hallan cada uno un árbol robusto en el que se colocan de espaldas, contra el tronco; otros, como Chávez, González o Baca, solo logran depositarse entre la vegetación.

Con sus armas de cargo apuntando al frente, los hombres de la Compañía B aguardan por un buen rato sin que alcancen a comprender del todo la razón por la que deben retrasar tanto su avance cuando, a lo lejos, en otros sectores, pueden escuchar que el intercambio de fuego de rifles y metralletas no hace más que incrementarse.

Elizardo Mascarenos es quien —después de hurgar con la mirada entre la densa vegetación durante un buen rato— puede identificar la causa del retraso de su avance a través del bosque.

A solo unos metros de él, entre las ramas, reconoce los cascos negros y puntiagudos de dos *boches*, además del cañón de una metralleta que apunta amenazante hacia donde se ocultan los primeros hombres de Baker.

Con un silbido discreto, el fusilero alerta a Aguirre y a Fisher para señalarles que, a cincuenta grados delante de ellos, entre la vegetación, se encuentra el arma automática con dos operadores alemanes. Aunque lo intentan, ninguno de los dos, ni el sargento ni el cabo, hallan el ángulo necesario para observar al enemigo.

Después de unos minutos, Mascarenos vuelve a forzar la mirada delante de él. De pie, desde su posición, calcula que es posible reducir a los dos alemanes con dos tiros limpios. Sin prisa, ajusta la mirilla de su Lee-Enfield y acciona el cerrojo depositando un proyectil en la recámara del arma. Antes de que pueda solicitar permiso a Fisher para abrir fuego, los hombres de Jackson reciben la orden de disparar a discreción al frente con el único objetivo de desnudar la ubicación y la cantidad real de enemigos que tienen delante de ellos.

Cuatro metralletas alemanas despiertan súbitamente respondiendo con un fuego violentísimo e inesperado.

—¡Mierda! —exclama Mascarenos deslizándose detrás del tronco al piso para cubrirse de los impactos con su arma de cargo entre las piernas.

¡Ra-ta-ta-ta-ta!, continúa el furioso vaivén alemán mezclado con un alarido incomprensible de sus operadores, que logra acallar por completo el primer embate americano.

Además de la metralla que Mascarenos logró ubicar, las luces rojizas y crepitantes que arrojan los cañones desvelan la posición de las otras tres armas que se encuentran muy próximas unas de otras, a solo unos veinte metros una de otra.

La espesa lluvia de balas alemanas sigue su vuelo mortal atravesando hojas y ramas para impactarse en las piedras y en los cascos de los soldados que han quedado imposibilitados no solo de mirar al frente, incluso de cargar de nuevo sus armas para repeler el fuego.

Sin remedio, algunos proyectiles se van a incrustar en las carnes lánguidas de los soldados del coronel Baker quienes, con bravura, habían intentado encaramarse para llegar a los operadores.

Los primeros gritos de dolor se mezclan con el de las ráfagas de metralla encendiendo los temores más profundos en los soldados.

Baca araña la tierra sin poner a punto su Excavadora de Papas, que continúa tendida sobre el piso. Las dos unidades que debían respaldarse han quedado ahí, irremediablemente atrapadas en este lugar, a merced de su suerte y de los proyectiles de las metrallas, los equipos más letales de esta guerra —unos que les han arrancado la vida a miles de efectivos, de uno y de otro bando, en cuatro largos años de guerra—.

Detrás de su tronco, Mascarenos mira de uno y otro lado intentando incorporarse. Una vez de pie, observa con cuidado delante de él. Tras la primera embestida, los dos operadores han quedado descubiertos por completo. Los gritos de dolor de los heridos al frente se hacen cada vez más intensos y profundos. Desde su posición, Serna busca con urgencia alguna posible salida que no resulte suicida; no la encuentra. Con el corazón agitado y sin saber qué hacer, los hombres de ambas compañías resisten durante un largo rato hasta que, de manera inesperada, un tumulto proveniente de la retaguardia aparece entre los árboles.

Fisher y sus hombres reconocen con sorpresa a las tropas de apoyo del Regimiento 354 de Infantería, quienes por fin han logrado darles alcance gracias a que hallaron la primera trinchera alemana limpia, sin obstáculo alguno. Entre los hombres que se aproximan a paso veloz preparando sus armas, Serna reconoce las figuras de Luis López y de Tobías González.

—¿Por qué tardaron tanto, cabrones? —reprocha Aguirre a sus dos compañeros, quienes toman un lugar cerca de sus compañeros.

—Nos costó explicar cómo es que teníamos bajo nuestro resguardo al grupo de *boches* —asegura lacónico González.

Con el respaldo de la infantería en la retaguardia, Jackson ordena a sus hombres responder el fuego con todo lo que tienen. Víctor Baca coloca en posición su Excavadora de Papas y abre fuego con una expresión encolerizada en su rostro.

El alarido del fuego cruzado forma un eco alucinante al interior del bosque. Después de unos minutos, dos de las metralletas alemanas, las más expuestas, son reducidas por el fuego americano. La tercera la echan por tierra un par de osados soldados rasos de Baker, quienes, para su mala fortuna, son alcanzados por los proyectiles de la última arma germana que se mantiene activa, la que Mascarenos tiene de nueva cuenta a punto.

—Aguirre, los tengo francos —grita el soldado apuntando a través de su mirilla.

—¡Jálale, cabrón!, ¿qué esperas? —responde el cabo.

El fusilero abre fuego e impacta al alemán directo en el cuello. La sangre brota a chorros y salpica a su compañero junto a él. Aterrado, el soldado deja caer la tira de alimentación de munición del arma que sostenía entre sus manos para emprender la huida.

De nuevo a través de su mirilla, Mascarenos centra la figura del hombre que, paso a paso, se va alejando entre la maleza haciéndose más pequeña. El mexicoamericano traga saliva y, en la última oportunidad para disparar, decide retirar el dedo del gatillo. No obstante, antes de que baje su arma, un disparo seco retumba deteniendo la carrera y haciendo languidecer el cuerpo del alemán. Incrédulo, Mascarenos observa al fugitivo desplomarse sobre la tierra. Perturbado, el fusilero busca a su alrededor quién se ha atrevido a disparar a sangre fría a un hombre desarmado y por la espalda.

Con las cuatro metralletas reducidas, los soldados se reincorporan de sus refugios poco a poco. El espectro de luz del oriente moldea sus cuerpos entre la espesura del bosque. De la retaguardia, un grupo de ordenanzas y camilleros aparece para atender a los heridos. Ayudados por sus compañeros, ubican a los más graves para trasladarlos con celeridad a las clínicas de campaña ubicadas detrás del frente.

«Yo seré la sombra que cuide tus pasos», repite varias veces en su cabeza Serna, como una plegaria, al mirar pasar a los soldados sobre las camillas que se lamentan por las heridas en el rostro, el vientre y las extremidades.

Junto a Serna, Manuel Chávez observa con una carga de envidia a los heridos americanos quienes, a diferencia de los ingleses o los franceses que han regresado una y varias veces al frente después de recuperarse para seguir peleando, no volverán y serán enviados a casa con sus familias.

—¡Chief, espera! —grita González para detener el avance de su compañero.

Serna y Chávez regresan a donde se encuentra el resto del grupo rodeando a un sanitario y a un soldado sentado sobre el piso.

Al aproximarse, ambos reparan en que se trata del sargento Fisher, quien muestra un semblante trémulo, casi a punto de desfallecer. Serna teme que el mando haya sido alcanzado perniciosamente por alguna de las últimas balas de las metralletas alemanas.

—Déjeme en paz. Debo continuar el avance con estos indios que son mis hombres —asegura molesto.

Marcelino mira el pantalón del mando que fue cortado para examinarle la herida. Está cubierta por completo de lodo y sangre espesa que desciende ahora hasta las polainas.

—Así no puede continuar —sostiene el sanitario mirando la lesión—. Debe ser atendido.

Fisher se niega y responde que solo es un rasguño e intenta en vano ponerse de pie.

—Escuche, sargento, si no lo atienden, le van a tener que amputar la pierna —afirma el ordenanza—. Decídase ahora o permita que me lleve a otro soldado que lo necesite en su lugar.

De pie, Fisher se da cuenta que le es imposible dar siquiera un paso. Entonces se recuesta sobre la camilla. Los dos ordenanzas al fin lo levantan. Antes de partir, mira con sus ojos azules a Aguirre y le dice:

—Queda a cargo del pelotón hasta que yo vuelva, cabo. Tenga cuidado, en especial con ese hijo de puta de Jackson.

Aguirre asiente muy serio con la cabeza y, junto al resto de los hombres, observa a los dos ordenanzas alejarse cargando a su sargento.

Las tropas de apoyo del Regimiento 354 se integran por completo a los del 355, el de los mexicanos, y forman un solo cuerpo que continúa su camino a través del bosque de Mort Mare sin encontrar resistencia alguna. Los hombres pueden mirar de nuevo en el cielo las columnas de humo sólido que ascienden de manera vertical.

Una escena increíble se muestra ante los ojos de la tropa cuando emergen de los árboles a la llamada trinchera de comunicación. El lugar no es otra cosa que un claro, en medio del bosque de árboles desgajados y raíces torturadas, donde descansa la batería alemana cuyos morteros y un cañón que lleva pintada en uno de sus costados la palabra *ODIN*, han sido destruidos con dinamita, dejando sus extremos abiertos como pétalos de flores negruzcos.

—¿Odín? —pregunta intrigado Mascarenos.

—El Dios de la guerra para los nórdicos —dice Marino Ochoa.

—Destruyeron todo y se largaron —afirma Aguirre sin dar crédito a lo que mira a su alrededor.

—Estos malditos lo hicieron para que no las usemos —dice Marino Ochoa desplazándose con dificultad entre decenas de montículos de cilindros dorados y huecos.

—Si nos damos prisa, seguro podemos darles alcance a esos cabrones —sostiene Aguirre con un increíble vigor que asombra a la mayoría de sus hombres.

El grupo continúa arrastrando los pies dejando atrás el puesto de comunicación alemán que también ha sido destruido e incendiado. El cansancio, junto a la falta de sueño y de comida desde hace veinticuatro horas, los corrompe duplicando el peso de los equipos que llevan a cuestas.

—Hemos logrado que se retiren esos malnacidos, ¿no es suficiente por hoy? ¿Cuándo vamos a parar, Aguirre? —pregunta González.

—Te juro que no siento las piernas… no puedo más. Necesito descansar y dormir un rato —añade el soldado con cara de niño, quien marcha junto a las últimas pilas de vainas de munición en dirección a la otra porción del bosque.

—Tampoco creo aguantar mucho más, camarada —asegura López junto a él.

—¿Cuándo fue la última vez que dormimos?

—Ayer.

—No, antier —corrige alguien detrás.

—¿Qué día es hoy? ¿Jueves, viernes? Carajo, no tengo ni puta idea —dice González confundido.

—Da igual qué día sea… es día de matar y de que nos maten.

—A mí ya me anda de hambre —dice parco Baca con su arma de cargo al hombro—. Ahora mismo mataría por ese pedazo de pan que se tragaron las ratas.

Al final de la formación, el único que camina en silencio es Mascarenos. Desde hace minutos, la agresión a sangre fría del fugitivo alemán es todo en lo que puede pensar el soldado. Inquieto, continúa la marcha mirando a su alrededor y tratando de descifrar quién se ha atrevido a disparar a un hombre desarmado por la espalda.

Después de varios minutos de marcha, las unidades por fin dejan atrás Mort Mare. A lo lejos, sobre la colina, pueden mirar la cordillera de crestas boscosas donde todavía se va a impactar con fuerza la artillería aliada y que deja hilos de humo que ascienden al cielo del departamento francés de Meurthe y Mosela. Entre las colinas más cercanas, Marcelino Serna puede mirar un pequeño poblado de casas de teja que los mandos identifican como Euvezin.

—Euvezin —repite el mexicano—. Ese es el objetivo de avance del primer día, ¿no es así? Lo dijo Fisher.

—Vaya. Al fin podremos descansar, comer y, con suerte, dormir —afirma González.

Además de ser el objetivo del avance del regimiento de los mexicanos durante el primer día de la operación, ese diminuto poblado es donde los hombres del Regimiento 178 deben reunirse con los del 177 para formar una sola unidad y, después, continuar el avance hasta tomar por completo la saliente de Saint-Mihiel en los próximos días.

Unos minutos antes de las tres de la tarde, diez horas después de haber saltado de la trinchera de Flirey, los hombres del Regimiento 178 notan que los bombardeos aliados se han reducido de forma considerable, aunque sin detenerse. Tan rápido como les es posible, cruzan un río estrecho y alcanzan las márgenes del poblado de Euvezin. A su paso, Serna repara en que las casas y graneros de techos de teja de dos aguas se encuentran de pie, sin un rasguño de bala y extrañamente abandonadas.

Los hombres de la Compañía B hallan a los primeros soldados rubios del Regimiento 177. Muy cansados por el esfuerzo realizado durante el primer avance, los soldados fuman y reposan junto a sus posesiones y sus armas de cargo.

Al llegar frente a la iglesia del pueblo, un edificio sobrio con una torre de campanario rematada en teja, los soldados del Regimiento 178 y las tropas de refuerzo al fin hacen alto. Sin esperar por la orden de descanso, arrojan sus equipos al suelo y se tienden sobre una pequeña explanada. Para su fortuna, un grupo de hombres asignado a las cocinas de campaña aparece por la calle principal repartiendo pan y latas de paté entre los soldados recién llegados, quienes se acercan impacientes.

Sin descansar ni comer, Alberto Aguirre se dirige a la iglesia del pueblo siguiendo a Jackson y a Baker.

—¿No vas a tomar tu porción, cabo? ¿Me la dejas? —pregunta González con un grito y con desfachatez sin que Aguirre responda.

Al interior de la iglesia, el cabo de la Compañía B se une al coro de mandos reunidos alrededor del altar. Los del Regimiento 177 reclaman a los del 178 haberlos hecho esperar durante más de dos horas en aquel poblado en el que, de forma extraña, han encontrado una resistencia mínima por parte de los alemanes. Los sargentos realizan un recuento de la situación de sus pelotones y de las bajas causadas durante el primer avance.

Enseguida informan a los miembros del Regimiento 178 acerca de las modificaciones a los planes de avance del día que recibieron por parte de la comandancia de la división. Un mando de gorra y bigote delineado, que Aguirre no conoce, asegura que la comandancia ordenó llevar a cabo un reconocimiento del terreno en dirección a Thiaucort para continuar el avance.

—Ahora es arriesgado movilizar a nuestros equipos sin saber las condiciones actuales del terreno —explica el mismo teniente de bigote delineado—. Tenemos información de que nuestra artillería ha golpeado con furia varios poblados hasta Thiaucort, pero no sabemos a qué nivel. De ser así, se habrá logrado hacer daño al enemigo y contener su repliegue. Para conocer los efectos de los ataques de la artillería y continuar nuestro avance, se ha ordenado que enviemos una patrulla de reconocimiento. Por la cantidad y la resistencia que hemos encontrado para llegar aquí, creemos que esos malnacidos están bastante debilitados. De ser así, podremos reducirlos en cuestión de días, pero no podemos confiarnos, debemos estar seguros de lo que aguarda por nosotros ahí delante antes de inducir un avance masivo.

—¿Cuántos kilómetros tienen que avanzar las patrullas, teniente? —cuestiona el coronel Baker—. Mis hombres vienen bastante debilitados.

—Máximo cinco, coronel —responde el de bigote delineado.

—Es momento de darles con todo a esos *boches*, presionarlos y no dejar siquiera que tomen una bocanada de aire antes de que puedan replegarse —sostiene Baker—. Si se los permitimos, se reforzarán y el plan de la comandancia no habrá resultado.

—Sí, coronel.

—El primer poblado que encontrarán es este, el de Bouillonville —sostiene el teniente de bigote fino, quien parece conocer el terreno apuntando con su dedo sobre un mapa detallado de la zona que descansa sobre la mesa del altar—. Esa población se encuentra pasando un recodo del río Rupt de Mad, el mismo que cruzaron para llegar aquí. Una vez que tengan clara la situación, es necesario que la compartan con nosotros a través de la radio. No es necesario que lleven a cabo avance alguno o que abran fuego. Solo se necesita información de las condiciones del terreno.

—¿Entendido?

Los hombres responden al unísono afirmativamente.

—Andando, señores.

Juntos, Jackson, Baker y Aguirre abandonan a largos pasos la iglesia por el pasillo central.

—Quería mostrar de qué están hechos sus indios recogealgodón, cabo, pues prepárelos, van a completar la patrulla con los del 177 —asegura el capitán Jackson encaminándose a donde se encuentran sus tropas.

Aguirre mira muy serio a su alrededor y traga saliva sin responder.

Con excepción de Mascarenos y Serna, el cabo encuentra en la explanada a sus compañeros durmiendo sobre sus mochilas. Enseguida los espabila para informarles sobre el cambio de planes de la comandancia sin que, para su sorpresa, halle renuencia alguna de su parte. Aunque adormilados, todos, incluidos Chávez y González, se muestran dispuestos a continuar con el avance y llevar a cabo su labor porque, como afirma Marcelino, «pa' luego es tarde».

Pasadas las cinco de la tarde, poco más de dos horas después de haber llegado a Euvezin, los hombres del Regimiento 178, entre ellos los mexicanos, se integran con los del 177 para formar la patrulla de veintisiete elementos.

Antes de iniciar la marcha, y con la finalidad de evitar ser identificados por alguna unidad alemana, un sargento maduro del Regimiento 177 de nombre Grieser les recomienda no transitar en grupo por el camino que conduce a Bouillonville para evitar encontrar a su paso a alguna unidad alemana.

En parejas, los soldados descienden ocultos por una arboleda apretada como selva oscura, bordeando un campo infecundo que concluye en las faldas de una de las colinas que oculta a Euvezin. A la distancia, Serna y Aguirre escuchan unos gritos de dolor profundo que no pueden identificar de dónde provienen.

Al terminar la arboleda, los dos soldados se detienen.

Como Virgilio y Dante, miran incrédulos frente a ellos el abismo que desvela la última luz amarilla de la tarde, prueba de la destrucción causada por la copiosa artillería aliada que ha caído en el lugar durante todo el día.

—Por Dios santo… —dice el cabo con el griterío haciéndose cada vez más intenso.

En el terreno, los impactos de los proyectiles han arrancado decenas de árboles, dejando en su lugar cráteres regados por toda la depresión formada por dos colinas. Se trata de las aguas del río Rupt de Mad que hace recodo justo donde se encuentra la villa de Bouillonville.

Marcelino observa a lo lejos el puente que cruza el río hasta el poblado que ha quedado destruido en su totalidad. La patrulla se aproxima. El griterío ahora se convierte en un clamor cruel y hondo.

—¿Qué demonios es eso? —pregunta González aproximándose al resto de sus compañeros cuando anochece y todo se pinta de verde.

—¿Son hombres? —cuestiona Aguirre acercándose despacio junto al resto de sus compañeros.

—No. No lo son —asegura Serna, a quien el sonido le parece familiar.

Los veintisiete soldados americanos continúan con cautela abrazando su arma de cargo. Marcelino se adelanta al grupo poniendo más atención a los lamentos.

Al llegar frente al puente derruido, el mexicano toma por un costado para cruzar con cautela el río sobre las piedras revueltas del puente vencido. Justo adelante aparece un grupo de carretas de madera cargadas de materiales con las ruedas y los varales al aire. Al lado mira a algunos cuerpos de soldados alemanes muertos junto a unas pilas de estiércol. Delante, aún atados a los arneses halla, sin poder dar crédito a lo que sus ojos ven, el origen de los profundos clamores: un grupo de caballos retorcidos en formas grotescas que, moribundos, parecen expulsar por las fauces el lamento del mundo.

Serna se acerca a ellos deprisa. Por un momento los observa y enseguida, sin pensarlo, descarga su arma en la nuca de cada una de las cinco bestias para acabar de una vez con su sufrimiento.

—¿Qué chingados? —grita Aguirre sobresaltado al escuchar los disparos.

Marcelino Serna mira absorto los ojos trémulos y las fauces abiertas del último de los animales al que ha disparado y que ha quedado tendido en las afueras de Bouillonville sin poder dar crédito a lo que la artillería de su propio ejército ha hecho en ese lugar.

Doce
S.O.S. Thiaucourt

Los lamentos de los caballos recién sacrificados en las márgenes de Bouillonville zumban en la cabeza de Marcelino Serna.

Con la última luz del día, la patrulla de veintisiete hombres se interna con cautela en la diminuta población. Junto a sus compañeros, el mexicano se prepara para catear las casas y granjas que han quedado de pie en busca de alemanes.

El soldado ingresa a una de las propiedades de la calle principal que hace recodo con el río Rupt de Mad apuntando su rifle al frente.

«*Nicht schießen. Ich bin eine alte Frau*», dice una voz aguda con acento francés desde el fondo de una vivienda lóbrega que expele un intenso aroma a hollín y poro recién cocido.

Sin bajar su arma, Serna fuerza la mirada entre las tinieblas en dirección a donde cree que proviene la voz. Detrás de un ropero, sentada sobre una sillita de madera y envuelta en varias capas de ropa, halla una diminuta figura que, temerosa, se cubre el rostro con los brazos sin atreverse siquiera a alzar la mirada.

—*Nicht schießen. Ne tire pas* —repite afligida en los dos idiomas una anciana para que los soldados no la lastimen.

Marino Ochoa comprende que se trata de una habitante de ese poblado.

—*Madame, madame, s'il vous plaît. Nous sommes Américains* —dice el maestro aproximándose a ella junto a Serna para tranquilizar a la mujer—. *Pas Allemands, madame. Américains.*

—*¿Américains?* —pregunta confundida la anciana levantando la mirada con desconfianza y observando con sus ojos diminutos a los dos muchachos que tiene delante de ella.

—*Oui, madame, Américains* —vuelve Ochoa dibujando una breve sonrisa en su rostro.

Aunque la mujer no puede diferenciar entre los uniformes y los soldados de uno y otro bando, la tez marrón y las facciones por completo opuestas a las de los germanos le generan confianza.

Más tranquila, la mujer cuenta que, hasta el día anterior, cuando comenzó la «lluvia de fuego» —como llama al bombardeo de las últimas horas— el pueblo estuvo plagado de *fritz* de «cuellos altos y almidonados» que allanaron las casas de sus vecinos, que no habían ocupado durante toda la guerra hasta hacía unas semanas. A ella, asegura, la dejaron en paz porque la utilizaron como cocinera y su casa como comedor para los «que mandaban».

—Las lenguas de fuego, ¿volverán? —pregunta con preocupación la anciana señalando al cielo al salir a la calle principal de Bouillonville.

—*No, madame. Jamais* —responde Ochoa iluminado por la luz de una luna abierta.

—Maestro, pregúntale si los *boches* se han ido hace mucho y por dónde —ordena Alberto Aguirre con urgencia.

La mujer responde que al iniciar «la lluvia de fuego» vio a muchos alemanes dejar las casas y subir por la pendiente de la colina que, de manera natural, resguarda al pueblo.

—Seguramente se fueron para Thiaucourt. Allá es donde han estado desde hace años —sostiene y agrega que solo vio a unos cuantos entrar a su casa y cargar algunas cosas sobre las carretas.

La patrulla rodea deprisa las casas del pueblo para dirigirse a la colina. Solo unos pasos adelante, la luz azul de la luna desvela ante los ojos de los americanos un cuadro inaudito.

Un tendido de cientos de cadáveres de soldados alemanes cubre, hasta donde la vista alcanza, la ladera de la colina que ha sido vapuleada por las bombas. La imagen funesta le produce escalofríos a Manuel Chávez, quien, sobrecogido, observa a su alrededor y se persigna varias veces recitando una oración a las almas del purgatorio.

Marcelino Serna asciende con dificultad entre los cuerpos informes que halla a su paso. En busca de un lugar donde colocar su pie, pisa el torso y las extremidades de los cadáveres de huesos descoyuntados, de carne expuesta o arrancada por completo. Casi todas las víctimas de las bombas aliadas han quedado depositadas alrededor de unos profundos cráteres. Las del interior son quienes parecen haber sufrido una muerte atroz.

Serna se detiene un segundo en el casco quebrado de un soldado. Debajo de él encuentra el rostro de un muchacho no más grande que él cuyo gesto de lamento ha quedado petrificado. Más adelante observa una mano que aún mueve los dedos inflamados sobre el fango. Inquieto por hallar a su dueño aún con vida, el mexicano se aproxima con cuidado. De cerca, nota que solo se trata del reflejo de un cadáver acéfalo tendido sobre un lodazal de sangre; su cabeza, extrañamente, no se mira por ninguna parte. Un miedo insondable se apodera del mexicano al mirar la escena. Sin detenerse en más detalles, continúa el acenso por la colina junto a sus compañeros también embriagados de terror.

En la última parte del ascenso, los soldados de la patrulla americana reparan en unas extrañas nubes acres que van cubriendo poco a poco el cielo. Una vez en la cumbre y con el horizonte descubierto, una escena ambivalente, mezcla de caos y belleza, se extiende delante de ellos. En sus pupilas se reflejan decenas de hogueras diseminadas por toda la región que ascienden poderosas entre las crestas de las colinas. Se trata, según el sargento Grieser, quien estuvo a cargo de recopilar información en los últimos días, de alquerías, casas, cobertizos y graneros de varios poblados convertidos en algún momento de los cuatro años de guerra en cuarteles militares, refugios y depósitos de provisiones repletos de parque y pólvora. A esos emplazamientos el fuego aliado y el enemigo los han incendiado a la primera chispa. Más cerca de ellos, a pie de la colina, otro grupo de incendios mucho más pequeño ilumina una porción del camino que conduce a Thiaucourt.

—Estos malditos se están retirando de la línea Hindenburg —asegura Grieser contemplando con sus ojos claros en dirección al noreste, a Thiaucourt, de donde brotan también varias humaredas entre las colinas.

—¿De las trincheras? —cuestiona Aguirre intrigado.

—De todo el sistema de defensa de setecientos kilómetros que instalaron en el frente occidental, incluyendo las trincheras —responde el sargento—. Aunque también podría tratarse de un repliegue intencional hasta la ciudad de Metz, que tienen ocupada desde hace años.

—¿Una emboscada? —cuestiona Aguirre—. Les estamos pisando los talones. No tendrán tiempo de organizarse.

—No los subestime, cabo. Hay que avanzar con precaución.

«Decenas de enemigos muertos en Bouillonville. Vía libre hasta la colina norte. Repito, vía libre hasta la colina norte», comunica aprovechando la cima el operador de transmisiones de piel pálida y mirada extraviada ante la muerte que lo rodea.

Una voz metálica y sucia responde a través de los auriculares con la orden de aproximarse con precaución tanto como les sea posible hasta Thiaucourt y, desde ahí, enviar un nuevo reporte sobre la situación, pero sin ingresar. «Repito, no ingresen. Vuelvan a reportar», ordena.

Con la esperanza de que las unidades apostadas en Euvezin hayan comenzado a movilizarse detrás de ellos, la patrulla desciende la colina por la cara opuesta que esconde Bouillonville. Marcelino Serna pasa del estupor y el miedo a sentir compasión por los cientos de soldados alemanes que van quedando atrás, jóvenes que hasta hace solo unas horas tenían la misma vida por delante que él y sus compañeros.

Abajo, las hogueras más cercanas que los soldados miraban desde arriba y que iluminan el camino de manera parcial resultan ser cocinas móviles de un campamento militar. Algunas se encuentran destruidas; otras, aún sostienen algunas marmitas con algún guiso caliente que nadie, a pesar del hambre que los invade, se atreve a pasarle una cuchara.

—Se han largado hace poco —asegura Aguirre a Tobías González, quien asiente en silencio vigilando a su alrededor.

Al salir del tendido de tiendas de campaña, el grupo se detiene alertado por lo que, a la distancia, parece una formación de carros de madera diminutos, casi como carretillas en espera de ser transportadas.

—¿Qué chingados es eso? —pregunta intrigado Bicente Ochoa.

—Un tren —asegura parco Víctor Baca.

—¿Cómo carajos va a ser un tren, Pie Grande? Esa cosa es muy pequeña —responde Elizardo Mascarenos aproximándose con su fusil al hombro.

De cerca, los hombres comprueban que se trata de pequeños vagones de madera cubiertos por lonas que descansan sobre un riel, uno mucho más estrecho que el de los ferrocarriles convencionales.

—Ves, te lo dije, es un tren —regresa Baca echándose su voluminosa metralla a la espalda.

—Un tren de trinchera —corrige Grieser—. Una máquina bastante simple que han usado los alemanes para suministrar bienes al frente en lugares escarpados como este. Las vías de esta cosa prácticamente se acuestan sobre el suelo y fácilmente puede avanzar. Escuché que existían, pero nunca antes vi uno.

Uno de los hombres del sargento con gesto de pocos amigos inspecciona el pequeño transporte y descubre la lona de uno de los carros. Ahí dentro halla varios toneles de contenido desconocido.

—Tenga cuidado, soldado. Puede ser dinamita —advierte el sargento.

Más adelante, al inicio de la línea de carros, encuentran la locomotora de vapor. También es mucho más pequeña que la de un tren convencional.

Interesado por su pasado como ferrocarrilero, Baca explora por unos segundos la cabina de mando llena de instrumentos con palabras que no comprende. Enfrente, Marcelino se detiene en la caldera. Del vientre de esa olla de presión emergen diversos tubos como tentáculos aún calientes que conectan con todo el sistema que da vida a las bielas y a las ruedas.

—Sargento, mire acá —grita un soldado rubio a unos pasos de la locomotora.

Sobre el tendido de vía, reducido a fierros retorcidos, se observan varios alemanes muertos.

—Volaron las vías con dinamita para que no pudiéramos usarlo, pero no pudieron huir —sostiene Grieser mirando a su alrededor.

—Les digo que les estamos pisando los talones a esos cabrones —insiste Aguirre—. Podemos detener su repliegue si nos damos prisa, sargento.

—Le recuerdo que nuestras órdenes son solo acercarnos a Thiaucourt y dar aviso a la comandancia de su situación —interviene Grieser para enfriar el ímpetu del cabo, de los mexicanos y de algunos de los suyos.

Molesto, Aguirre vuelve a tomar camino sacudiendo su equipo que lleva a cuestas. Mucho más atenta, la patrulla de veintisiete soldados continúa su marcha en despoblado.

El humo de los incendios esparcidos termina de opacar la luz de la luna dejando el terreno de la región francesa de Lorena en una penumbra casi total.

Detrás de la columna, Víctor Baca alza la nariz en todo lo alto para olisquear el aire abotargado en ese lugar. En él encuentra un intenso aroma a ceniza, pólvora y muerte; el soldado lanza algo parecido a un gemido que González, y el resto de quienes caminan junto a él, toman como una advertencia.

Al virar una curva del camino, los hombres pueden mirar a la distancia una llamarada gigante que asciende iluminando lo que parece un altísimo campanario.

—Esos hijos de puta han incendiado la iglesia de Thiaucourt. Prepare el radio, cabo —ordena el sargento al operador pálido sin dejar de contemplar la torre que arde sin control.

Abrazados por la penumbra, los hombres se compactan nerviosos alrededor del cabo y el sargento apretando sus armas de cargo.

—Dese prisa, cabo.

Antes de que el responsable de la radio pueda abrir la caja de madera sobre el piso para intentar entablar contacto con la retaguardia, un destello asciende deprisa al cielo. Confundidos y deslumbrados, los soldados miran la bengala que alumbra en todo lo alto las primeras casas de Thiaucourt de muros ennegrecidos, las callejuelas torcidas y el terreno allanado donde, sin darse cuenta, se encuentran desprotegidos.

De pronto, sin que medie aviso alguno, varios balazos secos quiebran el silencio.

Los americanos se sobresaltan y corren agazapados en distintas direcciones en busca de refugio. Los tiros se replican desde distintas direcciones. Una segunda bengala asciende como un cometa alargando de nuevo las sombras de los lienzos de las construcciones que aún se encuentran de pie en este lindero del pueblo.

Marcelino logra llegar hasta un muro en ruinas que toma por refugio. De un salto, Chávez y López aparecen junto a él.

Cubiertos, los tres soldados se giran y se asoman por encima del muro apuntando su arma de cargo. A tan solo un par de metros delante de ellos reconocen al soldado con gesto de pocos amigos del Regimiento 177 quien, para su mala fortuna, recibe un balazo en la espalda antes de que pueda hallar refugio donde los mexicanos se encuentran. Más adelante el muchacho rubio se detiene en seco. Con un gesto de incredulidad, observa la perforación que le ha causado la bala enemiga en el uniforme al salir a la altura de su vientre. Aterrorizado, el soldado alza la vista en busca de ayuda. Antes de que alguno de los tres mexicanos pueda reaccionar y ayudar de algún modo, otros dos proyectiles fulminantes alcanzan su humanidad. Los tres soldados se encogen de hombros. Delante de ellos, miran con desesperación al rubio caer de rodillas sobre los escombros.

Furiosos, Serna, López y Chávez abren fuego de manera indistinta al sombrío interior de Thiaucourt de donde proviene la embestida.

—Chief, mira —dice López después de unos segundos, apuntando al centro del terreno allanado donde ha sido abandonada la caja de madera que contiene la radio.

Serna observa de un lado a otro con la intención de volver por el equipo. Antes de que decida lanzarse por ella, observa una figura correr al centro del terreno. Al mismo tiempo, una nueva bengala asciende en todo lo alto dejando al descubierto la figura del sargento Grieser.

—Cúbranlo. Cúbranlo —urge Aguirre a los mexicanos desde su posición del otro lado del terreno al darse cuenta de la situación.

La patrulla, además de Mascarenos con su fusil y Vaca con su Excavadora de Papas, que apenas había sido depositada sobre una roca, cargan con ímpetu al interior del poblado.

Justo antes de que Grieser pueda volver sobre sus pasos abrazando la radio, una ráfaga de proyectiles lo alcanza por un costado sacudiendo su humanidad de manera violenta. Valientemente, el mando logra proteger la caja con su cuerpo para que las balas no lo alcancen y no se quiebre al caer.

Desde sus distintas posiciones y sin poder actuar, el resto de la patrulla mira con angustia la escena que es alumbrada por la luz agonizante de la bengala que se extingue al caer entre los escombros dejando el espacio nuevamente en tinieblas.

El ataque es pausado unos instantes. A lo lejos se escucha el rugido de las armas y algunas bombas. Los mexicanos aprovechan el momento para recargar sus armas. Detrás del muro,

Marcelino cae en la cuenta de que el parque que lleva consigo no será suficiente si necesita resistir por más tiempo.

Del otro lado del terreno, sin que prácticamente nadie lo note, una figura aprovecha el momento para abandonar con sigilo su guarida. Se trata del cabo de transmisiones, quien, empujado por el miedo a morir en ese lugar y el arrojo de cumplir con su deber, se arrastra pecho tierra sin mochila ni cartuchera hasta donde yace el cuerpo sin vida de su sargento abrazando el aparato de comunicación.

Al llegar junto al cadáver de Grieser, el soldado desprende la caja de los brazos del mando, la abre y se coloca el auricular de baquelita en el oído. Casi a ciegas, gira los botones negros y transmite por el canal que corresponde:

SOS. Emboscada en Thiaucourt. SOS. Emboscada en Thiaucourt. Bajas. Respondan. SOS.

Con el corazón latiendo incontrolable y sintiendo las gotas de sudor caer por su rostro palidecido, el cabo aguarda atento unos segundos en espera de recibir respuesta de la retaguardia; sin embargo, a través del auricular solo escucha el angustioso fluir del vacío. El muchacho vuelve a intentar varias veces la comunicación sin lograr el contacto.

Después de unos angustiosos minutos, la balacera se reanuda con mayor intensidad. El cabo de piel pálida desiste de su intento por comunicarse y, sin otra opción, se cubre de las balas con el cadáver de su sargento. Ante la furia de la agresión enemiga y el escaso parque, Aguirre no puede hacer otra cosa más que ordenar a sus hombres ocultarse. López, Serna y Chávez, del otro lado, aprietan sus cuerpos y sus cascos unos contra otros. Una y otra vez, las balas golpean el muro haciendo volar piezas de tabiques y rocas que apenas los protegen.

—Vamos a morir aquí. Vamos a morir aquí —repite Chávez cubriéndose la cabeza de los impactos.

Del otro lado, gracias a su posición, González y Mascarenos pueden mirar de frente los chispazos de las armas enemigas que provienen del interior de la población. Al no encontrar resistencia suficiente, un par de soldados alemanes adelantan su posición a través de la calle oscura y repleta de escombros. López es quien alerta a Mascarenos del avance enemigo con una seña. Antes de que el fusilero decida abrir fuego, López lanza una granada de mano que ilumina por un instante el interior de la calle. Mascarenos comprende la táctica de su compañero y espera a que vuelva a arrojar otra granada para disparar justo en el momento en que los cuerpos de los alemanes se iluminan. Los dos soldados repiten la acción un par de veces más hasta que a López se le agotan las granadas. La táctica logra detener, al menos por un momento, el avance enemigo.

Al centro del terreno, el cabo de comunicaciones realiza un nuevo intento desesperado por entrar en contacto con la retaguardia.

«Cabo, ¿cuál es su posición?», escucha por fin a través del auricular todavía con la arremetida encima.

«Lindero oeste de Thiaucourt. Envíen refuerzos. Dense prisa. Están sobre nosotros», responde con apremio. «Resista y espere órdenes», replica la voz metálica. «No, por Dios. No tenemos parque con qué resistir. Estamos bajo fuego enemigo. Tenemos bajas. Por favor», implora. «Resista, cabo», vuelve la voz. La comunicación es cortada de golpe.

El soldado de piel pálida baja la mirada y azota el auricular sobre el piso hasta quebrarlo. Fuera de sí, se pone de pie y toma su fusil de su espalda para vaciar las cinco balas del cargador en dirección al centro de Thiaucourt maldiciendo al enemigo que tiene delante.

La respuesta alemana no se hace esperar nuevamente. Detrás del muro de tabiques, Marcelino solo alcanza a maldecir cuando mira las balas alemanas alcanzar letalmente al cabo de comunicaciones.

El traqueteo de la arremetida no cesa sino todo lo contario, vuelve a incrementarse.

—Ahora sí, llegó el final. Dios nos ha abandonado en este infierno —vuelve Chávez, quien, junto a sus dos compañeros, lo ha visto todo—. No importa lo que hagamos. Nos vamos a morir aquí. Señor, perdona nuestros pecados…

Marcelino se gira y desliza su espalda sobre el muro hasta quedar sentado sobre los escombros. Con el rostro al cielo, el soldado mexicano se dice a sí mismo que es imposible que este sea su final.

—Chief, el parque. Estoy bruja —dice López—. ¿Te queda algo a ti?

Con el tacto, el mexicano se revisa sus cartucheras.

—Un cargador. Úsalo, yo estoy completo con este último —asegura extendiéndolo a su compañero.

Durante los siguientes minutos, los tres soldados no hacen otra cosa más que esperar en su posiciones para no gastar municiones en vano y no ser descubiertos.

De pronto escuchan pasos cayendo a su espalda detrás del muro. Son las botas enemigas que se aproximan. Chávez, carente por completo de municiones, aprieta los ojos y los labios; sin embargo, un movimiento involuntario de su pierna empuja una roca desvelando su escondite. Al verse descubiertos, la sangre de Serna se incendia.

El de Chihuahua calcula la distancia de los alemanes que se aproximan y, justo cuando el primer soldado se asoma sobre el muro, se encarama para enterrar su bayoneta en su pecho y disparar un par de cargas a un segundo. Junto a él, Luis López vacía su cargador sobre otro par de alemanes que se aproximaban deprisa; un tercero salta el muro y descarga su pistola de mano hiriendo a López justo en el brazo izquierdo. Entre la confusión, Chávez encuentra junto a él la pala que le dio el viejo Pons y, sin pensarlo, le asesta al alemán un golpe violento con el filo de la herramienta en el rostro, que lo deja ensangrentado y fuera de combate.

El sonido de la última bala que Serna detona se funde de repente con el de otras que, como madera ardiente, truenan desde el interior del poblado.

—No puede ser, ¿vienen más? Estamos perdidos —dice Chávez ocultándose de nuevo y golpeando con desesperación las rocas con la pala.

Serna lanza una mirada fugaz sobre el muro.

—No. No. Miren eso.

De la misma calle que conduce al centro de Thiaucourt, un grupo de soldados con el uniforme americano aparece de súbito accionando sus armas y deteniendo la embestida alemana.

—¿Quiénes son? —pregunta Serna.

—Los *Indianhead* de la División 2 que avanzó a un costado nuestro esta mañana en Mort Mare. Nos han alcanzado —asegura López conteniendo un gesto de dolor.

—¿Estás bien, Luis? —cuestiona Serna.

—Sí, la bala parece estar dentro.

Uno a uno, los alemanes emergen con las manos en alto. Lo mismo los miembros de la patrulla americana, quienes celebran de inmediato la llegada de sus compañeros que, efectivamente, lograron atravesar por el otro lado de la población el puente que cruza el arroyo del Rupt de Mad para insertarse en Thiaucourt y barrer a los hombres del Kaiser desde adentro.

—¿Ha terminado, Chief? Dime que la guerra ha terminado para nosotros —dice Chávez sobrecogido, apretando con los brazos sus rodillas a su cabeza junto al alemán malherido.

—No lo sé, Manuel. No lo sé —repite Serna agotado.

Veinte minutos más tarde, casi a la una de la mañana del 13 de septiembre de 1918, los hombres de los regimientos 177 y 178, encabezados por el coronel George Baker y el capitán Daniel Jackson, aparecen por el mismo camino que transitó la patrulla americana.

Las siguientes horas, ordenanzas y enfermeros se dedican a atender ahí mismo a heridos menos graves, incluido López, y a trasladar a los más graves a las clínicas de campaña detrás de la línea mientras los soldados toman el tiempo para recoger a sus muertos, entre ellos el sargento Grieser y el cabo de transmisiones, Claude C. Hammond.

Antes de que Aguirre y sus hombres atraviesen Thiaucourt para dirigirse al poblado de Xammes, el capitán Daniel Jackson aparece cerca de ellos y les marca el alto. Con su actitud engreída, les advierte que la guerra no ha terminado aún para ellos.

—No tenga pendiente, sargento, estamos listos para lo que venga —responde el cabo frente a sus hombres sucios y exhaustos, pero orgullosos, después de recorrer a pie veinte kilómetros durante diecinueve horas.

El 8 de octubre de 1918, casi un mes después de haber sido instalados en el campamento de Xammes, antes ocupado por los alemanes, donde se dedicaron a construir refugios para resistir los bombardeos enemigos y entrenar, los miembros de la Compañía B reciben la orden del capitán Baker de alistar sus posesiones para volver a Beaumont.

—Beaumont, Beaumont... ese lugar me suena —sostiene Marino Ochoa, quien extrae su libreta de su bolsillo para consultarla—. Claro, es el pueblo que está antes de Seicheprey, y mucho antes de Flirey. Justo donde se encuentra el cementerio de los franceses. ¿Por qué carajos nos movilizan allá?

—Quizá ya vamos de regreso —especula González.

—Ojalá —replica Chávez bebiendo un trago de agua de su cantimplora.

Sin respuestas, y sorprendidos por no haber presionado mucho más el avance por este sector de Toul a la línea Hidenburg, para tomar las trincheras alemanas y liberar así a la ciudad de Metz —la más representativa al haber estado ocupada por los alemanes durante cuatro años sin resistencia— como se había rumorado en los últimos días, los mexicanos deshacen el camino de veinte kilómetros a pie hasta alcanzar de nueva cuenta el desdichado bosque de Mort Mare y la trinchera francesa de Flirey.

Al pasar por delante del edificio del ayuntamiento, Serna repara por un momento en que la clínica de campaña de los canadienses ha sido desmontada por completo de ese lugar. En sus puertas, alcanza a leer un par de letreros en francés e inglés *Danger. Ne pas passer. Danger. No passing.* Sin que pueda detenerse para preguntar qué es lo que ha sucedido y hacia dónde ha sido trasladada la unidad sanitaria de Élise, el mexicano continúa la marcha fortuita por el camino polvoriento hasta llegar a Seicheprey, donde reconoce la torre de la iglesia y el edificio de la escuela. Media hora más tarde, entre transportes que retiran equipo de esa zona, los hombres del Regimiento 355 arriban finalmente a Beaumont.

Para sorpresa del grupo, en ese lugar hallan decenas de unidades militares americanas instaladas sobre las parcelas infecundas y ahora quietas. Serna mira a su alrededor, ninguno de los soldados que ahí se han replegado del frente es el mismo que dos meses atrás, cuando pisaron por primera vez ese lugar; sus rostros y miradas son transparentes: todos y cada uno de ellos conocen ahora lo que es el horror de la guerra.

Pasado el mediodía, un batallón de la División 89 de Infantería va organizando el reparto de conservas y nuevos equipos a los regimientos recién devueltos del frente, entre ellos nuevos rifles Lee-Enfield con bayonetas para quienes los perdieron y cargadores con parque y granadas de mano para el resto. Confundidos, los mexicanos lo reciben y examinan sin conocer cuál será su destino.

De repente, entre la multitud aparecen dos figuras conocidas por los hombres de la Compañía B. Se trata del sargento Frank J. Fisher, quien cojea sobre su pierna derecha moviendo su pistola de cargo que porta, como siempre, a la cintura, y del sacerdote francés Pascale Marie Pons, quien acomoda sus anteojos haciendo un recuento de los mexicanos ahí presentes.

—Todos están aquí. Han tenido suerte de que la providencia no los haya llamado a su lado y les haya permitido volver con bien. Sí que tienen suerte. Qué alegría —dice deteniéndose en Chávez, quien le regala una sonrisa.

—Gracias, padre. Gusto en verlo también —replica Marino Ochoa frente a él.

Aguirre se cuadra frente a Fisher

—Sargento, lo han tratado. Me da gusto —exclama apartándose del grupo.

—Por el buen desempeño de sus hombres en los últimos días, cabo, la comandancia me ha devuelto mi rango de teniente. A usted y a sus hombres les estaré agradecido siempre —sostiene el mando de ojos azules.

—No tiene nada que agradecer, teniente. Cumplimos con nuestro deber.

—Ahora tenemos una misión importante por delante, Aguirre —sostiene Fisher.

—¿Cuál?

—El pasado 26 de septiembre, la División 32 inició una operación en un bosque llamado Argonne, a poco más de cien kilómetros al noroeste de aquí. Los belgas también lo hicieron dos días después por Flandes. Aunque los *boches* acumularon una importante cantidad de bajas, deserciones y prisioneros capturados, han sabido resistir nuestro ataque y nos han detenido. Muy temprano, mañana mismo, seremos conducidos a la ciudad de Commercy, a unos veinte kilómetros al suroeste. Desde ahí seremos movilizados con otras unidades al noroeste hasta algún punto que desconozco, solo los generales saben dónde es. Ahí esperaremos nuestras órdenes para participar en el que han dado en llamar el gran avance.

—El gran avance… —repite Aguirre tragando saliva y volteando a ver a sus hombres, quienes conversan despreocupados a pleno rayo del sol.

—Mi recomendación para usted y los muchachos es que descansen esta noche y coman bien, cabo. Los próximos días no sabemos si lo podrán hacer. Estas jornadas son determinantes para ganar la guerra.

Aguirre asiente con la cabeza, luego se cuadra frente a su teniente y da media vuelta para incorporarse a su grupo para ponerlo al tanto de la situación.

Esa misma noche, antes de retirarse a descansar a cielo abierto, con la ayuda de Marino Ochoa, Serna se aproxima al padre Pons para preguntarle sobre el destino de la clínica de campaña canadiense y de sus sanitarios.

—Fue desmontada hace una semana.

—¿Por qué? —pregunta Marcelino inquieto—. ¿Los llevaron al frente para apoyar a nuestras tropas?

—No, qué va, qué va —repite Pons—. Casi todos los médicos y enfermeras de la clínica contrajeron la gripe y los aislaron. Durante los últimos días que estuvieron ahí, se cuidaron unos a otros, pero hubo bastante muerto; sí, bastantes muertos. Los más afectados fueron los ordenanzas que traían heridos y los médicos del frente. Parece que las últimas en contraer la enfermedad fueron esas maravillosas enfermeras rubias amigas suyas, una lástima.

—Entre ellas, padre, ¿alcanzó a ver a Élise? La enfermera de cabello castaño que lo cuidó y lo llevó a Seicheprey —vuelve el mexicano.

—La verdad, no. Lo siento, muchacho. Yo no me acerqué en los últimos días a Flirey, no había a qué. Lo último que supe es que compañeros de ellos vinieron en camiones un día a llevarse los cadáveres, porque no los enterraron aquí como a los soldados. A los pacientes parece que se los llevaron al hospital militar cincuenta y tres.

Al escuchar aquellas palabras, Marcelino Serna mira al piso y se encoge de hombros. En silencio y sin que Marino Ochoa intente darle alcance, camina en dirección opuesta a donde se encuentra su compañía.

Entre el murmullo de la multitud de soldados que aguardan ser movilizados a sus espaldas y la lobreguez del frente intranquilo, el mexicano recuerda las palabras de la chica de ojos miel: «Yo seré la sombra que cuide tus pasos», repite en su cabeza.

Solo, cansado por completo y con los ojos cristalinos grita con todas sus fuerzas en dirección al frente: «Maldita guerra que me das y me quitas. Maldita mil veces. Élise, no la olvidaré ni con la muerte».

Trece
El gran avance

Marcelino no ha dormido nada. A las cinco de la mañana del 9 de octubre de 1918 un convoy de camiones franceses forma una larga fila que se extiende hasta el pueblo de Rambucourt, donde en agosto, dos meses antes, los hombres del Regimiento 355 sustituyeron a los del 327 sobre las líneas destruidas del ferrocarril.

Con la luz del amanecer, los mexicanos caen en la cuenta de que los transportes son civiles y, por alguna extraña razón, conducidos por hombres asiáticos. Marino Ochoa se acerca a uno de ellos para conversar sobre su inusual presencia en ese lugar, su participación y el destino del convoy.

«Pas français, pas français...», responde el hombrecillo molesto, quien, en un idioma que el maestro no alcanza a comprender y con una seña, le indica que se apresure a subir al camión.

Sin esperar más y sin mucha más información, los mexicanos arriman sus equipos a pie del transporte. Sin prisa, se despiden uno a uno del párroco Pascale Marie Pons, quien les desea suerte y les lanza su bendición con la esperanza de que vuelvan a casa con bien. Los mexicanos agradecen el gesto, suben y aguardan adormilados durante poco más de una hora a que el convoy se ponga en marcha.

Minutos antes del mediodía, los primeros camiones alcanzan las inmediaciones de Commercy, una localidad mucho más grande que las que han transitado los soldados en las últimas semanas. Al descender de los transportes, los mexicanos se sorprenden de la cantidad de personal militar que satura las calles pedregosas, sobre todo infantería americana como ellos y alguna que otra unidad francesa.

Aguirre les informa a sus hombres que esta ciudad es solo un punto de tránsito donde deben esperar, junto a las divisiones 1, 2 y 42, a que más tarde sean vueltos a movilizar.

En la plaza principal los comandantes de la División 89 ordenan a los hombres formarse por regimiento y por compañía para recibir correspondencia proveniente de casa. Animados, los soldados rubios entran y salen del ayuntamiento donde reciben cartas y paquetes que van a desenvolver en algún rincón apartado de esa pequeña ciudad. Como en otras ocasiones, los mexicanos deshacen la fila cuando les informan que para ellos no ha llegado nada del otro lado del mundo.

—No creo que sea difícil saber qué fue de ella, Chief —dice Marino Ochoa acercándose a Serna, quien fuma y toma el sol sin haberse aproximado a la trampa emocional que sabe que es el correo postal—. Va a aparecer en algún momento, ya verás, camarada.

Muy serio, el soldado asiente con la mirada perdida entre los grupos de soldados que cruzan de un lado a otro y vuelve a dar otra chupada a su cigarrillo.

—Récicourt —grita Aguirre aproximándose a sus dos compañeros—. Ahí es a donde nos dirigimos. He hablado con Fisher, me dice que ese lugar está en el sector de Verdún, a unos setenta kilómetros al noroeste de aquí.

—Da igual donde chingados sea eso —expresa Serna demasiado molesto—. ¿A qué hora nos vamos?

—Salimos en unas horas. Hay que estar preparados.

—Pues vamos poniéndole prisa, Aguirre. A mí ya me anda por ir a hacer lo único para lo que parece que soy bueno, matar

—sentencia Marcelino alejándose de sus compañeros y lanzando lejos lo que queda del cigarrillo.

—¿Qué le pasa a ese cabrón? —pregunta el cabo.

—La enfermera canadiense —responde Marino.

—¿Qué con ella?

—Se enteró de que todo el mundo enfermó de gripe en la clínica de campaña de Flirey y la cerraron. Quizá ella también haya enfermado. Quién sabe…

Al anochecer, el rugido de decenas de modernos camiones franceses, capaces de transportar a más del doble de soldados que los de los asiáticos que han desaparecido, invade las calles de Commercy. Los hombres se acomodan por división, brigada y compañía para abordarlos. Un grupo de oficiales ordena a los mexicanos acomodarse en uno de los últimos transportes militares tan rápido como les sea posible.

El trayecto por el camino desgastado y tortuoso dura casi toda la noche. Poco a poco, el sonido de los bombardeos se va intensificando más y más dejando en claro que, otra vez, los hombres se aproximan al frente.

De madrugada, las decenas de vehículos que transportan al Regimiento 355 reducen su velocidad hasta detenerse por completo en una población rural de un puñado de viviendas, todas ellas inhabitables a causa de los bombardeos. Aguirre y Chávez miran al resto del larguísimo convoy continuar de largo por el camino polvoriento en dirección al norte hasta que sus pequeñas luces rojas desaparecen detrás de una colina.

—Esto debe ser Récicourt —dice Marino Ochoa sin que nadie le de importancia alguna al nombre de ese lugar.

—Maestro, ¿qué día es hoy? —pregunta Manuel Chávez acercándose a su compañero.

—Diez de octubre, si no me equivoco. ¿Por qué, niño?

—Diez de octubre —repite el soldado cerrando los ojos y lanzando un largo suspiro al cielo como para dar gracias—. Hoy cumplo dieciocho años.

—No has llegado ni a los veintiuno, la mayoría de edad, Manuel. Deseo que salgas de aquí con bien y tengas una longeva y prolífica vida.

—Gracias, maestro —responde el muchacho sin saber a dónde ir.

Antes del amanecer, los más de dos mil soldados del Regimiento 355 que han llegado hasta este lugar son conducidos a un llano donde se les ordena descargar sus posesiones y, con el frío del otoño ya instalado en toda la región, aguardar en campo abierto hasta recibir órdenes.

Con la luz del día, un oficial, que se presenta ante la tropa formada por compañías como el capitán Edmund Rogers, asegura que él será quien comande las operaciones de todo el regimiento en los próximos días. Además, informa que ahí estarán apostados esperando entrar en acción en la operación entre el desconocido bosque de Argonne y el río Mosa, en dirección a dos ciudades claves para el enemigo, Sedan y Stenay.

Los días apostados en Récicourt, sin suficiente comida, con mucha humedad y frío que cada noche recrudece, se convierten en semanas. La noche del 30 al 31 de octubre el regimiento por fin es llamado a movilizarse sin más explicaciones que la cantidad de kilómetros que tendrán que viajar al norte, poco más de treinta, de nuevo a bordo de autobuses.

Al llegar, los hombres de la Compañía B son informados de que se encuentran en el bosque de Bantheville. Es en ese lugar en donde se dan cuenta de las dimensiones reales de la operación que ha sido planeada por la comandancia americana que está a punto de comenzar. A su alrededor, los soldados pueden observar que el terreno está mucho más abarrotado por hierro, plomo y soldados que por árboles de fresnos y carpes.

A varias clínicas de campaña instaladas detrás de la arboleda, le siguen miles de piezas de artillería, cañones, morteros y tanques americanos. Enseguida, una multitud de efectivos de infantería armados hasta los dientes, como nunca antes había visto Serna —ni siquiera a su salida del puerto de Hoboken—, aguarda impaciente el momento de marchar a un punto desconocido del frente.

Los regimientos 353 y 354 son los primeros de la División 89 que han sido llamados a avanzar por el centro con el primer objetivo de tomar el bosque y el pueblo de Barricourt, a once kilómetros. Ellos serán flanqueados por la División 90, por la derecha; y, por la izquierda, por la Segunda División. Los hombres del 355, el de los mexicanos, han sido notificados que esta vez tendrán que aguardar como reserva en los linderos del bosque de Bantheville.

A las tres horas con treinta minutos del 1.° de noviembre el infierno, uno de dimensiones jamás vistas, se desata.

Una poderosa cortina de fuego proveniente de los cañones americanos, incluidos miles de cargas y de proyectiles con gas, rugen durante más de dos horas. Exactamente a las cinco de la mañana con treinta minutos los mexicanos miran nerviosos a sus compañeros de los regimientos 353 y 354, quienes, con un ímpetu descomunal, se insertan a través de una espesa neblina atrapada entre los árboles en dirección a un destino incierto.

Con sus armas de cargo entre las piernas, los hombres del teniente Frank Fisher escuchan la lluvia de bombas, las ráfagas de metralleta, la explosión de las granadas de mano tratando de adivinar por su experiencia qué armas y qué estrategia se utiliza ahí adelante. Durante horas, el sonido y la vibración de la tierra no se aleja ni se reduce, en ocasiones, incluso, parece incrementarse y aproximarse a ellos, lo que los mantiene en una alerta constante.

Por la noche, entre las sombras de los árboles y el humo atrapado del bombardeo, los primeros heridos del frente de la división aparecen como espectros a través de los árboles del bosque de Bantheville. Curioso, Aguirre se aproxima a uno de ellos, quien apenas puede andar; el hombre lleva vendado el rostro a la altura del ojo. El cabo le cuestiona las razones por las que las hostilidades no han cesado después de tantas horas y cuál ha sido su avance.

Con una expresión de terror, el soldado malherido del 353 asegura que aquello ha sido una carnicería, que apenas han podido replegar a los alemanes un par de kilómetros de Barricourt, el primer objetivo del día, sin poder tomar el pueblo. «Cada árbol del bosque contenía un nido de metralletas», sostiene con lágrimas de odio corriendo por sus mejillas. Agrega que una altísima colina ha servido como trinchera a los alemanes. Entre gemidos de dolor de más heridos que cruzan a su alrededor, el soldado asegura que francotiradores instalados en las copas de los árboles han matado a todo su pelotón.

—Fue una masacre —dice dejando pasar a dos ordenanzas que gritan para que se hagan a un lado y puedan trasladar a un herido sobre una camilla.

Unos metros adelante los sanitarios caen en la cuenta de que, en el camino, la muerte ha abrazado a su paciente. Por los brazos y las piernas, el cuerpo es depositado a solo unos pasos del grupo de mexicanos entre los árboles. Los dos camilleros vuelven tan rápido como pueden al frente en busca de más heridos a quienes aún puedan salvar la vida. Esto es una locura.

Víctor Baca, Elizardo Mascarenos y Bicente Ochoa observan en silencio aquel cadáver junto ellos. En sus rostros, Aguirre puede ver la preocupación y la angustia incrementarse. Marcelino, por su parte, piensa en que hubiera preferido marchar en avanzada de nueva cuenta. Quizá así, se dice, hubiera recibido una bala de una vez por todas para ahorrarse esas imágenes del horror que se repiten sin cesar durante todo el día. Eso y la pena que lo ahoga al no saber qué ha sido de su enfermera canadiense.

Las horas transcurren lentas con la misma sensación de incertidumbre. A media tarde del 2 de noviembre se corre la voz de que al fin los hombres pudieron tomar la cima de la colina de Barricourt y, más adelante, la trinchera y los búnkeres que rodean al pueblo.

—¿Después de cuántos muertos? —cuestiona Chávez indiferente recargado en un tronco y mirando a los hombres de la División 89 ser reorganizados.

A la mañana siguiente, Serna y López miran pasar más artillería pesada que es trasladada hacia el frente con la intención de cubrir el próximo avance. Después de recibir el rancho del día, el capitán Rogers se aproxima a la posición de los hombres del Regimiento 355 para informarle al teniente Fisher que la villa de Tailly, a poco más de dos kilómetros de Barricourt, ha sido tomada.

El capitán le ordena al teniente formar patrullas que llevarán a cabo labores de reconocimiento en dirección a Stenay. «Tenemos informes de que las tropas alemanas se han retirado de los pueblos de Le Champy Haut, Beauclair y Beaufort, pero es necesario saber si es así», asegura. Al final, le pide estar preparado para partir antes de media mañana.

A las nueve horas con treinta minutos del 3 de noviembre los mexicanos son trasladados poco más de diez kilómetros al norte. Un trayecto que se vuelve muy complicado por la lluvia de explosivos que hacen volar por los aires tierra y escombros que, en varios puntos, amenazan con detener no solo su avance sino el de los transportes que cargan municiones y víveres vitales para la vanguardia. Al mediodía en punto, el pelotón de Fisher llega a las inmediaciones de Beauclair.

Antes de descender del vehículo militar, Marcelino Serna revisa dos veces que sus cartucheras y granadas vayan apretadas a su pecho; que sus polainas y casco estén bien ajustados y que el cargador de su Lee-Enfield recién aceitado esté bien insertado. Junto a él, López y los hermanos Ochoa hacen lo mismo mientras Baca arremanga su cazadora y golpea el tripié de su Excavadora de Papas comprobando que esté en su lugar. González, por su parte, limpia la punta de sus dedos y acaricia la mirilla del fusil corroborando al tacto que está en su lugar y bien calibrada.

Al final del camión, Chávez, ausente de todo temor en su expresión, acaricia su fusil y comprueba que su pala vaya bien atada y a la mano.

Antes de entrar en acción por el lado este de Beauclair, con la orden de tomar la primera trinchera alemana, ubicada detrás de una cumbre, Aguirre lanza una mirada llena de orgullo a sus hombres; en sus rostros esta vez no encuentra rastro alguno de inocencia ni de temor, pero tampoco del brío con el que meses atrás atravesaron el Atlántico. En ellos solo ve el desencanto de un viejo por vivir y la necesidad de salir con vida de ahí.

Justo antes de que se pongan en marcha, Frank Fisher aparece de nuevo únicamente con su pistola de cargo en mano. Sin decir palabra, el comandante se integra al frente de la columna de los mexicanos. En silencio, asiente complacido al ver a sus hombres reunidos y se lleva la mano al escudo de la *Rolling W* que porta, como todos, en su brazo izquierdo. Con una determinación excepcional, el mando golpea la insignia dos veces atizando el pundonor del grupo. Así, libres de todo temor, el pelotón se lanza decidido detrás de su teniente, a través del camino que conduce a Beauclair, para enfrentar una vez más a su destino.

La unidad es recibida en los linderos del pueblo por los proyectiles de una metralla alemana que repica salvaje. Fisher ordena a sus hombres dividirse en tres grupos. Uno encabezado por él mismo, otro por González y otro por Aguirre. Los dos primeros deben atraer hacia ellos el fuego enemigo para que el grupo del cabo, con Serna y Chávez, pueda deslizarse por uno de los flancos para explorar las posiciones enemigas que hay adelante.

Protegidos por el fuego de sus compañeros, el grupo de Aguirre recorre unos trescientos metros, cuando localizan un nido de ametralladora vacío con el arma aún caliente; como la mayoría de las tropas alemanas, sus operadores han escapado en algún momento. Aguirre identifica desde esta posición el búnker con la metralleta que detiene el avance de sus compañeros y la trinchera alemana que protege Beauclair. A pesar de varios intentos, el muro de concreto y la distancia les impide a Chávez, Serna y Aguirre reducirla utilizando sus armas de cargo.

Sin otra alternativa, los tres soldados deciden volver sobre sus pasos para informar a Fisher sobre la compleja situación que tienen delante. Tras escuchar a sus hombres y sin muchas más opciones, el teniente pide a Aguirre y Chávez permanecer con el grupo de González y, consciente de su valentía y arrojo mostrados en el pasado, ordena a Serna que lo acompañe y le indique el punto exacto donde se localiza el nido de metralleta.

Las armas alemanas detectan el paso del mando y el de Chihuahua, quienes corren encogidos de hombros con las balas volando como mosquitos junto a su cabeza, hasta alcanzar otra vez el nido desocupado. Fisher le ordena a Serna que tome la metralla y dispare contra el búnker alemán. El mexicano intercambia disparos durante largo rato con la trinchera; sin embargo, su embestida resulta poco efectiva.

Desesperado por no conocer bien la operación del arma, Marcelino se retira el casco. Con su pobre inglés y a señas, le pide a su teniente que lo coloque en el extremo de su rifle, lo haga salir sobre los costales que protegen el nido para que el enemigo suponga que está disparando contra ellos mientras él flanquea la trinchera enemiga.

—¿Con qué armas? —cuestiona Fisher agazapado.

Serna le muestra la cantidad de granadas de mano que lleva ajustadas a su cartuchera. El teniente accede al plan y le entrega su pistola de mano para que la lleve con él entre el cinturón. Enseguida coloca el casco del mexicano en el fusil y lo alza levemente sobre los sacos de arena provocando una balacera escandalosa en esa dirección. El soldado raso aprovecha el momento para deslizarse con cautela flanqueando los márgenes de la trinchera.

Una vez cerca y con la sangre hirviendo, igual que como ocurrió en Mont-Mare, Marcelino se pone de pie intentando no desvelar su presencia. A lo lejos mira al grupo de soldados de infantería alemanes, quienes cargan y descargan sus rifles de asalto en dirección a donde se encuentra el nido de metralleta y el teniente Fisher. De su cartuchera, toma uno de los cilindros y remueve el seguro esperando con valentía un par de segundos antes de arrojarla para que estalle justo en el momento de caer detrás de los germanos. Una tras otra, el mexicano lanza cuatro granadas hasta que los fusiles enemigos se silencian por completo.

Marcelino se aproxima con cautela apuntando la Colt semiautomática del teniente al interior de la zanja para comprobar que todos quienes ahí habitaban han perecido hechos pedazos.

Con el sonido de los bombardeos y las batallas que se libran a su alrededor, Serna vuelve en una carrera al nido de la metralleta. Su corazón se detiene cuando observa en el interior su casco y su fusil depositados sobre el suelo y, junto a ellos, el cuerpo descompuesto del teniente Frank J. Fisher tendido sobre el piso con la mirada perdida.

—Teniente —susurra el soldado descendiendo desesperado al fondo del refugio—. Teniente.

Marcelino toma el cuerpo de su mando con la esperanza de ayudarlo, de sacarlo de ahí y trasladarlo al primer puesto de auxilio, pero es tarde. El impacto fulminante ha penetrado de manera transversal el cráneo causándole la muerte.

—No, por favor, teniente —ruega el mexicano abrazando el cuerpo languidecido y ensangrentado del mando originario de Kansas, quien, como nadie, ha confiado en él y en los suyos.

Un proyectil de mortero alemán impacta de súbito sacudiendo el interior del nido. Por los aires vuelan filosas esquirlas de acero repitiendo los impactos por parte de los últimos alemanes, quienes resisten en Beauclair y se dan cuenta del reguero de muerte que quedó en la trinchera tomada por Serna. La embestida continúa por horas sin que Marcelino cuente con más parque, granadas ni municiones para defenderse.

Del todo agotados, a medianoche, el resto del pelotón de la Compañía B por fin logran aproximarse cubiertos por una cortina de nueva artillería aliada para descubrir con sorpresa a Serna, quien no ha dejado de cuidar el cadáver del teniente Frank J. Fisher.

Durante la madrugada, y con Beauclair al fin bajo el control de las tropas americanas, los mexicanos trasladan los restos de su comandante con el máximo decoro y respeto detrás de sus líneas, junto al resto de los miles de víctimas fatales de esta fatal jornada. Desamparados y en silencio, los mexicanos vuelven por la mañana al frente para ser reagrupados y continuar el avance.

—Sin Fisher, estamos solos, Aguirre —dice al volver a su campamento Manuel Chávez.

La noche del 5 de noviembre los grupos de patrullas de avanzada reportan a la comandancia del Regimiento 355 que han visto un buen número de tropas alemanas abandonar el pueblo de Laneuville en dirección al río Mosa, uno de los últimos objetivos de la operación.

Durante el empuje aliado de los últimos días, las patrullas americanas han sido testigos de cómo las huestes germanas han obstruido los caminos, cómo algunas zonas bajas han sido inundadas con premeditación para impedir el paso de los equipos americanos e ingleses y, en algunos puntos, cómo los puentes que cruzan el río han sido destruidos para retrasar e imposibilitar su avance.

La División 89 recibe la instrucción de limpiar los próximos días la parte alta del lado oeste del Mosa en dirección a la villa de Pouilly, por donde corren las vías del ferrocarril que han suministrado a las tropas alemanas en esta región de Verdún. Las órdenes incluyen, además, la toma inmediata del puente de la villa de Inor que une los dos extremos del Mosa y que, según los informes, es el único que, hasta ahora, queda en pie para atravesar del lado este donde se halla Stenay.

Durante los siguientes cinco días las unidades americanas llevan a cabo acciones temerarias en dirección al Mosa hasta que la noche del 9 al 10 de noviembre, a pesar del número de bajas, por fin logran cruzar del otro lado. Los rumores que se han escuchado en los últimos días de que Alemania pueda claudicar y rendirse muy pronto se incrementan hasta llegar a los hombres que se encuentran más avanzados en el frente.

En el amanecer nublado y frío del 11 de noviembre el teniente Columbus C. Beverage, quien ha sido asignado a comandar al grupo de mexicanos desde varias jornadas atrás, solicita a Aguirre algunos voluntarios de su unidad para realizar algunas misiones de exploración a través de la compleja red de trincheras que protege Stenay. El cabo transfiere la petición del mando siendo Marcelino Serna uno de los primeros que se ofrece para lograr el arriesgado acercamiento final.

—Es en solitario —aclara el cabo.

—Creo que no tengo que probarte nada, Aguirre —responde el de Chihuahua mirando muy serio con sus ojos en forma de almendra a su compañero.

La misión consiste en determinar el número de tropas enemigas que aún aguardan delante y, de ser posible, tomar sus posiciones. Hasta el día anterior, la comandancia ha recibido información de que treinta y dos unidades alemanas se han retirado quedando solo una de reserva para sostener Stenay.

Pasadas las ocho de la mañana Serna se encamina decidido y en solitario, sin importarle el peligro que parece haber olvidado tras sus últimas acciones, a través de un páramo del suroeste de Stenay. Con la mirada atenta al frente y envuelto en el vapor de su propia respiración, sube la pendiente con su mochila de campaña sobre la espalda y abrazando su Lee-Enfield.

Después de varios minutos observa delante de él, a unos trescientos metros de distancia, la figura de un soldado alemán que camina desarmado frente a una pared de sacos de arena que, imagina, se trata del acceso a una trinchera que mira al sur en dirección al Mosa.

Entre el lodo y los matorrales, el mexicano se agazapa para no ser visto. De manera sigilosa, carga su fusil depositando un proyectil en la recámara y apunta siguiendo por la mirilla la trayectoria del soldado. Antes de que lo pierda de vista, dispara.

La bala impacta al alemán en su costado derecho. Sin detenerse a mirar de dónde provino la agresión ni la gravedad de la herida, el soldado huye buscando cubrirse detrás de los sacos de arena. Marcelino se encarama, carga otra vez su arma y corre deprisa intentando alcanzar al enemigo para matarlo antes de que pueda dar aviso de su presencia.

Al aproximarse, Serna comprueba que el muro de sacos de arena se trata de un acceso a la trinchera. Sin pensarlo, penetra en la zanja con el rifle alzado, intentando seguir el rastro de sangre escandaloso que va dejando el soldado malherido. Más adelante, en una intersección, escucha gritos incomprensibles en alemán.

Como era de esperarse, el soldado no estaba solo. Antes de dar vuelta en la siguiente esquina, Marcelino se detiene para asomarse con discreción por encima de algunas cajas de madera que ahí se encuentran. Delante de él cuenta cuatro militares, incluido el herido, quien señala en su dirección.

Antes de que lleguen a la esquina, Serna acciona su arma impactando en tres *boches*, quienes caen al suelo. El cuarto, el herido, logra girar y correr otra vez. ¡Pum!… dispara, pero su bala se va a impactar en la madera humedecida de uno de los polines que sostienen la pared. El mexicano cambia de cargador y prepara un nuevo proyectil. Avanza rápido formando volutas de vapor hasta la siguiente esquina, donde, para su sorpresa, es recibido por un denso fuego enemigo proveniente del fondo del corredor.

El mexicano cae en la cuenta con preocupación de que acaba de encontrar a la unidad de reserva completa que sostiene Stenay. Deprisa, toma una de las granadas que lleva con él, retira el seguro y la avienta intentando detener por un instante al grupo que ha sido alertado por el soldado herido. Marcelino corre para volver sobre sus pasos. En la carrera, su casco cae al piso. Gira una y dos veces en las intersecciones que halla, pero, en medio de la confusión y el peligro, le es imposible recordar el camino de regreso para salir de la trinchera alemana. Desesperado, arroja otra granada de mano cuando escucha las voces muy cerca de él. Al final del último corredor, corre para alcanzar el fondo donde planea detenerse y contener el ataque. Sin embargo, antes de que pueda llegar al final del corredor, el mexicano siente una picadura en la parte alta de la pierna derecha, seguida de una más en la izquierda.

La adrenalina que corre desenfrenada por sus venas lo hace seguir por un momento hasta el fondo donde halla, para su fortuna, una intersección en T. Con astucia, ingresa por la calle de la izquierda y abandona una granada sobre el piso con el seguro retirado. El soldado vuelve tan rápido como puede a la intersección y toma por la derecha sin ser visto. Unos pasos adelante se oculta detrás de unos toneles. Al escuchar la explosión, los alemanes continúan por la izquierda. Marcelino respira aliviado al darse cuenta de que su estrategia de evasión ha funcionado y los soldados se alejan.

Un extraño calor asciende por ambas piernas del soldado. Sobre el suelo, inspecciona las heridas. La de la pierna derecha parece más grave. Con los balazos aún sonando de fondo, Serna mira al cielo y se pregunta desesperado cómo es que después de dos meses de no haber recibido un solo arañazo, haya sido ahora herido. En ese aciago lugar y contagiado de miedo siente por vez primera que su sangre se ha cansado de hervir.

«Yo seré la sombra que cuide tus pasos», repite de pronto en su cabeza.

Las palabras de Élise logran contagiarlo de una fuerza extraordinaria para no claudicar. Como puede, el soldado desenreda una de sus polainas de su tobillo para formar un torniquete arriba del músculo de la pierna más dañada que no deja de sangrar.

Algunas voces se escuchan a lo lejos. Temeroso de que los alemanes regresen por el mismo corredor, Marcelino Serna hace un esfuerzo para ponerse de pie. Apoyado de su fusil, se encamina en dirección opuesta a las voces. Para su fortuna, la vía que recorre conduce a la salida de la trinchera. Afuera, se desplaza resistiendo el dolor de la pierna y temiendo que un disparo fulminante lo alcance por la espalda.

Unos minutos más tarde el mexicano avanza muy débil por el páramo que cruzó para llegar a los linderos de Stenay. Sobre el terreno deja caer su cartuchera y su mochila que, en este punto, no puede cargar más.

De forma inesperada, detrás de él, el zumbido de motor se escucha aproximarse. Marcelino se detiene y se gira para mirar sobre su cabeza un grupo de aviones aliados que, como nunca, vuelan bajo las nubes en dirección al sur. Al zumbido de los aviones se suma de pronto un bullicio proveniente del río Mosa. Recargado en su arma de cargo, el soldado observa a lo lejos una multitud efervescente que se aproxima hacia él. Como un espejismo, Marcelino Serna mira a los soldados americanos correr y lanzar alaridos alzando sus armas de cargo.

—Ha terminado. La guerra ha terminado —grita Manuel Chávez con sus ojos iluminados.

—Chief, se acabó. Los alemanes se rindieron; lo han dicho los comandantes por la radio. La guerra terminó —dice Aguirre.

Marcelino Serna mira incrédulo a la multitud. Entre ellos se encuentra Luis López, quien grita y celebra abrazado de González, Baca, los hermanos Ochoa, Mascarenos y del resto de sus compañeros de la Compañía B.

—Nos vamos a casa, Marce —asegura Luis López.

Antes de que pueda dar un paso más para celebrar con sus compañeros, el mexicano siente el mundo desplomarse y sus ojos apagarse de golpe.

Un viento frío sopla elevando la cortina blanca de la habitación.

Una enfermera de uniforme y cofia se aproxima para cerrar la ventana que se ha abierto. Marcelino observa la figura junto a él aún adormilado.

—Élise —murmura.

Después de tres días de permanecer dormido, el soldado ha despertado en una cama del hospital militar número cincuenta y tres, cercano a Commercy, a donde fue trasladado después de sus valerosas acciones en la trinchera de Stenay.

—Élise —repite alzando la mano a la chica que se aproxima despacio a él.

—Mi nombre no es Élise, *private*. Puedo ayudarlo en algo. ¿Quiere agua? —asegura con dulzura la chica de mejillas rosadas en inglés, acercando un vaso sin que él lo reciba.

—Fuiste la sombra que cuidó de mí en el frente, Élise. Gracias —regresa aún aturdido con una sonrisa para volver a caer en un sueño profundo.

La enfermera no comprende las palabras en español del soldado, quien le han dicho que es uno de los más bravos que han sobrevivido en la última batalla de Stenay. Extrañada, revisa los signos vitales de su paciente y se aleja en silencio por el pasillo dejándolo descansar.

Dos meses más tarde en el mismo hospital militar, Marcelino Serna ajusta el último botón dorado con las iniciales U.S de su cazadora verde olivo impecable. Sin prisa alguna, se coloca y ajusta el gorro de campaña de dos picos sobre su cabeza apenas arriba de sus cejas.

Erguido, el soldado camina por un pasillo del hospital haciendo sonar el tacón de sus botas de piel. Al fondo, ingresa por una puerta a un amplísimo salón donde otros soldados, quienes también se han recuperado en esa instalación sanitaria, llegan deprisa.

—¡Atención! —grita el coronel George Baker al ingresar tras unos minutos de espera.

De reojo, los soldados reconocen al capitán John C. Moora, comandante de la División 89, quien cruza la puerta siguiendo a una comitiva encabezada por una figura imponente de uniforme y botas impecables.

Al despojarse de su gorra de campaña y sus guantes de piel, la figura deja al descubierto un rostro de nariz afilada, ojos oscuros y un bigote finamente cuidado. Marcelino Serna cae en la cuenta de que se trata nada menos que del general John J. Pershing, comandante general de las Fuerzas Expedicionarias Americanas, quien ha comandado las operaciones del Ejército Americano en Europa.

Orgulloso, el soldado espera en posición de firmes y con la mirada al frente a que el mismo general que lo persiguió años al formar parte de los hombres del general Francisco Villa se aproxime a él.

El soldado raso de la Compañía B saluda con firmeza al mando, quien mira por un segundo y con sorpresa el pecho del soldado en el que porta la Cruz de Guerra y la Medalla Francesa Militar del Ejército Francés, la Medalla de Honor Británica y la Cruz de Guerra Italiana al Mérito que recién le han sido otorgadas por esos países.

Enseguida, el general Pershing toma en sus manos una hermosa medalla con un águila de bronce sobre una cruz y una corona de olivo que cuelga de un delicado fistol azul con tonos carmesí.

—Por su valor —dice el general Pershing depositando la Cruz del Servicio Distinguido en la solapa del hijo de México y héroe de Estados Unidos.

Epílogo

Las tropas americanas aún pasarían varios meses en Europa tras la firma del armisticio en noviembre de 1918.

Durante ese tiempo, los hombres escucharían rumores sobre la gran cantidad de víctimas que dejaron las sangrientas operaciones de Saint-Mihiel y la de Mosa-Argonne, pero nunca con exactitud. Con el tiempo, los registros militares establecieron que, solo entre el 26 de septiembre y el 11 de noviembre de 1918, fueron once mil siete muertos y ochenta mil doscientos sesenta y nueve heridos.

Los jóvenes americanos que asistieron a Europa tampoco fueron conscientes de inmediato sobre los más de nueve millones de muertos que se calcula que dejó la guerra en cuatro largos años de hostilidades, lo que convirtió a ese conflicto, que cambió al mundo como hasta entonces se conocía, en el más sangriento de toda la historia de la humanidad hasta la Segunda Guerra Mundial (1939-1944).

El 15 de mayo de 1919 Marcelino Serna por fin abordó junto a sus compañeros el barco *Leviathan,* en el puerto francés de Brest, para volver a América. Luego de una semana de viaje por el Atlántico, retornó al mismo puerto de Hoboken, en Nueva Jersey, el cual mira a Manhattan, y de donde había salido once meses atrás. El mexicano, sin embargo, volvió con las cicatrices que había dejado en su cuerpo, en su mente y en su alma la guerra.

A su retorno, los soldados mexicanos y mexicoamericanos no encontraron gloria alguna más allá que la del recuerdo que cada uno y sus familias guardaron. Su vuelta se dio a una realidad en la que prácticamente nada había cambiado desde su partida. Tuvieron que conformarse con el hecho de haber escapado de alimentar los cañones alemanes en los campos de batalla europeos para volver a trabajar en el campo, las vías del ferrocarril o en la boyante industria americana que floreció por entonces bajo condiciones precarias.

Cien años después de ocurridos los hechos narrados en estas páginas, llegué frente a la vieja estación de tren de Stenay en Francia. Con el sol del verano pegando a plomo, miré una copia del certificado de baja del Ejército americano del soldado Marcelino Serna que llevaba conmigo entre los viejos documentos que había recopilado en el largo viaje entre México, Estados Unidos y Francia. Ahí mismo revisé la fecha del documento: 3 de junio de 1919.

Por un momento, pensé en todos los años que Marcelino Serna tuvo por venir hasta su muerte, ocurrida el 3 de marzo 1992. En su larga vida que le permitió establecerse en El Paso, Texas, donde vivió y trabajó, en los desfiles de veteranos a los que asistió sin falta durante décadas portando orgulloso sus seis medallas militares, en la oportunidad de ver crecer y multiplicarse a su familia.

Tampoco pude evitar pensar en las otras batallas que, igual que cientos de mexicanos e hijos de mexicanos que asistieron a la Gran Guerra y a otros conflictos armados en los que participó Estados Unidos durante el siglo xx, tuvo que librar. La lucha en contra de la discriminación, la xenofobia y la marginación, aún presentes en nuestros días.

A pesar de los extraordinarios servicios que Serna prestó como parte de las Fuerzas Expedicionarias Americanas, a su vuelta de Europa tuvo que esperar como cualquier otro inmigrante para recibir hasta 1922 la ciudadanía americana.

Pero existe otra lucha, quizá la más importante, que no se ha podido ganar en favor del chihuahuense y es la de que sea reconocido —ahora *post mortem*— con la Medalla de Honor, el máximo reconocimiento que ofrece el Congreso americano a un soldado en acción fuera del país por sus sobresalientes acciones durante un conflicto bélico.

Los esfuerzos realizados durante décadas por parte de la familia Serna, asociaciones de veteranos, congresistas estatales de Texas y federales han sido, hasta ahora, infructuosos al habérsele negado injustamente el reconocimiento al soldado con número de registro 2195593, de la Compañía B, del 355 Regimiento de Infantería, perteneciente a la 89 División de la Fuerza Expedicionaria Estadounidense, argumentando razones tan vacuas como el hecho de no hablar inglés, no haber sido ciudadano estadounidense o haber cruzado la frontera de manera ilegal antes de ir a la guerra.

«Mi papá nomás se vino a trabajar. Ya cuando estuvo aquí, se registró», me dijo en una oficina parroquial de El Paso Gloria Serna, la única hija del soldado, un caluroso día de 2014 cuando fui a visitarla sin que tuviera forma de probar la llegada legal de su padre.

No obstante, un documento que se da a conocer por primera vez en estas páginas prueba que Marcelino Serna cruzó la frontera de manera legal.

El registro es uno de los más de diez mil que realizaron mexicanos que cruzaron entre Ciudad Juárez y El Paso, entre 1905 y 1927, ante el Servicio de Inmigración fechada el 25 de mayo de 1916 y es prueba irrefutable de que Marcelino Serna, nacido el 26 de abril de 1894 en Robinson, Chihuahua, era legal y estaba registrado ante la autoridad competente en el momento en que fue registrado para ir a la Gran Guerra el 5 de junio de 1917.

Al registro se suman las acciones heroicas llevadas a cabo por él mismo, las cuales quedaron plasmadas en la Historia de la División 89 (*History of the 89th Division, U.S.A.; from its organization in 1917, through its operations in the World War, the occupation of Germany and until demobilization in 1919*, p. 104), y que jamás han sido incluidas en ninguna de las solicitudes para concederle la Medalla de Honor. A principios de la década pasada, este documento solo podía ser consultado en físico en la colección del Museo y Memorial Nacional de la Primera Guerra Mundial de Kansas City, Missouri; sin embargo, hoy está disponible para su consulta libre en la colección digital llamada *Missouri Digital Heritage*.

Quisiera aclarar que el presente relato está basado en las acciones de Marcelino Serna y en sucesos que corresponden a anécdotas vividas por personajes que participaron activamente en la Primera Guerra Mundial.

Uno de ellos es José de la Luz Saenz, un inteligentísimo maestro texano hijo de mexicanos, en quien está inspirado el personaje de Marino Ochoa, que en 1933 publicó su diario de viaje como soldado americano en la Primera Guerra Mundial.

También se recuperan acciones y pasajes de escritores conocidos como el francés Louis Ferdinand Céline, el alemán Erich Maria Remarque, el británico Robert Graves y el francés Gabriel Chevallie. Sin las vivencias y narraciones de estos grandes personajes no habría podido reconstruir muchas de las escenas, pero más importante, el mundo no habría conocido los horrores de la guerra de trincheras.

Es necesario aclarar que los personajes del teniente segundo Frank J. Fisher, originario del estado de Kansas, sí formó parte de la Compañía B del Regimiento 355 de la División 89, y murió como un héroe de guerra en el combate alrededor de Beauclair en noviembre de 1918. Existe registro de que a lo largo de esa operación Marcelino Serna cuidó el cadáver de un teniente de su compañía durante su temeraria acción del final de la guerra. Por la coincidencia de las fechas y las acciones, decidí utilizar al teniente Fisher como el comandante del grupo de mexicanos, sin que así haya sucedido en realidad. Es importante mencionar también que el teniente nunca fue degradado ni grupo alguno comandado por él sufrió embestida alguna en la batalla de Château-Thierry, por lo que ese pasaje forma parte de la ficción.

Alberto Aguirre, por su parte, quien se enlistó en Hancock, Texas, no participó en 1916 en la cacería de Estados Unidos a Francisco Villa y sus hombres, conocida como la Expedición Punitiva, ese capítulo forma parte también de la ficción de la presente historia. Sin embargo, el cabo nacido el 3 de febrero de 1891 en Guadalupe, Chihuahua, una comunidad que saltaba de uno al otro lado del Río Bravo, sí fungió como intérprete del grupo de mexicanos durante su periplo en Francia. Marcelino y Alberto mantuvieron una amistad duradera entre ellos y con Víctor Baca cuando volvieron a El Paso, Texas, hasta su muerte.

Los soldados Luis López, Tobías González, los hermanos Marino y Bicente Ochoa, Elizardo Mascarenos sí formaron parte de la Compañía B, pero no hay registro de que hayan interactuado con Serna en acción alguna. Su colaboración y relación también fue creada para efectos de la narración.

Mención aparte merece Manuel Chávez, un soldado raso originario de Las Vegas, Nuevo México, quien representa las vidas robadas por la presión de Estados Unidos de llamar a decenas de miles de jóvenes para enlistarse y formar parte de una guerra que desconocían por completo. Chávez murió entre el 13 de octubre y el 11 de noviembre de 1918 de manera desconocida. Su cuerpo jamás fue localizado ni he podido hallarlo durante mi recorrido por los cementerios militares ubicados en el norte de Francia. Al preservarlo con vida y ser él quien anuncia el fin de la guerra al final de la novela aspiro a que su figura represente alguna esperanza en el porvenir de la humanidad, sobre todo entre los jóvenes.

Agradecimientos

A Gloria Serna, a quien no pude cumplir mi promesa de volver al desierto con la historia de su padre publicada antes de su muerte. Gloria trabajó hasta que le fue posible a favor de su comunidad, de los hijos de mexicanos e inmigrantes en Texas quienes, como ella, crecen con una doble identidad. Su memoria lúcida hizo posible que descubriera pasajes y la personalidad que, hasta antes de nuestros encuentros, yo desconocía de su padre.

Mi profundo agradecimiento a Reynaldo Rivera y Gregorio Vera, dos veteranos del ejército de Estados Unidos, quienes desde la organización Honoramus Veteranos han impulsado como nadie el reconocimiento de las acciones de Marcelino Serna en Francia. Rey y Greg han logrado, a base de paciencia y determinación, recopilar gran parte de los documentos que me permitieron reconstruir episodios completos de la vida del soldado. Son, además, los responsables de que el chihuahuense haya recibido la Medalla de Honor del Congreso de Texas y que uno de los puentes que conecta Ciudad Juárez con El Paso, su ciudad, lleve el nombre de Marcelino Serna. Sin su intervención, no hubiera sido posible encontrarme con Gloria Serna.

A Paola Juárez y Reidezel Mendoza, dos maravillosos historiadores del archivo de la Arquidiócesis de la ciudad de Chihuahua. Fueron ellos quienes lograron localizar la ficha de registro de Serna, fechada en mayo de 1916, en una colección de miles de registros de quienes cruzaron de México a Estados Unidos.

Igualmente, a los historiadores Edelmiro Ponce de León y Jesús Vargas Valdez, quienes me guiaron por la historia de Chihuahua durante la Revolución mexicana y por diversas colecciones históricas del estado. Vargas Valdez fue quien me dirigió amablemente para encontrar el lugar donde se ubicó la Hacienda Robinson, donde nació y creció Marcelino Serna, un lugar árido en las faldas del cerro del Coronel del que hoy apenas queda el nombre como registro de su existencia.

A Carmen Hernández Kennel por abrirme generosamente las puertas de su casa y su corazón siempre; en especial durante mi estancia en El Paso, Texas.

Agradezco profundamente a Grupo Planeta por confiar en este proyecto. Sobre todo a Carmina Rufrancos y a David Martínez por entusiasmarse desde el primer momento en que les conté sobre él.

A José Luis Martínez, amigo entrañable, tus palabras de aliento resuenan siempre en mi mente.

A Jules, creces, hijo, y yo contigo. A Martha, quien sigue y seguirá viva en mí; a Ana María, Julio César, Ana Elisa, Edgar Manuel, Manuel Alejandro, Santiago y a Claudia, ustedes son mi todo.

A ustedes, amigos lectores —los de siempre, los nuevos—, por darles una oportunidad a mis historias en tiempos difíciles, muchas gracias.

Soldado raso Marcelino Serna de la Compañía B, 355 Regimiento de Infantería de la 89 División de la Fuerza Expedicionaria Estadounidense. Porta el uniforme de gala del Ejército de Estados Unidos. En su hombro izquierdo lleva enseña de los *Rolling W*. En el pecho porta la Cruz de Guerra y la Medalla Francesa Militar; la Medalla de Honor Británica, la Cruz de Guerra Italiana al Mérito y la Cruz del Servicio distinguido del Ejército de Estados Unidos que le fueron impuestas por sus acciones.

Tarjeta de registro de Marcelino Serna para el llamado del Ejército de Estados Unidos, llevado a cabo en Fort Morgan, Colorado, el 5 de junio de 1917.

Crédito: Archivo del autor.

Registro fronterizo de Marcelino Serna realizado en la ciudad de El Paso, Texas, el 25 de mayo de 1916. Este documento prueba el cruce y la estancia legal del mexicano antes de viajar a la Gran Guerra.

Crédito: Archivo del autor.

Registro fronterizo de Marcelino Serna realizado en la ciudad de El Paso, Texas, el 25 de mayo de 1916. Este documento prueba el cruce y la estancia legal del mexicano antes de viajar a la Gran Guerra.

Crédito: Archivo del autor.

En la imagen, la línea de defensa del bosque de Mort Mare en la llamada saliente de St. Mihiel. En este territorio es donde los hombres del Regimiento 355 avanzaron el 12 de septiembre de 1918. Al fondo, las villas de Boullonville y Thiaucourt.

Crédito: *History of the 89th Division, 1917, 1918, 1919.*
Worl War I Unit Histories. War Society of the 89th Division.

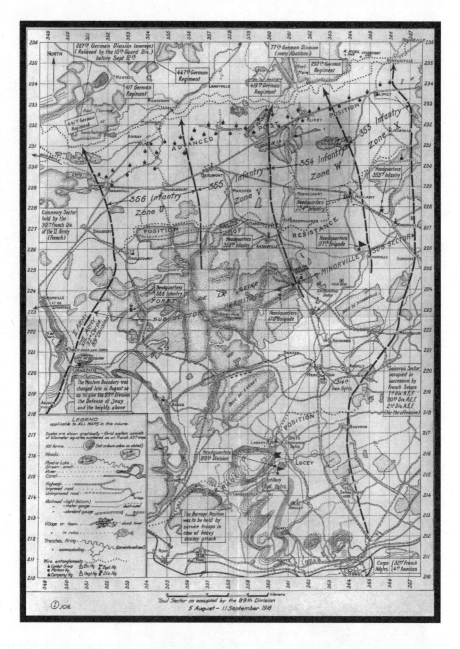

Ubicación del Regimiento 355 en la toma de la saliente de St. Mihiel, Francia. Los hombres de la Compañía B avanzaron frente al pueblo de Flirey para tomar de frente la colina del bosque de Mort Mare el 12 de septiembre de 1918.

Crédito: *History of the 89th Division, 1917, 1918, 1919.*
Worl War I Unit Histories. War Society of the 89th Division.

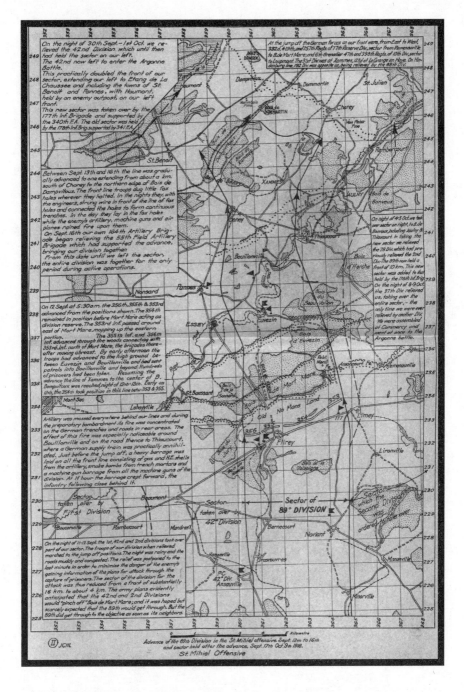

Ubicación del Regimiento 355 en la toma de la saliente de St. Mihiel, Francia. Los hombres de la Compañía B avanzaron frente al pueblo de Flirey para tomar de frente la colina del bosque de Mort Mare el 12 de septiembre de 1918.

Crédito: *History of the 89th Division, 1917, 1918, 1919.*
Worl War I Unit Histories. War Society of the 89th Division.

Lápida del soldado raso Marcelino Serna en el cementerio militar de Fort Bliss, El Paso, Texas. Gracias a esta investigación se sabe que Serna nació el 26 de abril de 1894, dos años antes de lo indicado en su sepultura.

Crédito: Archivo del autor.